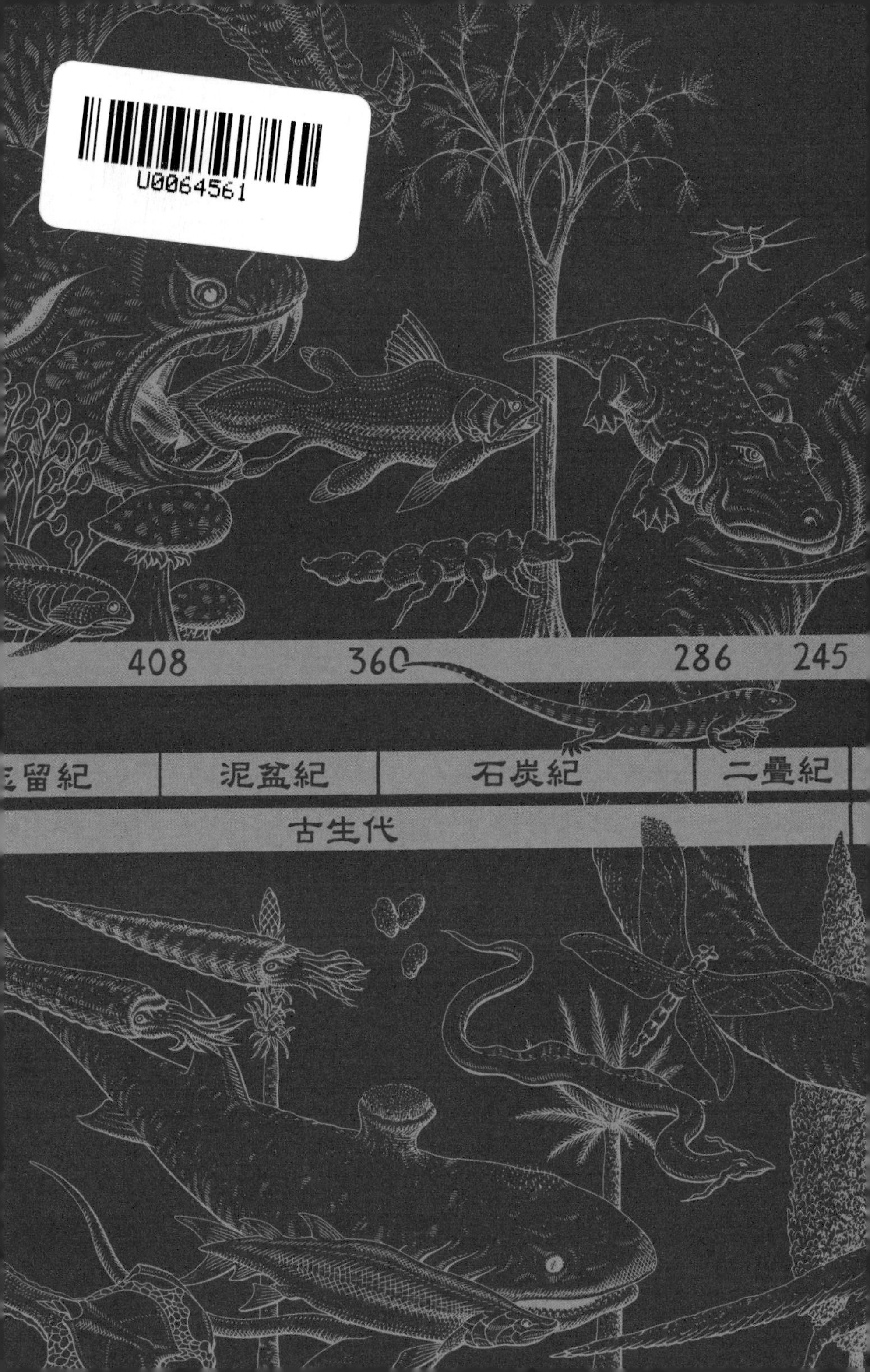
408
360
286
245
留紀
泥盆紀
石炭紀
二疊紀
古生代

BWS179

A Short History of Nearly Everything

萬物簡史 下

生命擂台

比爾・布萊森 Bill Bryson——著
師明睿——譯

萬物簡史 下

生命擂台

A Short History of Nearly Everything

第五部 生命的崛起

第 16 章 寂寞星球 6

第 17 章 風雲難測 34

第 18 章 浩瀚的海洋 64

第 19 章 生命如何而來 104

第 20 章 神奇的小世界 136

第 21 章 生命永不止息 178

第 22 章 再會了，各位 206

第 23 章 驚奇生命數不盡 240

第 24 章 忠心耿耿的細胞 286

第 25 章　達爾文的非凡見解　308
第 26 章　生命藍圖　342

第六部　生命的旅程

第 27 章　冰封大地　384
第 28 章　難解兩足動物之謎　416
第 29 章　我們是誰的接班人？　462
第 30 章　一路走來　494

致謝　516
圖片來源　520

第五部
生命的崛起

這是單股的去氧核糖核酸。
雙股螺旋交纏的去氧核糖核酸，
也就是大家熟知的 DNA。
DNA 裡儲存的遺傳代碼，
是每個生物傳遞新生命之所需。

第16章
寂寞星球

在我觀測宇宙、仔細研究它的結構時，
花的工夫愈多，就愈發現，
這個宇宙在某種意義上，
必然預知我們的到來。
——理論物理學者及作家戴森（Freeman Dyson, 1923-2020）

要當生物還真不簡單。就我們目前所知，在這整個宇宙中，只在銀河系內毫不顯眼的位置裡，一個叫做地球的地方，能夠支持你我活下去。即使這唯一的地方，有時情況還相當勉強。

在地球上，從最深的海溝底部，到最高峰的頂端，已知有生命分布的高度範圍，僅僅約略超過 20 公里而已，與宇宙無限的空間相較，簡直可說是微不足道！

人類的生存空間還更為糟糕，我們所屬的生物群，在四億年前做了一個草率且冒險的決定：從海裡爬了出來，演化成以陸地為基地且呼吸氧氣的動物。

這結果使我們的生存空間基本上或事實上，完全打了折扣。根據估計，以體積而論，地球上所有可供生物生活的空間（包括海水裡跟空氣中），至少有 99.5% 的部分，人類不能棲息。

我們不單不能在水中呼吸，也無法承受水壓。由於水比空氣重了大約 1,300 倍，水壓隨水深快速增長，每深 10 公尺就會增加約一個大氣壓。在陸地上，如果你向上爬升到 150 公尺的高處，譬如到德國科隆大教堂或美國華盛頓紀念碑的頂端，該處氣壓跟地面上的差別，幾乎感覺不出來。但若潛到 150 公尺深的水中，你身上的靜脈會給壓得崩潰，肺臟會壓縮到只有可樂罐大。

不可思議的是，居然有人自願在沒有呼吸裝備下，潛到這樣的深度，而美其名為自由潛水運動。顯然這些人認為讓自己的內臟粗魯的變形是很興奮的事（雖然程度上也許不及在他們回到水面上時，內臟回復到原先大小那樣叫人興奮）。

致命的水下壓力

要潛到如許深度，不可能靠潛水者自己努力，必須以重物把他們硬拽下去。在沒有外力協助下，世界上曾經潛得最深而仍能活著回來報告的人，是一位名叫培里扎里（Umberto Pelizzari）的義大利人，他在 1992 年創下了 72 公尺深的潛水紀錄，在那兒待了不到一奈秒就直衝回水面。以地面上的尺度衡量，72 公尺比足球場短一截，可見我們即使把最了不起的特技算在內，也很難啟齒說，我們在深海裡可當老大。

當然其他生物有辦法對付深海裡的高壓，不過我們還不清楚用的是啥辦法。地球海洋的最深點位於太平洋馬里亞納海溝（Mariana Trench），深度可達 11.3 公里，該處海底的壓力高達每平方英寸一萬六千磅。

我們曾用堅固的潛水載具，把人送到那個深度，發現那兒有一種端足類（amphipod），是似蝦的透明甲殼動物，牠們以此地為家而不需任何保護措施。除此之外，海洋的絕大部分都比這兒淺得多，不過即使是平均深度為 4 公里的海洋裡，壓力也相當於有十四部滿載水泥的卡車相疊其上！

幾乎每一個人，包括某些海洋學暢銷書的作者，都認為人體在深海的巨大壓力下會遭壓扁。但事實上似乎並非如此。英國牛津大學的艾許克羅福特（Frances Ashcroft）的說法是：我們身體裡的成分大部分是水，水是「實質上不能壓縮的東西，體內的壓力跟體外的水壓會保持相等，不因水壓增加而遭壓縮。」

培里扎里是全世界最高明的自由潛水者，而且不斷的自我突破。他在 2001 年時，又刷新自己的紀錄，這次他成功潛入了 131 公尺深的海底。

問題出在體內的氣體，特別是肺臟裡的氣體。氣體受到壓力時會縮小，只是我們並不知道這種壓縮到達何種程度時會致命。一直到最近之前，大家都還認為，人若是潛到水面下一百公尺處，就會因為肺部向內擠壓或胸腔坍塌而痛苦的死亡。但是自由潛水員一再證明，情況剛好相反。艾許克羅福特認為，顯然「人類比我們以往想像的，更接近鯨豚！」

在過去穿潛水裝（配有長管子可與水面上聯繫的那種）潛水的時代，有許多其他意外經常發生，譬如潛水者在海底活動時，有時會突然遇到一種叫做「擠壓」的可怕現象。

十九世紀的潛水裝備。有了這套裝備，人們才開始能在水中停留得更久。不過這套裝置並不太好用，常常有人因操作不當而喪命。

「擠壓」是因為水面上的打氣泵浦因故無法正常運作，使潛水裝裡的壓力頓失，空氣猛然離開潛水裝，可憐的潛水者整個給吸入頭盔與空氣管中，最後被拉出水面時，就如同英國生物學家霍登（J.B.S Haldane）在 1947 年記述的：「潛水套裝裡只剩下骨骼跟血肉碎片」，深怕別人說他是胡扯，霍登還特地加上一句：「這事確實曾經發生。」

〔順便一提，原始的潛水頭盔是 1823 年由英國人丁尼（Charles Deane）設計的。最初設計動機卻不是為了潛水，而是要救火，所以原先叫做「防煙頭盔」。由於是金屬製品，容易變熱也非常笨重，丁尼很快發現，救火隊員在進入燃燒中的建築物時，都不喜歡穿戴笨重裝備，特別是狀如茶壺、容易變熱的金屬頭盔。丁尼為了拯救他的投資，試著把頭盔用到潛水上，結果發現它對海中打撈工作非常理想。〕

然而深海帶給人的真正恐懼是潛水夫病。倒不是這種病叫人不舒服（罹患者當然很難受），而是它極容易發生在潛水者身上。

它的成因是這樣的：我們呼吸的空氣中，80% 是氮氣，它會有小部分溶解在我們的血液跟身體組織中，溶解度跟壓力成正比，壓力愈大，溶解得愈多。

問題發生在，如果壓力變化得太匆促，亦即如果潛水者從深海裡上升到水面的速度過快，則溶解在潛水者的血液跟身體中的氮氣，會像開香檳酒時那樣，頓時以氣泡方式釋放出來。這些氣泡會堵住微血管，使末端的細胞得不到氧氣，潛水者會覺得疼痛難當，痛得整個人捲曲起來。古早以來，潛水夫病就是採集海綿跟珍珠的潛水人的職業病，不過一直沒有引起西方世界的注意。到了十九世紀，這種病痛居然發生在一些並不潛水的旱鴨子身上（他們即使在有水的地方工作，也很少讓水淹過足踝）。

他們是在沉箱內工作的工人，沉箱是在建築橋梁的橋墩時，在河床上的預定地點圍築起來的封閉無水空間，以便工人在裡頭建築橋墩。為了防止河水滲入，沉箱裡會充以壓縮空氣。每當工人在裡面長時間工作，出來後皮膚會有刺痛或癢癢的感覺，少數人會持續的關節痛，偶爾還會有人痛得倒在地上，其中有些人再也站不起來了。

香菸畫片上的二十世紀初的沉箱截面圖。透過沉箱，工作人員不用潛水，就可以到海面下的區域工作。但是這些不用潛水的人，稍不小心，也一樣會得到潛水夫病。

這真是讓人納悶。有時工人在入睡前還感覺不出什麼異狀，但是第二天一覺醒來，整個人已經癱瘓。更扯的是，有人不再醒來。艾許克羅福特講了一個故事：據說一條穿過泰晤士河河底的隧道工程快完工時，董事們在隧道中舉辦盛大的慶祝晚宴，席上讓他們大吃一驚的是，所有的香檳酒都好像早漏光了氣，開瓶時居然不冒泡！一直到宴會結束，賓客離開隧道回到倫敦夜晚的清新空氣中，肚子裡的香檳酒才開始冒泡，使得他們的腸胃頓時脹氣、動個不停。

要避免罹患潛水夫病，除了完全避開高壓環境，只有兩個有效策略可遵循，第一是盡量縮短在高壓下暴露的時間，我之前提到的自由潛水者，之所以可以下潛到 150 公尺深而不會產生糟糕的後果，是因為他們待在那兒的時間非常短，體內的氮氣根本來不及溶解到身體組織中。另一個方法是在高壓環境裡久待後，潛水者緩慢小心的慢慢上升回水面，讓體內的氮氣以小氣泡慢慢釋出並發散，不對身體造成傷害。

興趣是「中毒」的父子

我們對於極端情況下如何生存的知識，有一大部分得感謝不尋常的霍登父子。即使以英國知識份子的高標準來衡量，他們父子都是傑出的奇人。

老霍登（John Scott Haldane, 1860-1936）出生在一個蘇格蘭貴族家庭，著名的政治家霍登子爵是他的哥哥，但是他的事業並不像哥哥那樣顯赫，而僅是牛津大學的生理學教授而已。

他以心不在焉著名，據說有一回，他的老婆叫他上樓去換裝，好出門參加晚宴，哪裡曉得他一上去就沒再下來了，他老婆左等右等後上樓一探究竟，結果發現他老兄換上睡衣躺在床上睡著了。被喚醒後他解釋說，他發現自己在脫衣服，以為是上床睡覺的時刻到啦！他對度假的概念，是到康瓦耳研究礦工身上的鉤蟲。

生物學家湯瑪士．赫胥黎（T. H. Huxley, 1825-1895）之孫，著名的小說家阿道斯．赫胥黎（Aldous Huxley, 1894-1963）曾有一段時期跟霍登父子同住，他在小說《針鋒相對》（*Point Counter Point*）中，有點使壞的把老霍登當成科學家坦達門特（Edward Tantamount）的原型。

老霍登對潛水的貢獻是研究發現，潛水者每次從深水上浮到水面的過程中，分段休息可避免罹患潛水夫病。但是老霍登的興趣遠不止於此，而是涵蓋整個生理學，從登山者罹患的高山症，到人們在沙漠地區發生的中暑問題，樣樣都吸引了他的注意。

他的最愛，則是研究各種有毒氣體對人體的影響。為了搞清楚一氧化碳漏氣究竟是如何要了礦工的命，他居然拿自己做實驗：他讓自己逐步吸入一氧化碳，同時小心的取樣測量血液，直到感覺肌肉即將不受控制時才叫停，那時血液中的一氧化碳含量已經到達了 56%。作家諾頓（Trevor Norton）在有趣的潛水歷史故事《海底星》（*Stars Beneath the Sea*）中考證出來，56% 離必然致命的濃度只差一丁點而已。

老霍登的兒子就是前述的生物學家霍登，後人以 J.B.S. 稱呼他。小霍登小時候是個了不起的神童，幾乎打自襁褓中就參與父親的研究工作。年僅三歲時，就有人聽到他向父親發脾氣問道：「它究竟是氧合血紅蛋白，還是一氧化碳血紅蛋白？」

小霍登的年輕歲月都在幫父親做實驗，在他十幾歲時，父子二人就經常在一起試驗各種氣體跟防毒面具，兩人輪流當白老鼠，看看自己暈倒前能支持多久。

雖然小霍登從未拿過科學上的學位（他大學時代在牛津修習古典學），但他靠自修成為才華過人的科學家，後來主要在劍橋大學為政府工作。生物學家梅達華（Peter Medawar, 1915-1987）一生周旋在許多具有世界頂尖頭腦的人士之間，他認為小霍登是他生平遇見過頭腦最靈光的人。前述的小說家赫胥黎筆下，也沒把小霍登給漏掉，在他另一本小說《滑稽的環舞》（*Antic Hay*）裡有一個人物，描寫的就是小霍登。而且赫胥黎還採用了小霍登對人類基因操控的觀念，做為《美麗新世界》的故事架構。

在小霍登一生諸多成就中，一項頂重要的貢獻是，他在把達爾文的演化論跟孟德爾（Gregor Mendel, 1822-1884）的遺傳學研究結合，形成遺傳學家所謂的「現代演化綜論」（Modern Synthesis）上，扮演了主導的角色。

小霍登也許是人類的異數，因為他居然認為，第一次世界大戰是「非常叫人賞心悅目的經驗」，他還毫無忌憚的承認：他「衷心喜愛這個殺人機會」。在這場戰爭裡，他自己也負傷了兩次。他變成了成功的科普作者，寫了二十、三十本書（以及超過四百篇科學論文）。他的書直到現在，仍具有很高的可讀性跟啟發性，不過市面上不容易買到。

他並且變成了熱中的馬克思信徒。有人認為，這倒也不全然是因為憤世嫉俗，他這種行為純然出自凡事反對者的本能。如果他出生在蘇聯，就會變成熱情的君主主義者。不管怎麼說，由於他的政治傾向，他寫的文章大部分都首先發表在共產黨的刊物《工人日報》上。

老霍登的主要興趣是在礦工跟中毒上，而小霍登則特別執著於救助潛水艇人員跟潛水員，讓他們免於工作帶來的不愉快後果。由英國海軍部的資助，小霍登獲得了他稱為「壓力鍋」的減壓艙。

壓力鍋是一個可容納三人的金屬圓筒，密封後可以做各種實驗。這些實驗全都充滿痛苦且幾乎每個都很危險。比方說，志願者也許要在冰水裡，同時呼吸「異常的空氣」，或忍受壓力鍋中快速的空氣壓力變化。

有一回，小霍登自己坐在減壓艙中，模擬潛水夫急速上浮時感受的壓力變化，結果意外發現，蛀牙裡的填充物居然爆炸。作家諾頓寫道：「幾乎每回做實驗，裡面的志願者都會有人突然抽筋、出血或嘔吐。」由於這個減壓艙完全隔音，所以關在裡面的人要表達不高興或痛苦，只有兩個辦法，一是一直敲艙壁，二是寫字條貼在小窗子上給外面的人看。

在另一次實驗裡，小霍登用高濃度的氧氣讓自己中毒。突然他抽起筋來，嚴重撞傷了好幾節脊柱。肺臟陷縮在他的實驗裡是家常便飯，耳膜破洞也相當普遍，不過小霍登在論文中輕描淡寫道：「耳膜破了後一般都會自動癒合，即使沒有癒合也不打緊，耳膜上有個洞雖然使人有點耳背，聽力上固然會差一點，然而抽菸時可從耳膜上有洞的耳朵裡噴出煙來，可是交朋友的好點子。」

其中最不尋常的地方，倒不是小霍登為了追求科學甘願忍受痛苦與風險，而是他能不費吹灰之力，說服同事跟親人爬進減壓艙去受活罪。有一次他叫老婆進去體驗潛水下沉的模擬情況，結

1910 年老霍登到礦坑裡進行毒氣測試。老霍登跟他兒子一樣，勇於拿自己做實驗，挑戰生理極限。

小霍登在 1941 年親自進入減壓艙進行實驗。小霍登在壓力研究上進行很多怪異實驗，並以家人、朋友甚至自己當白老鼠。因為這種種的努力，我們今天才明白，壓力變化太快對人體會產生不良影響。

果他老婆抽筋，且持續十五分鐘之久，當她終於停止在地板上亂蹦亂跳後，他把她攙扶起來，叫她趕回家煮晚飯！

他也沒特定要用誰做實驗，誰剛好在附近他就樂意雇用誰，包括一次非常具有紀念性的實驗，因為那次實驗對象是西班牙前首相內格林（Juan Negrín）。實驗完畢後，內格林覺得有點輕微的刺痛，另外「嘴唇上有些滑滑的感覺」，除此沒有任何傷害。他也許應該感覺自己非常幸運，因為另一次由小霍登本人進行的類似實驗，在減少氧氣後，小霍登的屁股跟下脊椎部分，喪失感覺達六年之久。

在小霍登熱中的諸多特殊項目中，有一樣是氮氣中毒。氮氣中毒的原因到現在仍然不很清楚，我們只知道，大約在水深超過 30 公尺時，氮氣就變成了強力的毒品。

據說在氮氣的影響之下，一些潛水者會做出匪夷所思的動作，譬如把空氣管拿給游過身旁的魚，或試圖點根菸休息一下。氮氣也使潛水者的情緒大幅度起伏，小霍登在一次實驗裡注意到：受測試者「心情迅速從頹喪變成開懷，有一陣子他覺得『極其難過』，央求快替他減壓。然而不到一分鐘，他又高興得笑出聲來，並且試圖去干擾同事的心智試驗。」

某位科學家為了量計受測試者中毒的速度，也進入減壓艙，為受測試者進行簡單的數學試驗。根據小霍登事後的記述，僅僅數分鐘之後，「測試者的中毒程度不下於受測試者，常忘記按馬錶或忘記做紀錄。」這種狀似醉酒的心智失常現象，原因目前仍然是個謎，有人推想它跟喝醉酒也許是同一碼子事，但無人能確定。無論如何，它告訴我們，人一旦離開地球表面，一不小心就容易陷入困境。

地球為何適合人居？

這樣就把我們（幾乎又）帶回到早些的觀察結論：就算地球是宇宙間唯一有生物的地方，但生物要在它上面生存也還真不容易。地表上只有一小部分是陸地，其中卻有數量叫人吃驚的大部分地區，環境不是太熱、就是太冷、或是太乾、太陡、太高等等，因而不適宜居住。我們必須承認，部分原因是我們自己的錯，得怪我們的適應力有所不逮，人類在這方面可說無用之至。

正如絕大部分哺乳動物一樣，我們不大喜歡很熱的地方，但是由於我們非常容易出汗跟中暑，對熱的適應力特別差。在最糟糕的情況下，譬如在沒有水的情況下徒步走在炎熱的沙漠裡，不出六、七個小時，絕大部分的人都會逐漸發狂並暈倒，之後就很可能不再站起來。

我們面對低溫的適應能力也好不到哪兒去，像所有的哺乳動物一樣，人類擅長於製造熱能，但是由於我們身上幾乎無毛，因此疏於保溫。即使在相當溫和的氣候裡，你身上燃燒的卡路里，就有半數是用來維持體溫。當然啦！我們可以利用衣著跟房舍把這個缺點大致克服，不過即使如此，地球上適宜人類居住的地方真是非常有限，只占全部陸地面積的 12% 左右；若是把海洋的面積也算上，只占地球表面積的 4% 而已。

但是當我們考量已知的宇宙中，其他地方的各種環境條件時，令我們驚訝的反倒不是：我們怎會只利用到地球上這麼一點點面積！而是我們何其有幸，居然能找到這顆我們可以利用一部分的行星。其實只要看看咱們太陽系裡的其他行星，或甚至只需瞧瞧地球過去歷史上的一些時期，就可以瞭解，絕大多數其他地方，比起我們這個性情溫和、充滿水的藍色地球，更嚴厲無情的多啦。

截至目前為止，雖然太空科學家在太陽系以外已經發現了七十顆左右的行星，但是他們認為宇宙中的行星總數，應該多達一百億兆（10^{22}）左右。因此人類很難以權威的姿態去談論有關外太空行星的事情。不過看起來要在這些行星中，找到一顆適合生命的，只怕要非常好運才成，而且愈是高等的生命，要有更多好運才行。究竟地球有什麼樣的優點而受生命垂青呢？

過去許多觀察家定出了約兩打的優點，但限於篇幅無法在此一一詳述，我們摘其要點，濃縮成四個重點，它們是：

第一，極佳的位置。

地球所處地位之優異，幾乎可說到達了一種神祕的境界。首先太陽是極為理想的恆星，它的大小適中，大得足以放射出大量熱能，但也不至於過大而很快燒光。恆星的物理有夠奇怪，愈大顆就會燃燒得愈快。

咱們太陽的壽命長達一百億年，但是假如它的質量大了十倍，會在短短的一千萬年裡就燃燒完畢，那麼我們根本不可能還站在這兒。另一個幸運的巧合是地球的軌道與太陽的距離遠近適中，若是太近了，地球上的一切都會給煮沸而不能存在。反之若稍遠一點，所有東西又全會凍結。

1978 年，天文物理學家哈特（Michael Hart）做了一些計算，獲得的結論是：地球與太陽的距離只要比目前增加 1%、或縮短 5%，地球就會變得不可居住。那個範圍的確小得讓人吃驚，事實上哈特是有些誇大了，後來經修正，其中一個數字變大了些，我們生存的極限範圍：不可縮短超過 5%，但卻最多可以拉遠到 15%。但這依然是相當狹隘的帶狀區域。*

要瞭解這個帶狀區域有多狹窄，只須看看金星就行了。金星與太陽的距離只比太陽跟地球的距離短了 3,200 萬公里，陽光到達金星所需的時間，只比到達地球約快兩分鐘而已。金星的大小跟成分與地球非常相像，但是因為在繞日軌道距離上的少許差別，使得它們現在的情況大不相同。有證據顯示，在太陽系形成後的初期，金星的溫度只比地球稍微高了一些，而且當時金星上可能還有海洋，但也就由於那高出的幾度，使金星無法保住表面的水分，導致災難性的氣候惡化。

金星的地表水分全部蒸發後，其中的氫原子逃到太空中，而剩下的氧原子就跟碳原子結合，形成以溫室氣體二氧化碳為主的厚重大氣層，金星就變成了令人窒息的地方。跟我同齡的人應該還記得，天文學家曾寄望金星在它壅塞的雲層之下，也許有生命寄居，甚至可能像地球的熱帶地區那樣一片蔥綠，但我們現在知道，那兒的環境條件之兇猛，顯然不適宜我們所能想像到的任何生命形式。

金星的表面溫度高達攝氏 470 度，熱到鉛都會熔化，而它的大氣壓是地球的九十倍，遠大於人類身體所能承受的上限。我們

* 本書上冊第15章提到，在黃石公園沸騰泥漿鍋裡發現了耐高溫的極端微生物，而在其他地方也發現類似的微生物，使科學家領悟到，即使是我們所知的生命形式，實際上也極可能在這個帶狀區域之外的行星上繁衍。譬如到最遙遠的冥王星，生存在它的表面冰層底下。這兒所說的界線，應該是針對相當複雜的陸上生物的生存條件而言。

的科技水準還無法製造出合適的太空裝，或是能帶我們前往的太空船。如今我們對金星表面的知識，是依據遙傳回來的雷達影像，以及一具無人探測器發出的嚇人噪音，這具探測器是 1972 年蘇聯滿懷希望丟進金星雲層的，丟進後只運作了一小時就不再吭聲了。

而這就是向太陽移近兩光分的下場。若是離太陽更遠一些，則問題不再是酷熱而成了嚴寒。如今冰冷的火星可資佐證，火星

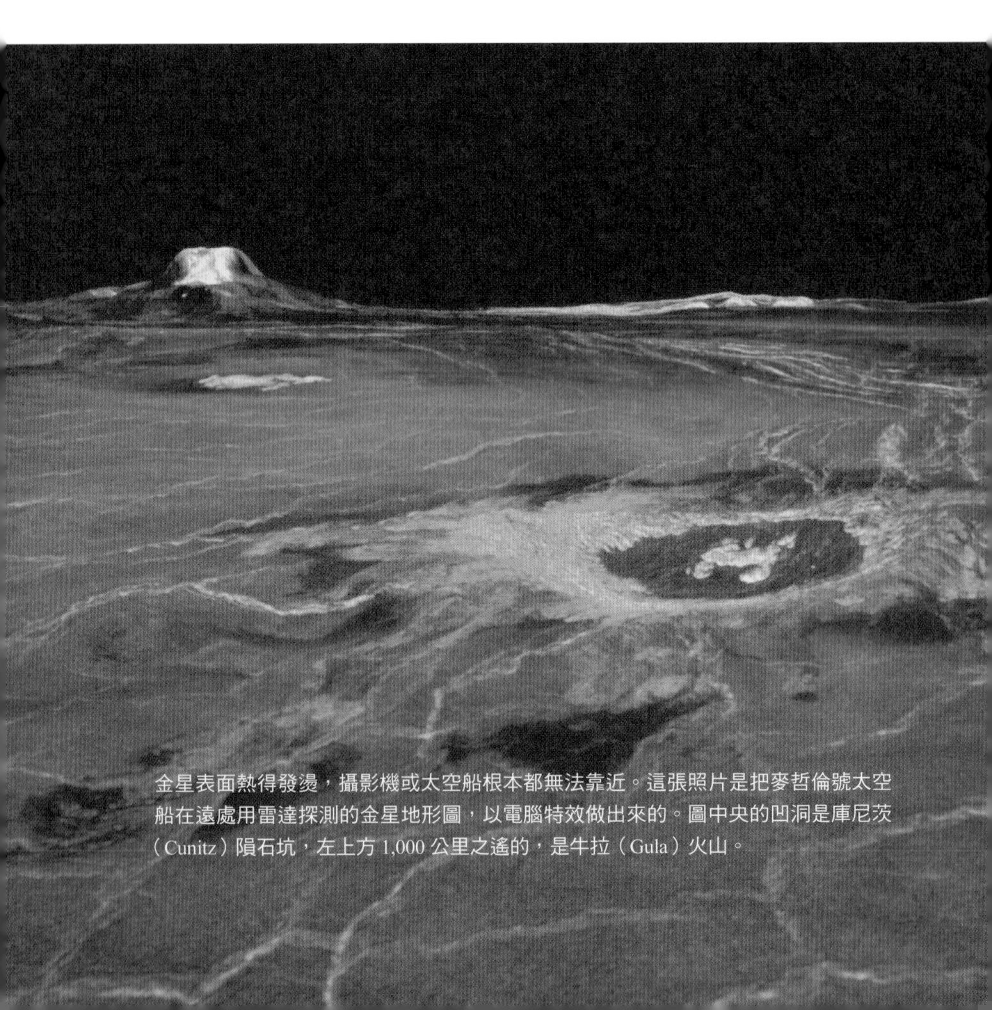

金星表面熱得發燙，攝影機或太空船根本都無法靠近。這張照片是把麥哲倫號太空船在遠處用雷達探測的金星地形圖，以電腦特效做出來的。圖中央的凹洞是庫尼茨（Cunitz）隕石坑，左上方 1,000 公里之遙的，是牛拉（Gula）火山。

從前也曾經是挺友善的地方，但是後來由於沒能夠保住有用的大氣層，就變成了一團冰冷的廢物。

顯然跟太陽的距離恰到好處並非唯一因素，因為若是的話，月球上就不應該是死寂一片。必要的其他因素還有：

第二，合適的行星類型。

看出這個關鍵的人我想不多，甚至有些地球物理學者被問到這個問題時，也不見得會把「住在一個有熔融內部的行星上」這個因素舉出來。然而我們幾乎可以確定，若是沒有腳底下那些旋轉流動的岩漿，今天我們就不可能生活在地球上。

除了一些其他原因，我們活躍的地球內部三不五時的會向外釋放氣體，這有助於大氣層的形成。另外岩漿的流動造成了地球的磁場，磁場遮蔽我們，使我們不受宇宙射線的傷害。

岩漿也給了我們板塊運動現象，這個現象會繼續更新與弄皺地球表面。這對人類的生存尤其顯得重要，如果沒有它讓地球一直維持得有高有低，地球遲早會變成一顆平滑的完美圓球，並由 4 公里深的水籠罩。在這孤獨的汪洋大海中，或許會有某些生命發生，但是絕對不會出現棒球！

地球除了具備了這種有益的內部，它擁有的元素跟成分比例，也都恰到好處，正如西方人常掛在嘴邊的：「我們可是真材實料的。」這一點對我們的生活品質非常重要，值得進一步討論。但是我們需要先把另外兩個因素交代一下，下一個因素也是經常遭人忽略的：

第三，地月是一組雙行星。

一般說來，我們很少會把月亮看作是我們的伴星，但是事實上月亮本質上的確是一顆行星，而非衛星。通常行星的衛星，個頭跟它的主星比起來都非常小。譬如火星的兩顆衛星，火衛一（Phobos）或火衛二（Deimos），直徑都只有 10 公里左右，而我們的月亮，直徑卻超過了地球直徑的四分之一。地球可說是太陽系中唯一有偌大伴侶的行星，而此一獨特現象造成了非常大的不同。

如果沒有月亮在一旁持續影響，地球早就會像愈轉愈慢的陀螺那樣搖晃起來，這會給地球的氣候帶來怎樣的影響實在很難講。然而因為有月亮重力相挺，使地球長久以來，得以維持理想且穩定的旋轉速度跟角度，這種長期穩定性對地球生命能持續發展極其重要。不過這樣的影響並不會無限期繼續，事實上月亮正在以大約每年 4 公分的幅度，逐漸逃離地球的掌控。再過二十億年，月球將因離我們太遠，無法維持地球自轉的穩定，到時候我們得想出其他辦法來，但在那之前，我們應該知道月亮的功用不只是美化夜空而已。

在過去很長一段時期裡，天文學家認為月亮跟地球要嘛是一起形成的，要不就是月亮從天外飛來要打從地球身旁擦身而過時，給地球逮了下來。你可能記得第 3 章曾提到，我們相信，大約四十四億年前有一個大小跟火星相若的星體，一頭撞上地球，把一堆撞擊碎片甩到太空中，集結成了月球。

這個驚天動地的「行星撞地球」事件，以結果而論，對於我們說來顯然是極好的事，尤其最美好的一點是，它是發生在這麼久之前。若它發生在 1896 年或是上星期三，我們可是絕對高興不起來。從此可引出我們的第四點，也是多方考量下最重要的一點：

第四，恰到好處的時間安排。

這個宇宙是多變跟多事的地方，而我們能生存其間簡直是奇蹟。從現在回溯四十六億年，在此漫長歲月裡，如果在那些複雜得不可思議的一連串事件中，有任何一個關鍵事件沒有在特定的關鍵時刻如期發生的話，世界可能會大不相同。

以一個淺顯的例子來看：如果使恐龍滅絕的那顆流星，因為偏差了一點點而沒撞上地球，也許今天的你，身體只有幾公分長，嘴角長著貓咪鬍鬚，還拽著一根尾巴，住在洞裡讀這本書呢！

我們並不真的知道，若事件發生的過程有所變化，會釀成怎樣的後果，因為我們沒有其他的例子可供比較，不過看起來有件事很明顯，那就是如果要蘊育一個進步且有思想的社會，你需要一連串步驟的結果都恰到好處，且每一個步驟都得具有合理的穩定發展時段，而各時段之間都有恰到好處的壓力與挑戰（冰河時期似乎在這方面特別稱職）。

還有最重要的事是，在經歷這漫長一連串步驟的過程裡，絕不能碰到真正毀滅性的自然災難。在本書以後的章節裡，我們將陸續看到，我們真是非常幸運，恰好吻合上述的諸多條件。

為了進一步闡明此點，讓我們把話題岔到咱們身體的元素組成成分上。

元素和你想的不一樣

地球上自然存在的元素一共有九十二種，另外還有二十來種，是在近代由科學家在實驗室裡合成的。但其中一些我們可以即刻丟到一邊不予理會，就像化學家實際上會做的那樣。

有不少元素仍是出人意料的少為人知。比方說砈（At），就壓根兒沒什麼人研究過，它是有個名稱，在週期表上有屬於它的位置〔就緊鄰居禮夫人發現的釙（Po）〕，但也僅此而已。

之所以如此，問題並不在科學界的疏忽或不熱心，而是因為砈太過稀有，在這個世界上砈的含量著實太少。然而這世界上存量最少的元素卻還不是砈，而似乎是叫鍅（Fr）的放射性元素。鍅有多麼稀少呢？有些專家認為，咱們整個地球在過去、現在、跟未來的任何一個時刻，都不會有超過二十個自然生成的鍅原子！

從相反的另一端去瞧，地球上廣泛分布的自然元素總共有三十來種，而其中對生命來說不可或缺的，只有半打。

也許你已經知道，氧是咱們地球上含量最豐富的元素，幾乎占了地殼組成成分的 50%。但是自氧以下按照相對含量自多到寡的排列名單，就相當出人意料。

譬如有誰會猜得到，矽（Si）居然是地球上含量僅次於氧的元素！而鈦（Ti）竟然高居名單上的第十位！顯然元素的含量多寡跟知名度或對我們有無用途，全然無關。許多不太為人知的元素，比名聲震耳的還普遍，例如一般人從未聽說的鈰（Ce），在地球上的含量就比銅（Cu）來得多，而釹（Nd）跟鑭（La）這兩種陌生元素，比我們日常耳熟能詳的鈷（Co）或氮（N）還豐富。

自古以來即為人們熟知的錫（Sn），意外的僅勉強擠進名單上的前五十名，它的前面還包括少為人知的鐠（Pr）、釤（Sm）、釓（Gd）及鏑（Dy）等元素。

元素含量的多寡跟偵測到它的難易也沒啥關係。鋁（Al）是地球含量最豐富元素榜上的第四名，幾乎占了咱們腳底下所有物質總質量的十分之一，但是它在十九世紀由英國化學家戴維（Humphry Davy）發現之前，人們不但完全不曉得它的存在，且連疑心都未曾有過。

而且在發現鋁之後有很長一段時期，人們普遍誤認為它是非常稀有、寶貴的金屬，美國國會曾幾乎決定，要在華盛頓紀念碑的表面，鋪上閃亮的鋁箔，用以宣示美國已經發展成非常有格調跟富庶的國家。在同一時期，法國王室居然把國宴用的整套銀製餐具拋棄，代之以鋁製器皿。上行下效的結果，使得鋁製器皿風行一時。

元素在地球的含量跟它對生命的重要性也是兩碼子事。就拿碳元素做例子，碳是含量名單上的第十五名，在地殼中僅占非常不起眼的 0.048%，但若沒有碳，我們早就出局啦。碳跟其他元素的差異在於，碳可說是元素界的交際花，在起化學作用時，完全不在乎對象是誰，幾乎來者不拒。它跟許多種的原子（包括它自己）一拍即合，且相互抓得很緊，因而能形成堅固牢靠的長鏈分子，長鏈分子是建立蛋白質跟 DNA 等生命關鍵分子的必備竅門。

正如戴維思（Paul Davies）所揭櫫的：「如果沒有碳的參與，不但我們熟悉的生命現象變得不可能，甚至也許連任何形式的生命都不會出現。」雖然咱們如此的依賴碳元素，但是它在人體裡並不算非常充裕，人體裡大約每 200 個原子中，有 126 個為氫原子，51 個為氧原子，而碳原子則僅有 19 個＊。

至於身上其他少數元素的重要性，不在創造生命而在維持生命。比方說，我們需要鐵來製造血紅蛋白，一旦缺少了它，人就活不下去。鈷則為製造維生素 B_{12} 所必需，鉀跟非常少量的鈉在實質上對神經系統的運作頗有貢獻，鉬（Mo）、錳（Mn）以及釩（V）等元素，會讓我們身上各種酶得以順利運作，而幸虧有鋅（Zn），才能替貪杯者把有害身體的酒精氧化掉。

是幸運，還是我們努力適應了地球？

以往的演化使我們能利用或容忍這些元素，否則我們很難存活下來。但即便如此，我們的接受範圍通常很狹窄，例如我們雖然不能沒有硒（Se），但只要多吃了一丁點，卻會即刻要了我們的命。生物對某些特定元素的需求或容忍程度，取決於該生物先前演化的過程。

如今綿羊跟牛隻常放牧在同一片草地上，但實際上牠們對礦

＊ 剩下的四個原子裡，三個是氮，最後那個則由其他所有不同元素來共享。

物質的需求非常的不同。現代的牛需要攝取相當大量的銅，原因是以往的牛群，世世代代都是生長在歐洲與非洲，那兒的土壤含有豐富的銅。但綿羊則不然，綿羊來自土壤含銅量很低的小亞細亞（譯注：土耳其的亞洲部分）。

原則上，通常我們對元素的容忍度，直接跟它在地殼中的含量成正比，而且在不斷強迫攝取及適應演化之後，我們的身體變得「期盼」甚至「需要」在我們所吃的動植物中，含有極少量的某些稀有元素，但是在有些情形下，一旦稍微超過某個上限，它們就會成為劇毒，致人於死。其中道理還不太為人瞭解。一個例子是，沒人知道一丁點砷（As）是否為保持健康快樂所必需，有些權威人士說是、其他一些則說否，不過雙方都同意，砷吃多了人會中毒而死。

奇怪的是，這些元素在發生化合作用後，性質會變得與以前完全不同。譬如氧和氫是跟燃燒最有緣的兩種元素，但是一旦它們兩個結合後，就變成了不燃的水 *。

更奇妙的是鈉跟氯的結合，鈉是性質最不穩定的元素之一，把一小塊鈉丟進普通的水裡，會發生威力強大的爆炸。氯則是元素中最毒的一種，造成的禍害不輸給鈉。雖然氯在低濃度時可以

* 氧本身不會自燃，它只是幫助其他東西燃燒。這可是件好事，因為若是氧會自燃，每次你劃根火柴，周圍的空氣就會全部燃燒起來，那還得了？但氫氣極容易起火燃燒，就像1937年5月6日，發生在美國紐澤西州雷赫斯特（Lakehurst），一艘德國人設計的飛船「興登堡號」（Hindenburg）失火事件可以證明，該船在降落時，船上的氫氣燃料發生爆炸，頓時一片火海，死了三十六人。

用來殺菌（漂白粉溶液的難聞氣味就是來自於氯），但劑量一大就能殺人。第一次世界大戰期間發展出來的多種毒氣，幾乎都是含氯的化合物。而且，許多在以氯消毒的游泳池游泳而眼睛疼痛的人會告訴你，氯即使在低濃度時，也不為我們的身體所喜。但是當你把這兩種很不友善的元素放到一起後，你得到什麼呢？氯化鈉，也就是普通的食鹽。

大體而言，如果一種元素不會以某種自然的方式進入我們

那些少量使用時無害、甚至有益的化學元素，當量大時，卻會變得有毒。氯就是一個好例子，氯可以用來淨化水，但是在第一次世界大戰時，氯的功用變得很恐怖，成了使人目盲的毒氣。

的身體或系統的話（譬如它不溶於水），則我們會對它不太能容忍。鉛之所以毒性很大，是因為人類的老祖先從來沒機會直接接觸鉛；所以當人們自己發明了鉛做成的食物容器、引水用的管子後，鉛中毒就屢見不鮮。（這可不是巧合，鉛的化學符號為 Pb，是來自它的拉丁名稱 *plumbum*，*plumbum* 也是英文管線工程 plumbing 一字的字源。）

羅馬人還發明了用鉛給酒調味，也許這是強大的羅馬帝國逐漸衰敗、滅亡的部分原因。我們從許多別的例子裡也看到，鉛毒能讓人的神智不清，死前只會傻笑。

同類的其他工業汙染，諸如汞、鎘（Cd）等，對我們的健康造成嚴重威脅，理由跟鉛毒頗雷同。這些還都是地球上原來就有的元素，只是因為以往少有機會與人接觸，而不太能為人所容忍。至於那些非地球上自然存在的元素，我們的演化結果使我們對此類元素完全不能忍受，因此它們對我們而言，毒性極強。以鈽（Pu）為例，我們對鈽的容忍度是零，意思是量多少不拘，任何人只要沾到就只有死路一條。

我嘮嘮叨叨了一大堆，目的是要闡明一個小小的論點：地球看起來奇蹟似的跟我們的需求相配合，只不過是因為我們在過去漫長的歲月裡，用演化的手段適應地球的狀況罷了。我們現在覺得驚訝的是，並非地球是多麼適合一切的生命，而是它多麼適合「我們的」生命，但原因說穿後真是一點也不稀奇。

至於前面列舉的那些地球適合生命生存發展的各項優點：比例恰到好處的太陽、照顧我們無微不至的月亮、善於交際的碳元

這張第二世紀的馬賽克鑲嵌作品裡，呈現的是羅馬時代的酒杯與酒瓶。想當然耳，裡頭裝的酒幾乎都含有鉛。用鉛調味的酒是羅馬人喜歡的味道，但它也可能是導致羅馬帝國衰亡的原因之一。

素、多得你不知道該如何是好的岩漿、以及其他種種，看來好像很讓人滿意，像是為我們量身打造似的。

但真相如何，無人知曉。

也許居住在其他世界裡的某些生命，很慶幸他們的地面上有裝滿著水銀的閃亮「湖泊」，天上飄浮著阿摩尼亞「雲」。他們或許很高興自己所在的行星沒有相互推擠的板塊結構，因而絕對不會三不五時來個嚇人的地震，或是把不雅觀的熔岩噴得到處都是，他們的世界擁有不變的外貌跟永恆的寧靜。

任何從遠方來到地球的訪客，可能幾乎都會對我們的大氣感到很困惑，因為它的組成成分是以氮氣與氧氣為主。氮氣非常遲鈍，幾乎不願意跟任何東西發生化學反應，氧氣剛好相反，尤其偏愛燃燒，以致於我們不得不在各城市遍設消防隊，以減輕氧氣的火爆脾氣不時帶來的火災損失。

即使這位外星訪客的長相跟我們類似，且是呼吸氧氣的兩足動物，甚至喜歡去逛大賣場買東西、看動作片，但由於生長背景不同，他很可能發現地球並不適合他長住。我們也許不能請他共進午餐，因為我們的食物裡，含有微量的錳、硒、鋅及其他元素，其中有些對他來說有毒。在他們看來，地球完全不是一個友善、好客的地方。

物理大師費曼曾取笑以「結果論」做出的結論，他說：「告訴你吧，今兒晚上發生了一件最叫我不能相信的事情，那就是來這兒的路上，我看到了一部汽車，牌照號碼 ARW 357。你仔細想想，加州境內的汽車牌照總數豈止數百萬，要在今天晚上由我看到這塊『特殊』牌照的機率可說是零，現在卻讓我看到了，我能不驚奇嗎？」

他說這個不怎麼好笑的笑話，用意當然是要指出，如果你相信世事是由命運主宰的話，任何陳腐無奇的情況，都可以很容易由有心人渲染成了不起的事件。

從這個角度來看，也許地球上讓生命得以發展的那些事件跟條件，並不像我們想像的那樣重要跟不平凡。然而若說它們完全不重要，也不見得正確。有一點我們很確定，在我們將來發現更美好的環境條件之前，它們還真是非常重要。

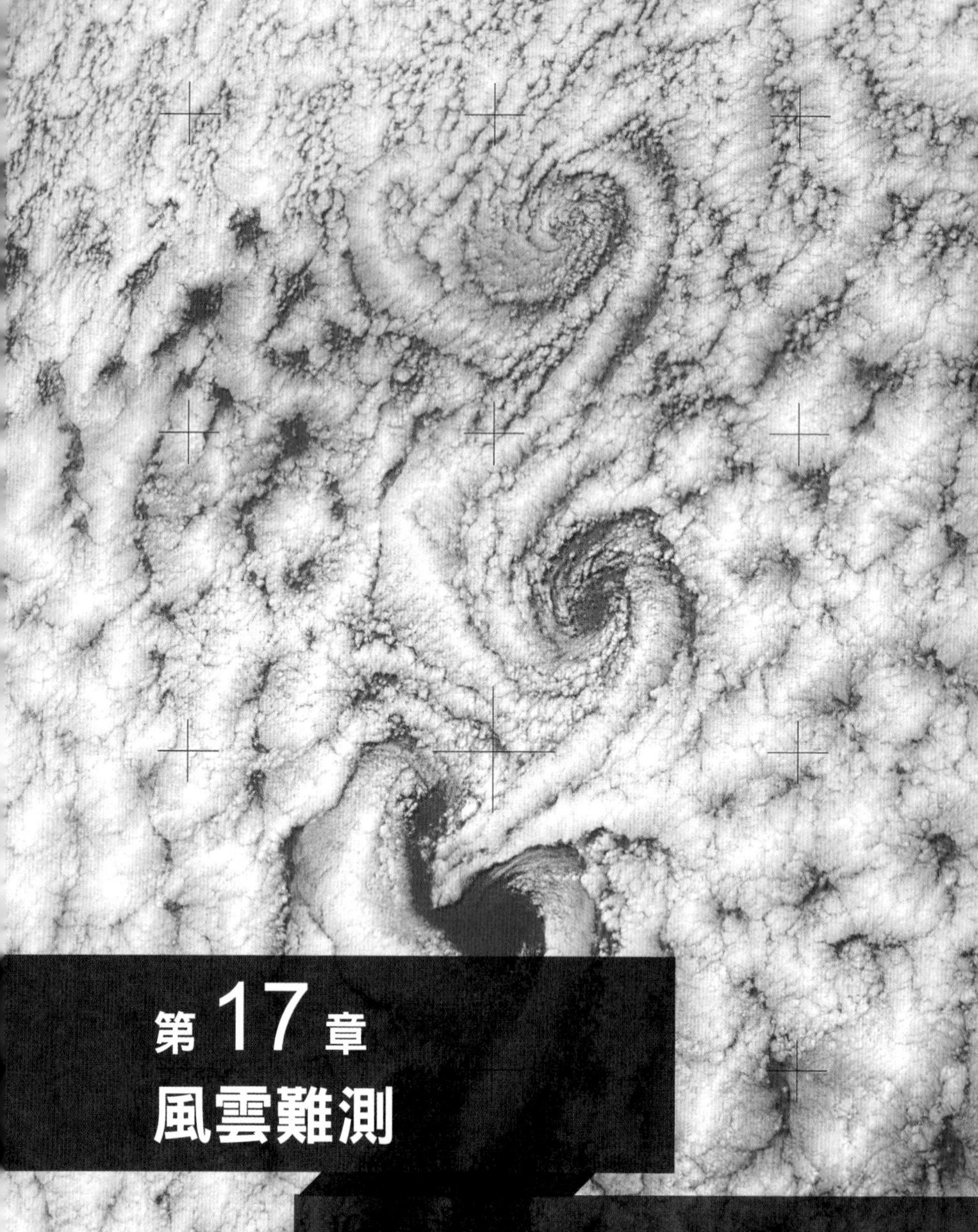

第 17 章 風雲難測

「天空實驗室」太空站拍攝到的這張照片，證明英國博物學家華萊士（Alfred Russel Wallace, 1823-1913）形容地球的大氣層為「大空氣海」，所言不虛。圖中央的漩渦，稱為馮卡門漩渦，是為了紀念第一位研究它的科學家馮卡門（Theodore von Karman, 1881-1963）。

感謝老天爺讓地球有大氣，大氣層使地面的溫度不至於降得太低。如果沒有大氣，地球會是一個了無生機的冰球，表面的平均溫度會僅有攝氏負 50 度左右。

除此之外，大氣還吸收或反射了從天外衝著我們飛來的大批宇宙射線、帶電離子、紫外線及其他種種有危險的東西。這層氣體總合起來的保護效果，相當於一堵 4.5 公尺厚的水泥牆，如果沒有它，上述這些來自太空的無形訪客，就會像是無數微小鋒利的匕首，割碎我們的身體。甚至雨滴如果沒有大氣進行拉扯的緩衝作用，會像下石頭似的，窮兇極惡重重的砸在咱們身上，絕不會營造出文學家描述的雨中詩情畫意！

咱們大氣層最讓人驚奇的特性是，它的體積委實不多。雖然總厚度大約是 190 公里，從地面往上看這似乎是滿大的距離，但如果我們把地球縮小成桌上型地球儀般的大小，則大氣就大約只有一兩層漆的厚度而已。

搭上通往天空的電梯

為了便利科學研究，大氣層細分成四個層次：從裡到外按次序為對流層、平流層、中氣層，以及游離層（目前也常稱為增溫層）。

對流層是大氣層中跟我們最親近，也是對我們最和善的部分，它是唯一含有足夠溫暖跟氧氣的層次，讓我們的身體能正常運作。不過並不是整個對流層都如此，隨高度增加，它很快變得不適宜生物存活。赤道上方的對流層，厚度約 16 公里，然而在

1902 年間法國人德博爾坐氣球上天空探險時，發現了介於對流層與平流層間的對流層頂。

大部分人類居住的溫帶緯度地區，它的厚度僅只 10 或 11 公里。

大氣層 80% 的質量都集中在對流層裡，更重要的是，水分都在這兒，因此地球上各種氣候變化僅局限於這纖薄的對流層裡。你所在的地表跟人不能生存的對流層頂端之間，僅一線之隔呢！

對流層之上為平流層。當你看到雷雨雲的頂端呈鐵砧的平台狀時，平台就是對流層跟平流層的界面。這塊看不見的天花板叫做對流層頂（tropopause），是 1902 年間法國人德博爾（Léon-Philippe Teisserene de Bort, 1855-1913）坐氣球上天空探險時發現的。

對流層頂的英文名稱裡那個「pause」來自希臘文，意思並非暫停而是完全停止，與女人的停經（menopause）同一字根。即使在對流層最厚的部分，對流層頂距離我們也不是很遠，以摩天大樓裡快速電梯的速度上升，從地面出發只消二十分鐘就可到達對流層頂。

話雖如此，即使真有這樣的電梯可用，專家奉勸大家最好不要去搭，因為在沒有加壓設備時如此快速上升，對人體而言非常危險，會造成極嚴重的腦部及肺部組織水腫。

換言之，直達對流層頂觀景台的快速電梯，在二十分鐘的旅程結束一開門，裡面的乘客若不是已經死亡，就是奄奄一息。即使把電梯盡量放慢，缺乏保護的上升過程也會造成乘客身體極大的不舒適。壓力變化外，溫度也會遽降，在 10 公里的高空上，溫度會下降至攝氏負 57 度；另外還會嚴重缺氧，人必須要有補助氧氣才能維持正常呼吸。

離開對流層頂繼續上升的途中，由於臭氧的吸熱作用，氣溫不降反升，很快回復到攝氏 4 度左右（這也是德博爾在 1902 年乘氣球升空時的發現），之後溫度又隨高度增加而下降，到中氣層時已降到攝氏負 90 度的低溫。然後，溫度又急遽上升到攝氏 1,500 度或更高，並進入那個非常不穩定的增溫層，那兒的日夜溫差有上千度。

不過我們必須指出，在這樣的高度中，「溫度」變成了抽象的觀念。溫度實際上是分子活動程度的計量，在海平面高度，空氣很稠，分子非常擁擠，活動空間非常有限，彼此間距離大約只有八百萬分之一公分，由於隨時都有數以萬億計的空氣分子互相碰撞，因而不斷有大量的熱能交換。

但在增溫層的高度（海拔 80 公里或更高），空氣非常稀薄，分子間的距離平均可達數公里之遙，幾乎沒有機會碰到一起。所以雖然每個分子都非常熱，但由於缺乏交互作用，也就不發生什麼熱傳遞效應。這對人造衛星與太空船來說可是個好消息，因為如果增溫層的熱交換效率更好一些，任何人造物件行經該處很可能就會著火燃燒。

即使如此，太空船在經過大氣層的最外部時還是得特別小心，在回地球的旅途上更是如此。2003 年 2 月間發生的哥倫比亞號太空梭的意外事件，就是很好的證明。

雖然大氣層很薄，如果回來的太空船在進入大氣層時角度過大（超過 6 度）或速度太快，就有可能因為碰撞到足夠的熱分子而造成起火意外。反之，如果回來的太空船撞向增溫層的角度太小，有可能給彈回太空，正如我們丟石子打水漂所發生的現象。

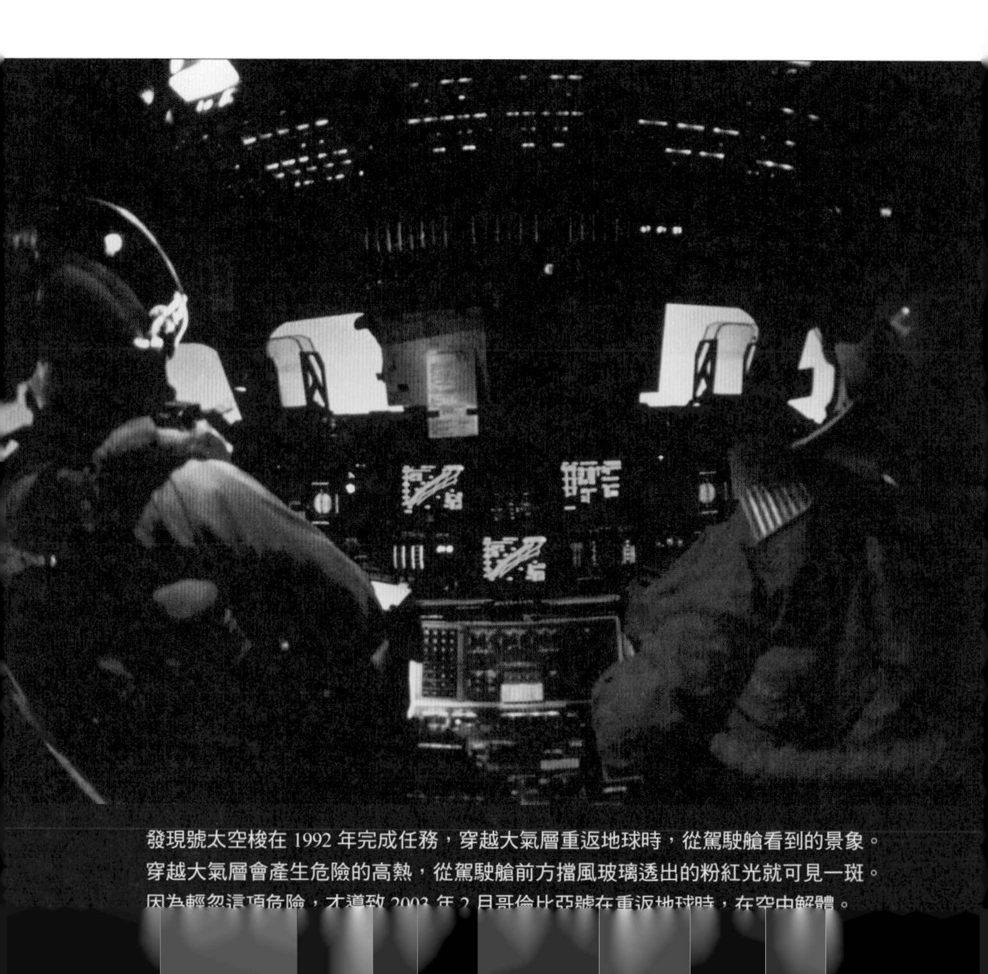

發現號太空梭在 1992 年完成任務，穿越大氣層重返地球時，從駕駛艙看到的景象。穿越大氣層會產生危險的高熱，從駕駛艙前方擋風玻璃透出的粉紅光就可見一斑。因為輕忽這項危險，才導致 2003 年 2 月哥倫比亞號在重返地球時，在空中解體。

高山症

我們實在沒有必要冒險跑到大氣層的上緣，證明離開土地生活對我們來說有多難。到過高海拔城市的人都知道，只要海拔有上千公尺高，我們的身體就會開始抗議。

即使是有經驗的登山者，他們身體健壯且平日訓練有素，也配備了氧氣筒，還是很容易有高山症，產生神志混亂、噁心、疲乏、生凍瘡、體溫過低、頭痛、沒胃口等一大堆身體功能失常現象。換言之，咱們的身體用各種方式告訴我們，它不是設計來在高海拔地區運作的。

登山家哈伯勒（Peter Habeler）在講述他登上埃佛勒斯峰的經歷時說：「甚至在最理想的天候狀況下，在那個海拔高度，每走一步都必須用極大的意志力，每做一個動作、每次伸手去抓把手，都要逼迫自己才能完成，因為你時時刻刻都覺得疲倦得不得了。」

英國登山者兼製片家迪京生（Matt Dickinson）在登山紀實《埃佛勒斯峰的另一側》中，談到 1924 年的英國隊攀登埃佛勒斯峰的故事。描述隊員蘇麥威爾（Howard Somervell）如何「覺得有一塊遭感染的肉鬆脫了下來，堵住氣管快讓他窒息而死了」。他用盡全身的力量終於把它咳出來，才發現那樣東西是「他喉頭的整個黏膜」。

大家都知道，在海拔超過 7,500 公尺時，身體會感到極端痛苦，登山界人士把此區稱為「死亡區」。但是許多人在 4,500 公尺高度之前，就已經病得要死。

高山症的感受程度跟人的體格似乎不太有關，有時老奶奶到了高山地區仍活躍如常，但是她們身旁看似頗為健壯的子孫輩，卻已成了一堆堆無法動彈、呻吟哀嚎的爛泥，得等人把他們「下放」到山腳時，才會活轉過來。

人能持續居住的海拔高度極限似乎是 5,500 公尺，但到了那個高度，甚至長年習慣於山居的人也無法久留。艾許克羅福特（Frances Ashcroft）在《極端下的生命》一書中指出，安地斯山中有些硫磺礦，海拔高達 5,800 公尺，礦工每天下班後，寧可拖著疲憊的身體，下降 460 公尺後第二天再爬回礦區上班，而不願連續待在礦區所在的海拔高度。

習慣於山居的民族經過了數千年的調適，發展出不成比率的超大胸部跟肺臟，並且血液中用以輸送氧氣的紅血球濃度，幾乎比平地人高出三分之一。血液中紅血球濃度並不能無限增加，因為過濃的紅血球會減緩血液的供應，反而礙事。還有一點，在 5,500 公尺以上的高度，即使是適應能力最佳的孕婦，都無法提供足夠的氧氣給肚子裡的胎兒，使其成長到瓜熟蒂落。

在 1780 年代，歐洲人開始實驗乘氣球升空。他們意外發現上升時周圍空氣的溫度降得很快。他們之所以意外，是因為按照邏輯，愈是接近熱源（太陽），似乎應該愈覺溫暖才合理。

這個想法本身就有問題，因為太陽跟我們的距離長達一億五千萬公里，我們往太陽前進一、兩千公尺，並沒有實質上的意義，猶如澳洲灌木叢發生大火，你得知消息時正在美國俄亥俄州

某處，於是你朝澳洲方向跨前一步，冀望能聞到煙味那樣無稽。

會使「高處不勝寒」的原因，同樣與大氣層中的分子密度有關。陽光把能量給了原子，使它們更為活躍，增加了移動跟擺動的速率，而這些受激發的原子會互撞，然後釋出熱量。夏天裡太陽曬在背上時，你會感覺到「陽光的溫暖」，實際上是感覺到受激發的原子。高度增加時，由於大氣分子的密度降低，原子間的互撞機會變少，因此導致溫度下降。

空氣是表裡不很一致的東西，甚至在海平面高度時也一樣，它讓我們覺得它輕柔空虛全無重量，但實際上它很重，且經常在各種場合裡表現出來。

海洋科學家湯姆生（Wyville Thomson）在一個世紀前寫道：「有時候我們一早起床，發現氣壓計上升了 2.54 公分，這表示昨

典型的龍捲風：
空氣平常讓我們幾乎難以察覺它的存在，
但是一旦完全激發，
就不再輕飄若無，而是強有力的了。

天夜裡，壓在我們全身上下的空氣總重，比平常增加了大約半公噸。但會因此感到不方便嗎？一點也不，我們反而會覺得更加神清氣爽。原因是在密度稍大的介質中，活動筋骨會比較省力。」之所以你一點也不覺得大氣的壓力增加了 500 公斤，原因跟在深海裡人體不會給壓扁一樣：由於人體中大部分是不能壓縮的液體，受到空氣壓著時，會照樣施壓回去，讓裡外的壓力相等。

空氣在靜止時，很難感覺到它的存在。但是一旦它動起來，諸如遇到強風甚至颱風時，你很快就能感覺到空氣具有相當大的質量。我們四周的空氣，總重量為 5,200 兆噸，地球表面每一平方英里的上方，就有 2,500 萬噸重的空氣，它的體積也不小。當有數百萬噸重的空氣，以每小時五、六十公里的速度呼嘯而過時，所經之處的樹枝會遭折斷、屋瓦會紛飛。作家史密斯（Anthony Smith）指出，典型的鋒面也許是 7.5 億噸的冷空氣遭 10 億噸熱空氣壓在下面動彈不得。這麼大規模的冷熱不均，不發生氣象狀況也難。

活躍的天空

我們頭頂上的世界，絕不會有能量短缺現象。有人計算過，一次雷雨所含的能量，相當於整個美國在四天裡所消耗的電力。在適當的條件下，風暴雲能上升到離地面 10 到 15 公里的高度，而且雲中包含一些時速高達 150 公里的上升與下降氣流。而這些方向相反的氣流往往平行存在，所以飛行員都不願意冒險飛過風暴雲。

總而言之，在風暴雲中亂竄的粒子會撿到電荷，成為帶電粒子。由於某種尚不完全明瞭的原因，較輕的粒子趨向帶正電，而且會讓氣流帶到雲層頂部。

較重的粒子則滯留盤桓在雲的底部，不斷累積負電荷。這些帶負電荷的粒子有強烈的意願衝向帶正電的地面，而碰巧位於之間的東西就要倒大楣啦！閃電的速度高達每小時 435,000 公里，剎那間可把周遭的空氣溫度提升到攝氏 28,000 度，比太陽表面的溫度還高數倍。

在任何時刻，全球同時有大約 1,800 個雷雨正在進行，每天的總數在 40,000 次。地球上各處不拘日夜，每一秒內都會有一百

當風暴雲裡累積的負電荷，受地面正電荷吸引，就會發生閃電。地球上每一秒都有一百次閃電打到地面，而每天總共會有 40,000 場雷雨。

次閃電打到地面上。由此可見，我們的天空的確是一個非常活躍的地方。

很多大氣的知識，還是非常晚近才發現的。譬如發生在九千到一萬公尺高空的噴射氣流，速度有時高達每小時 300 公里，而且會大幅影響整個大陸的天氣系統，但是它們的存在長久以來不但不為人知，甚至不曾引起懷疑，一直到第二次世界大戰期間，飛機飛到那個高度時才意外發現。

即使在目前，我們對大氣層中的許多現象仍缺乏足夠瞭解。比方說，有一種叫做「晴空亂流」的氣流波動形式，常坐飛機的人都少不了這個經驗，這種意外讓枯燥乏味的長途飛行平添樂趣。而這種意外，全世界每年大約有二十來起嚴重到需要報備。

我們只知道，晴空亂流跟雲的結構或任何可用目測、雷達探測得到的東西都不相干。它們只是在看似平靜的天空中，夾雜的一些叫人意想不到的局部亂流。

在一次典型的事件裡，一架從新加坡飛往澳洲雪梨的飛機，在晴空萬里的情況下飛越澳洲中部時，突然毫無來由的掉落 90 公尺，這使機上未綁安全帶的人，一頭撞上了天花板。結果有十二人受傷，一人還滿嚴重的。

沒有人知道，這種局部性的空氣胞是怎麼形成的。促使空氣在大氣中流動的方式，其實跟前述讓地球內部岩漿流動的道理相同，都是所謂的「對流」(convection)。在赤道附近，溫暖潮濕的空氣上升，直達對流層頂後轉向散開。空氣離開赤道上空後逐漸冷卻，比重變重而開始下沉，下降到地面後，一些空氣為尋找

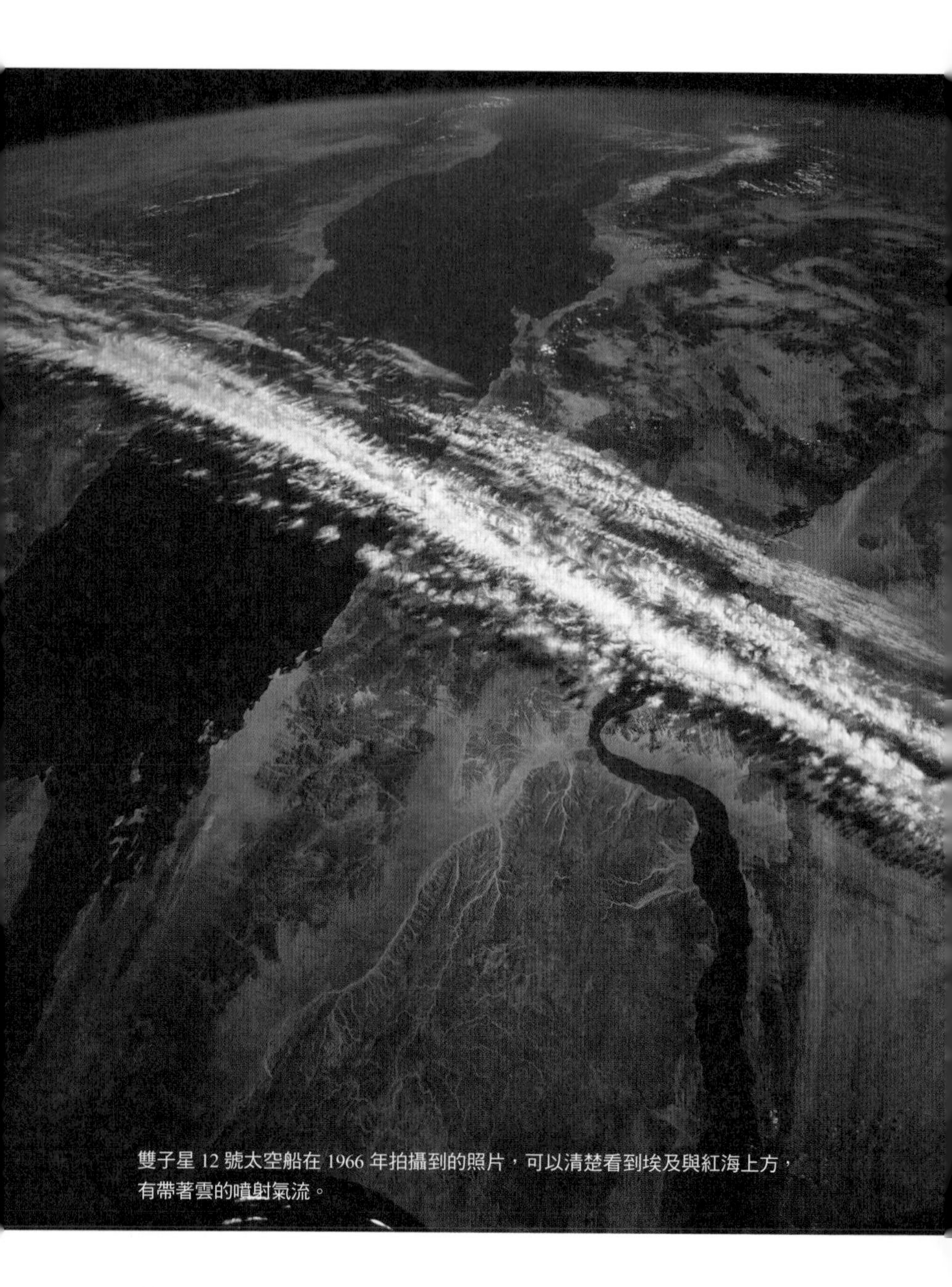
雙子星 12 號太空船在 1966 年拍攝到的照片，可以清楚看到埃及與紅海上方，有帶著雲的噴射氣流。

氣壓較低的地區填補空缺，又直接奔回赤道附近，因而完成了一個對流循環。

在赤道附近，由於對流作用按部就班穩定進行，天氣一般說來都很穩定，一年四季都差不多，少有變化。但是溫帶的天氣模式就與此完全不同，較季節化、地區化，隨性多變難以預測，原因是在對流作用中，高、低氣壓系統之間永不休止的爭戰。造成低壓系統的上升空氣夾帶著水分子往上，先聚集成了雲，後來又變成了雨。暖空氣比冷空氣更能含納較多水分，所以熱帶地區或夏季暴風雨的雨量較大。也正是因為這樣，低窪地區經常多雲多雨，而高地則較多陽光跟好天氣。

當兩個不同氣壓系統相遇時，通常可以從雲的表現清楚看出。譬如說，層雲（stratus cloud）的產生是當攜帶著水氣的上升氣流缺乏足夠衝勁，無法突破上方較穩定的空氣層，因而像上升的煙遇到天花板似的，就地散開，呈現陰天裡籠罩在我們頭頂上，毫不可愛也沒啥形狀的大片烏雲。

如果你曾觀察在平靜無風的室內抽煙的人，且注意過煙的走向，你就會明白。煙先是筆直上升〔內行人稱之為層流（laminar flow）〕，然後分散形成擴散的波動煙霧。但是這層煙霧的漣漪究竟是如何形成的，即使用世界上最先進的電腦，在最小心、完善的環境管控下讀取數據，仍然無法窺知其中奧妙。所以你可以想見，氣象學家想在有風有雨的現實動盪世界中，預估同樣的氣流走向，困難度有多大了。

我們確實知道的是，從太陽來的熱在地面上分布得並不均勻，以致於各處氣壓出現了差異，空氣不能忍受這些差異，於是衝過來、閃過去，要讓差異消失，而這種尋求均衡的空氣移動就是風。空氣總是要從高氣壓地區流向低氣壓地區，兩區之間的氣壓差別愈大，風速也就愈快。

附帶提出一點，風的力量跟風速之間並非呈線性關係，而是呈指數關係。易言之，同一團空氣以每小時 300 公里的速度在移動時，力量並非十倍於它以每小時 30 公里的速度吹動時，而是高達一百倍，因而可能造成的破壞力也是一百倍。當數百萬噸的空氣快速移動起來，牽涉到的能量之大，叫人咋舌。譬如一場熱帶颶風在二十四小時內釋出的能量，竟然相當於一個中等大小的富有國家，諸如英國或法國等，全國一年所消耗的總能量！

科氏效應

最早猜到大氣有尋求平衡衝動的人，是似乎無所不在的哈雷（Edmond Halley）；而最先詳細探討、描述這件事的，是跟哈雷差不多時代的另一位英國人哈德里（George Hadley, 1685-1768）。在注意到熱空氣柱上升，冷空氣柱下降現象後，哈德里意識到，它們應該合攏起來形成一種「胞」〔此後這種大氣循環就稱為哈德里胞（Hadley cell）〕。

雖然哈德里是專業律師，但他可是對研究天氣非常有興趣（也許跟他生長在英國有關），他還提出了一項新觀念，把哈德里胞、地球的自轉、造成信風的明顯空氣偏轉走勢連接了起來。不

法國科學家科里奧利，不僅研究出科氏效應，他在巴黎綜合工科大學時還有另一項貢獻，那是引進了飲水機，法國人到現在還把飲水機稱為科里奧利機，顯然是為了紀念他。

過要等到 1835 年，才由法國巴黎綜合工科大學的工程教授科里奧利（Gaspard-Gustave de Coriolis, 1792-1843）實際動手，把這些因素之間的關係細節研究出來，我們把這個關係稱為科氏效應。

由於地球的自轉，赤道上任一點的轉速高達每小時 1,675 公里，愈接近地球兩極，速度就愈緩慢。譬如在倫敦、巴黎的緯度（北緯 50 度左右）上，只有每小時 900 公里左右。

道理很明顯，把玩過地球儀的人都明白：如果你站在赤道上，地球每自轉一次，你也跟著轉了一大圈，差不多等於 40,000 公里，但如果站在北極附近，地球自轉一次，你只不過移動了幾公尺罷了。繞這兩圈所用的時間完全相同，都是 24 小時，所以愈靠近赤道，轉速必然愈快。

科氏效應說明一個自然現象，那就是在空中做直線運動的物體，如果位移方向跟地球轉動方向不完全平行，只要路徑達相當的距離，就會顯得所走的路徑並非直線：若在北半球，路徑會朝原運動方向的右方偏轉，在南半球則朝原運動方向的左方偏轉。

理解這個現象的標準方法是：想像自己站在正在轉動的旋轉木馬的場中央，而一位朋友站在邊緣某定點上。你朝這位朋友丟出一顆棒球，但是當球來到場邊緣時，你的朋友已經離開了原先瞄準的位置，所以球沒有擊中他。在他眼中看來，該球原先的確是對準他而來，卻在途中轉了彎。而這就是科氏效應。

科氏效應給了天氣系統旋度，甚至形成了陀螺般旋轉的颶風。科氏效應也使海軍發射砲彈時需要向左或向右修正，才能命中目標。一般情況下，射程 24 公里的砲彈會因為科氏效應，造成約 91 公尺的誤差，導致砲彈落海而無法造成任何威脅。

氣象學成為科學之路

考慮到天氣幾乎對每一個人的身心都有無比重要性時，我們簡直無法相信，氣象學得等到十九世紀開始前不久，才真正成為一門科學〔雖然氣象學（meteorology）這個名稱早在 1626 年，就由格蘭傑（T. Granger）在一本邏輯書裡創造出來〕。

部分問題是出在，成功的氣象學需要精準的溫度測定，而要製造出堪用的溫度計，長久以來已經證明這比我們想像的還困難。要取得正確溫度讀數，有賴於製造出上下內徑一致的玻璃管，這個要求看來稀鬆平常，實際上要做到還真不太容易。

這個十八世紀中葉的荷蘭製酒精溫度計，上面標有華氏溫標與佛羅倫斯（Florentine）溫標。在當時攝氏溫標還不普及。

第一位達到了此一要求的是華氏（Daniel Gabriel Fahrenheit, 1686-1736），他是出生在德國的荷蘭籍儀器製造者，於 1717 年首次做出一根精確的溫度計。但是為了一些我們不太知道的原因，把水的冰點定在 32 度，而沸點則是 212 度。

從一開始，這兩個奇怪的數字就讓許多人覺得彆扭，終於到了 1742 年，瑞典天文學家攝氏（Anders Celsius, 1701-1744）動手創出攝氏溫度刻度來競爭。似乎為了證明發明家很少能把事情一次擺平，攝氏最先提議的是把水的沸點設在 0 度，冰點設在 100 度！幸好他很快就發現這個錯誤，趕緊改正了過來。

瑞典天文學家攝氏用水銀溫度計創出攝氏溫標，攝氏也在 1741 年，於烏普沙拉設立了瑞典第一個觀測台，他與助理希歐特納（Olof Hiortner）共同發現北極光會影響指南針的指向。

最常被認定為氣象學之父的，是英國藥劑師霍華德（Luke Howard, 1772-1864），他在十九世紀初年成名。如今人們最念念不忘的是，他在 1803 年為各種不同型的雲命名。雖然他當時是林奈學會（Linnaean Society）中一位積極且受尊敬的成員，而且在他的新設計方式上，採用了林奈的原則，然而最後他卻選擇在阿斯克仙學會的會議上，發表他的新分類系統。（你應該記得，第 7 章曾提過這個阿斯克仙學會，說它的會員耽於吸食笑氣。所以咱們只能希望，霍華德在台上發表這篇劃時代論文時，台下諸君沒有全部醉死過去。這是研究霍華德的學者，奇怪的保持緘默的軼事。）

霍華德把各種形狀的雲分成三類：層次分明的叫層雲，鬆軟如絨毛的叫積雲（cumulus，「堆積」的拉丁文），以及高高在

英國藥劑師霍華德熱中於氣象研究，他為各種形態的雲命名，對後人有深遠影響。

天上，形狀像是纖薄羽毛的卷雲（cirrus），卷雲出現通常都是天氣變冷的預兆。在這三類雲之外，他又加了一個新名詞「雨雲」（nimbus，「雲」的拉丁文）。

這套系統最美妙的地方是，它的基本名詞可以隨意重組，用以描述出現在我們眼前的任何形狀跟大小的雲，例如層積雲（stratocumulus）、卷層雲（cirrostratus）、積雨雲（cumulonimbus）等等。這套系統一發表立即造成了轟動，而且不只在英國，德國詩人歌德（Johann von Goethe, 1749-1832）就迷上了此系統，還特別為霍華德寫了四首詩。

霍華德的系統創立以來，一直有持續擴充，使讀者從來就不多的雲的專書《世界雲類圖集》（*International Cloud Atlas*），也跟著加大成了兩巨冊。

不過有趣的是我曾聽人說起，幾乎所有在霍華德身後由他人添加的雲型，如乳房狀雲（mammatus）、幞狀雲（pileus）、霧狀雲（nebulosus）、密卷雲（spissatus）、絮狀雲（floccus）、以及中度雲（mediocris）等等，在氣象學圈子以外並不為人熟知，即使是圈內人士，對它們也離「如數家珍」的境界相當遙遠。

附帶一提，《世界雲類圖集》最初在 1896 年發行時，僅是薄薄一冊，雲分成十種基本類型，其中長相最為豐滿也最柔軟的是第九號的積雨雲＊。看來似乎這就是西方人在形容享受無比幸福時，常喜歡套用的成語「九號雲上」（to be on cloud nine）的出處。

除了夏天裡偶爾才出現的狂暴砧狀風暴雲之外，一般常見的雲朵實際上都是無害且不怎麼真實的東西。經常出現的積雲，看來柔柔軟軟，每一朵的長、寬、厚各達數百公尺，含有的水量不過 100 到 150 公升。科普作家特菲爾（James Trefil）指出：「差不多僅夠裝滿一個澡盆。」你也可以到霧中漫步，親身體驗雲的虛無飄渺。霧跟雲是同樣的東西，只是霧缺乏雲的高飛壯志罷了。

我再引用一段特菲爾的記載：「在典型的霧裡步行 91 公尺，接觸到的水分，總體積大約只有 8 毫升，想喝的話還不到一口呢！」因此，雲並非儲水的好方法，無論何時，地球上的淡水只

＊ 如果你曾感覺奇怪，積雲的輪廓看起來為什麼總是那麼格外分明，相形之下其他類型的雲則是模模糊糊的？專家的解釋是這樣的，積雲內部的潮濕空氣跟外面乾燥空氣之間，有一道確切的疆界，在積雲內部徜徉的水分子，一旦溜過疆界，立即會給乾燥的空氣吸走，讓這塊雲永保清晰的外形。在天空更高處的卷雲，雲裡的水氣已經結冰，雲的邊緣跟外面的空氣之間，缺乏那道疆界，因此看起來輪廓有些模糊。

霍華德不只熱愛氣象，他還頗有藝術天分，他為自己的書《倫敦的氣候》畫了插畫，把雲分成層雲、積雲與卷雲三種形式，後來才又增加了雨雲這個類別。

有 0.035% 是飄浮在我們頭頂上方。

雲裡水分子的命運，取決於它變成雨滴時降落到什麼地點，如果落到肥沃的土地上，不是經由植物吸收，就是在數小時或數天內，經過蒸發再回到天空。假如它找到辦法成了地下水，則很可能許多年後才見得到陽光，如果該處夠深也許會待上數千年。

當你放眼一個尋常的湖泊，你看到的是過去大約平均十年裡落下的雨水。雨水掉落到海洋後，待的時間就更長了，有人認為應該是一百年左右。總計下來，平均每次落下的水分子中，大約有 60% 在一、兩天內又會回到大氣中，而這些從地表蒸發進入大氣的水分子，不會在天空待很久，通常不超過一個星期，而作家德魯里（Stephen Drury）則認為有十二天。

如果你曾注意夏日驟雨後，窪地上一攤攤水的消長情形，就會知道蒸發是極其快速的程序。即使像地中海這麼大的水域，如果沒有因降雨來繼續添補水分的話，不消一千年就會乾涸。這種情形據說在六百萬年以前，就曾發生過一次，造成了科學上的所謂「墨西拿鹽分危機」（Messinian Salinity Crisis，墨西拿在義大利的西西里島）。當時大陸運動把直布羅陀海峽給封了起來，地中海變乾，海水蒸發成了雨水，以淡水的形式灌注到其他海洋裡，把它們稍稍稀釋了些。

理論上，海水鹽分因此稍稍降低，剛好足以使大片以往在冬天不結冰的海面開始結冰，擴大了的冰凍海面，而反射了更多陽光，於是把地球推入另一個冰河期。這顯然是合理的說法，應無疑義。

不過有件我們很確定為真的事，是地球的動力機制一旦發生少許變化，會造成我們想像不到的諸多反應。接下來我們即將討論的這類事件，很可能就是最初創造我們的原因！

地球表面行為的真正動力源頭是海洋。因此，氣象學家愈來愈把海洋跟大氣合併起來，做為單一系統處理。因此在本章裡，我們不能不花些注意力到海洋上。水在儲存、運送熱量上都極有效率，例如墨西哥灣流「每天」攜帶、輸送到歐洲的熱量，大約跟全世界的人燒煤「十年」所產生的總熱量相當。這是為什麼英國跟愛爾蘭的冬天，遠比（同緯度的）加拿大跟俄羅斯溫暖。

但是水變暖的速度很慢，所以即使在最炎熱的白天裡，湖泊跟游泳池裡的水總是比空氣涼些。也因為這個緣故，我們感覺的季節轉換，總比依據天文現象判定的正式時序要延遲許多。譬如北半球的春天應該是三月就開始，但在絕大部分地區最早得等到四月，才嗅得到春的氣息。

各處海洋的水況並非一概相同：它們各自在溫度、含鹽量、深度、密度等等上有所不同，這對它們如何把熱量傳遞分布有極大的影響，而熱量傳遞左右了各地天氣的差異。譬如說，大西洋海水的鹽分就比太平洋裡的要高些，這可是好事。鹽分重的海水密度大，而密度大的水會往下沉。幸虧海水的鹽分高了些，大西洋的洋流才沒有直趨北極海去暖化北極，而是把親切的溫暖帶到歐洲。

地球上熱量轉移的主要動力是一種叫「溫鹽環流」（thermohaline circulation）的現象 *，它是深海裡的一種緩慢洋流，在 1797 年由科學家兼冒險家冉福得伯爵（Count Rumford）首先偵測到。

其中實際發生的情形是，（從赤道湧來的暖流）表面海水在到達歐洲地區時，因密度變大而大幅下沉，同時也開始慢慢轉往南半球回流，當它到達南極洲外圍海域時，由於碰到了南極環流

* 溫鹽環流這個名詞的含義似乎見仁見智。在 2002 年 11 月，麻省理工學院的科學家旺許（Carl Wunsch）在《科學》期刊上發表了一篇文章，題目就是〈溫鹽環流是啥？〉（What Is the Thermohaline Circulation?）。他在文中指出：在頂尖期刊中，這個名詞曾分別表達了七種不同的現象（包括深海環流、由密度或浮力差異驅動的環流、「子午線上的質量顛覆環流」等等）——雖然這七種現象全跟海洋環流與熱量轉移有關。這也是為何我在這兒的敘述，有意謹慎的讓它語焉不詳的緣故。

（Antarctic Circumpolar Current）而遭驅入太平洋。此過程進行得非常緩慢，海水從大西洋北端南下再流至太平洋的中央，費時長達一千五百年，其中牽涉的海水體積跟熱量均相當可觀，對天氣的影響非常大。

（至於有人詢問，我們如何會知道一滴水究竟花費多久時間，才從某個海洋跑到另一個海洋？答案是，科學家想出了一個間接的辦法，經由測量水中某些化合物，諸如氯氟碳化物的量，計算這些化合物從空氣中進入海水中已有多少時日。他們在不同的深度跟位置重複做許多次這樣的測量，比較得到的數據，就能合理的畫出海水移動圖。）

溫鹽環流不只是把熱量移往他處，還可藉洋流的上下起伏，幫助攪拌海水中的營養素，使魚類與其他海洋生物可以棲息的海水體積增加。不過不幸的是，溫鹽環流似乎非常敏感易變，電腦模擬的結果顯示，即使海水鹽分稍微變淡，譬如格陵蘭冰原的融化速度加快，就可能災難性的阻礙此環流。

海洋幫了我們一個大忙，它們吸收了非常大量的碳，把碳安全的鎖了起來。我們的太陽系有件怪事，那就是陽光強度並非一貫如此，現在的陽光比太陽系剛形成不久的早期，增強了大約25%。這麼大的變化影響所及，應該造就出很熱的地球才對。關於此點，英國地質學家曼寧（Aubrey Manning）曾說：「這個巨大改變應該早已對地球造成了絕對毀滅性的大災難，然而看來我們似乎並未受到任何影響！」

所以，究竟是什麼維持了這世界的穩定跟涼爽呢？

答案是生命。是數以兆計的、一般人從未聽過的海洋微生物，如有孔蟲類（foraminiferan）、顆石藻類（coccolith）、以及含鈣藻類（calcareous algae）等，把大氣中的碳捕捉下來。當二氧化碳隨雨水落到海裡時，這些海洋微生物使用它（跟一些其他物質的組合）製造牠們小小的殼，如此把碳鎖進殼中，讓碳無法隨海水的蒸發再度回到大氣。就這樣有效的防止了大氣中二氧化碳濃度的上揚。二氧化碳是危險的溫室氣體，它的濃度增加會造成全球氣溫上升。

那麼這些微生物的命運又如何呢？有孔蟲、顆石藻等微生物，死亡後都會沉到海底，在那兒給壓縮成石灰石。當你面對諸如著名的英國多佛白岩壁（White Cliffs of Dover）的不尋常景觀時，你很難相信那整座突出海面的白色岩岸，是完全由微小的海

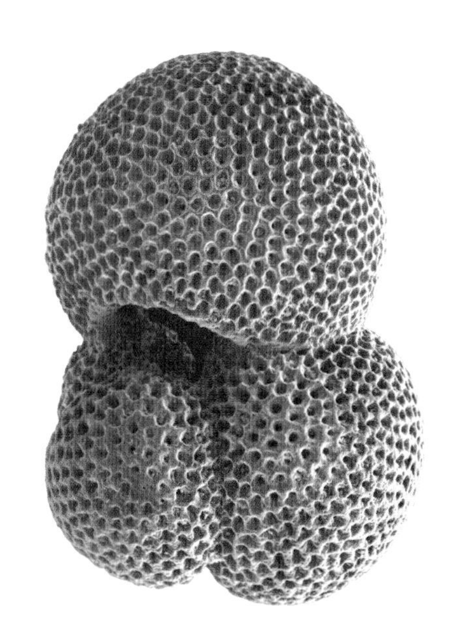

有孔蟲的殼放大到 140 倍的模樣。海洋裡有很多種微生物會產生殼，這些有殼微生物數量上兆，在降低大氣中的碳這件事，扮演了重要角色。

洋生物屍體堆砌起來的；更叫人難以相信的是，這些白色岩石擁有的碳量：一塊 15 公分見方的多佛白堊石含有一千多公升的壓縮二氧化碳。這些二氧化碳若釋放出來，對咱們半點好處都沒有。

如今究竟有多少碳給鎖在岩石裡？地球岩石裡的碳若全加在一起，然後跟大氣中全部二氧化碳的碳量比較，前者是後者的兩萬倍左右。石灰石生成之後就固定不變了嗎？那倒也不是，它們終究會進入地球內的熔岩，然後藉火山爆發回到大氣中，接著又再隨雨水降落到地表……此即所謂的長期碳循環。這個循環程序進行得非常緩慢。一顆具代表性的碳原子環繞此循環一周，約要五十萬年的時間。但若沒有任何其他干擾，這個碳循環對維護地球的氣候穩定非常有效。

不幸的是，人類偏偏漫不經心的去破壞這個碳循環。人類把大量「額外」的二氧化碳排放到大氣中，而不管有孔蟲類等微生物是否能夠消化得了。有人估計，從 1850 年起，人類排放到大氣中的二氧化碳重量，大約已經累積到了 1,000 億噸，而目前還在以每年約 70 億噸的速度增加。

這兩個數字看起來的確有夠嚇人，但實際上並非那麼了不起。自然界主要藉火山噴氣跟植物腐敗把二氧化碳排放到大氣中，數量大約是每年 2,000 億噸，幾乎是汽車、工廠等人為排放方式總和的三十倍。不過這「區區」百分之三點幾的增加所造成的影響，卻非同小可，光是咱們城市上空的不散陰霾，就可以讓人感受到人為增加部分的殺傷力啦。

實際的證據是，我們從古老的冰樣得知，大氣層的「自然」二氧化碳濃度，也就是在工業革命之前、尚無大量人為排放的時期，約為百萬分之二八〇（280 ppm）。1958 年身著實驗服的人開始注意這個問題時，大氣的二氧化碳濃度已上升到 315 ppm，到今天這個濃度已突破了 360 ppm，而且以大約每年增加四分之一個百分點的速度繼續上揚。若增長速率不變，到了二十一世紀末，就會變成 560 ppm。

到目前為止，幸好有地球上的海洋跟森林（它們是海洋之外，消滅大氣二氧化碳的主力）的幫忙，似乎還能替我們收拾人為排放帶來的影響，尚不曾造成巨大災難。但就像英國氣象局的柯克斯（Peter Cox）說的：「自然的生物圈替我們緩衝人為排放所產生的負面影響有其限度，超過之後，生物圈不但於事無補，反而會助紂為虐、擴大災難。」

我們害怕的是地球氣溫大幅上升後，會使許多不能適應的樹跟其他植物相繼死亡，不但削弱生物圈防止氣溫上升的緩衝力，且由於植物死後釋放出儲存的碳，會使問題更嚴重。這可不是憑空想像出來的無的放矢，在地球上尚無人類的遠古年代，類似情形還真的偶爾發生過。

不過話說回來，好消息是大自然相當奇妙。我們幾乎可以確定，只要假以時日，一時喪失平衡的碳循環會自然而然的重行調整，讓地球又回到一個穩定無憂的狀況。需要假以多久時日呢？我們發現上一次地球經歷類似事件時，調整所用掉的時間「僅只」六萬年而已。

英國南岸著名的多佛白岩壁，是由石灰石構成的。
數以兆計海洋微生物的屍體積壓堆砌成石，
因而裡頭保存了大量的碳。

第 18 章
浩瀚的海洋

在地球各處，海洋裡的生物體積最微小。這張增色後的物種照片，是名為放射蟲的一種原生動物。十九世紀時，德國博物學家海克爾（Ernst Haeckel, 1834-1919）在整理由英國海洋研究船挑戰者號蒐集到的物種時，首度描述了這種生物。

接下來讓我們看看，試圖在到處都是一氧化二氫的世界裡討生活，會是怎樣的情況。

一氧化二氫是無味、無嗅的化合物，具有變化多端的性質，一般說來似乎對人無害，但有時也能迅速致人於死。譬如它在不同的物態下，能夠燙傷或凍壞我們。在跟某些有機化合物分子相遇時，會形成非常不友善的碳酸，能促使樹上的葉子掉光、塑像的顏面侵蝕剝落。

當數量很大且受到刺激時，一氧化二氫會發生動盪，任何人造建築物都承受不住它的衝擊。即使長期與它為伍、且對它的性情並不陌生的人，有時仍會不慎被它奪去生命。它究竟是啥玩意呢？就是我們稱為水的東西。

水無所不在，馬鈴薯中有 80% 是水，牛身上的水占了 74%，細菌則有 75% 是水；番茄裡面的水更多，占了 95%。在這些東西裡面，水都占了絕大部分。甚至人體裡的水也占了 65%，幾乎是體重的三分之二。

咱們對水的態度也很奇妙，它透明無定形，但我們卻總是希望靠近它。它嚐起來沒有味道，但我們卻愛「它的味道」。許多人願意旅行千里、付出大把鈔票，為的是一睹陽光下的它。最讓人不解的是，我們明知玩水很危險，每年全球有數以萬計的人慘遭滅頂，但是一旦碰到玩水的機會，大多數人就會迫不及待的跳進水裡嬉戲。

由於水無所不在，使得我們很容易忽略掉水的不平凡。它跟化學上與其近似的其他液體化合物（例如硒化氫或硫化氫）之間，幾乎沒有一樣物理性質雷同甚至接近。

譬如說，如果我們在認識水之前，先見到了硒化氫跟硫化氫，我們根據它們的物理性質推斷，會以為水的沸點應該是攝氏零下 93 度，因而認為水在室溫時應該是氣體。

大部分的液體會隨著溫度下降，體積略微收縮（總共約收縮 10%）。水在開始時亦然，不過就在要結冰前不久（攝氏 4 度），它突然莫名其妙的開始膨脹起來。等到結了冰，變成固體之後，它的體積比起攝氏 4 度的水來，幾乎增長了十分之一。由於這項反常的膨脹，使冰會浮在水面上，科學作家葛瑞賓（John Gribbin）稱之為：「絕頂怪異的性質」。

然而假如水沒有這個了不起的怪異性質，冰會下沉，而湖泊、海洋會從底部開始結冰，並且在水的結凍期間，由於表面沒有一層冰替它隔離保暖，水裡的熱量會大量輻射出去，因而冷卻得更快、產生更多的冰。很迅速的，所有的海洋都會結冰，而且結冰後要等很久才會開始融化，甚至可能永不融化。我們都知道，若是遇到那樣的環境，生命極難存活下來。所以雖然水似乎有違化學規律跟物理定律，但這對我們來說，卻是頗值得慶幸的事。

每個人都知道，水的化學式為 H_2O，這表示水分子是由一個很大的氧原子跟兩個較小的氫原子組合而成，這兩個氫原子除了極其牢固的抓住同一分子內的那個氧原子之外，還跟其他水分子（裡面的氧原子）形成非正式的鍵結。

作家孔齊格（Robert Kunzig）形容得好，他說水分子之間像是集體在跳不停交換舞伴的方塊舞，短暫的配對又隨即拆散。一杯水看似平平靜靜，但是實際上每個分子都非常忙碌，每秒鐘交換舞伴的次數達數十億次之多。這就是為什麼水分子會彼此黏在一起，形成了水窪跟湖泊，卻不完全密不可分；關於這一點，只要你跳進泳池就會知道了。在室溫下的任何時刻，只有 15% 的水分子跟另一個水分子有所接觸。

從另一個角度看，水分子之間的鍵結非常強，那是為什麼在吸管中的水能往高處流，而且濺在汽車引擎蓋上的水會形成水珠。水之所以有表面張力，是因為水面的水分子跟它旁邊的水分子之間的吸引力，遠強於水與上方空氣分子之間的吸引力，使水面形成一種薄膜，不但昆蟲可以站在上面，打水漂時還能支撐住石子的重量。這也是當我們跳水時，若是肚子先著水，肚皮會痛的原因。

水有劇毒？

用不著我多嘴，大家都知道沒有水，人就活不下去。若是斷絕水分，人體很快就會分崩離析，僅僅數日之內，嘴唇消失，有人形容說：「似乎是被切除；牙齦變黑、鼻子萎縮，長度只剩下原來的一半，還有兩眼周圍皮膚收縮、使得眼睛沒法閉攏。」

水對生命實在太重要，也讓我們很容易忽略掉一件事實，那就是地球上的水，除了極小的一部分外，全都因為含有鹽分而對我們有毒，且是能致命的劇毒。

一般的食鹽對我們來說非常重要，如果完全沒有它，咱們也活不下去，只是我們所需要的量極少，海水裡面卻含得太多：大概是我們能夠消化掉而不出毛病上限的七十倍。一公升典型的海水中，含有約 2.5 茶匙的食鹽（就是我們放在餐桌上、撒在食物上的那種），以及更大量的其他各種元素、化合物、其他溶解的固體物質；這些海水中亂七八糟的東西，合稱為鹽分。

非常神奇的是，咱們的身體組織中，所含這些鹽分跟礦物質成分之間的比例，跟海水頗為近似。所以生物學家馬古利斯（Lynn Margulis, 1938-）在與她的作家兒子多里昂·薩根（Dorion Sagan）合著的《演化之舞》（*Microcosmos*）中指出，我們的汗水跟淚水其實與海水無異。

但奇怪的是，若把海水灌注到身體內卻是萬萬不可。因為這麼做會把大量鹽分帶進身體，你的新陳代謝會很快面臨危機。因為這些鹽分會使大批水分子打從你身上的每一個細胞裡衝了出來，就像消隊防員傾巢而出去救火那樣，目的是去稀釋、沖洗掉這些突然侵入的鹽分。

此舉會讓細胞大量缺水，以致於無法繼續正常運作，這種情況就叫做脫水。脫水嚴重時會造成痙攣、昏厥、腦子受傷。此外，勞苦功高的血液細胞會把這些多出來的鹽分勉強帶到腎臟，直到腎臟不勝負荷停止運作。腎臟失去作用後，人就是死路一條。這就是我們不能喝海水的原因。

地球上總共有 13 億立方公里的水。它是一個封閉系統，總量一直維持著不增不減。你現在所喝的水，在地球形成之初就已經存在，而且在重複做著同樣的事情。也就是說，在距今三十八

蒲公英的種子能浮在水面上，這是水的表面張力造成的。水會有表面張力，是因為水面的水分子間吸引力遠大於水與空氣的吸引力。

億年前，地球上的海洋就已（至少大致上）到達現在的總體積。

水的領域泛稱為水圈。水圈絕大部分屬於海洋，地球上 97% 的水都聚集在海洋裡，而其中一大部分又在太平洋。太平洋的面積大約是地球表面積的一半，大於全部陸地加起來的面積總和，而太平洋裡面所盛的水又超過了全部海水體積的一半（更為精確的數字是 51.6%）。其次是大西洋裡的水，占了總水量的 23.6%；再次是印度洋，占了 21.2%；最後，剩下僅僅 3.6% 的水分布在其他海洋裡。

所有海洋的深度平均下來是 3.86 公里，而不同海洋各自的平均深度並不同，最深的是太平洋，平均比大西洋跟印度洋深了 300 公尺左右。總共加起來，地球表面有 60% 是淹沒在超過 1.6 公里深的海水裡。無怪乎作家鮑爾（Philip Ball）在《水的傳記》（*H_2O: A Biography of Water*）中指出，咱們這顆行星應該稱作「水」球而不是地球。

整個地球上只有 3% 的水是淡水，其中絕大部分是以永凍層或冰層（ice sheet）的形式存在，只有區區少許（占全部水的 0.036%）是待在湖泊、河川、跟水庫裡；而更少的一部分（總量的 0.001%）則是以雲或水氣的形式存在。

地球上的冰幾乎有 90% 堆積在南極洲，其餘的大部分堆在格陵蘭。若是站在南極，你腳下的冰幾乎厚達 3 公里，而北極的冰卻只有 4.5 公尺厚而已。光是南極地區就堆積了兩千五百萬立方公里的冰，如果這些冰全部融化，可以使得全球海洋的水面增高 60 公尺。相對來說，若是大氣層裡的雲層跟水氣全部變成了雨、均勻的降落下來，海洋的深度只會增加幾公分而已。

附帶提一下，所謂海平面幾乎純粹只是想像的概念，事實上，各處海面高度從未真正「平」靜過。潮汐、風吹、科里奧利力（簡稱科氏力，見第 17 章），以及其他種種影響，使得海洋跟海洋之間、或甚至同一海洋的各處水面高度都出現一些差異。

比方說，太平洋西岸的水位，要比其他部分高出 0.45 公尺左右，這是由於地球自轉造成的後果；正如同你去拖一個裡面有水的澡盆，澡盆裡的水很自然的朝相反的方向流動，似乎不願意被你拖走的樣子。因為地球的自轉方向朝東，所以所有海洋西岸的水位都會比較高。

初探深海

想想海洋自古以來對人的重要性，你就會詫異為何科學家直到晚近才對它發生興趣。在十九世紀中葉，人們對海洋的知識大部分仍來自一些給沖上岸或是遭魚網網上來的東西，而有關海洋的文字，也多半是道聽塗說的軼事趣聞跟想像推測，很少能舉出實證。

1830 年代，英國博物學家富比斯（Edward Forbes, 1815-1854）勘查了整個大西洋跟地中海的海底之後，宣稱海洋裡水深超過 600 公尺的地方，沒有生物能夠存活。他的這項假設在當時似乎很合理，因為那麼深的地方陽光到達不了，所以不會有植物，而該處水壓極其強大，動物也只怕難以適應。

所以在 1860 年間，當第一條穿越大西洋海底的電話電纜，因為維修的需要而從超過 3 公里深的海底給拉到水面時，人們驚奇的發現，電纜外表居然讓珊瑚、蛤蚌、及其他種種細碎的甲殼生物，裹上一層很厚的硬殼。

世界上首次真正有組織、有計畫的海洋觀測研究是在 1872 年，由大英博物館、英國皇家學會，以及英國政府共同舉辦的探險活動。他們搭乘名為挑戰者號（HMS Challenger）的退休軍艦，從朴茨茅斯（Portsmouth，英格蘭南部的軍港）出發，花費了三年半的時間航行到世界各處，取水化驗、網魚調查，並且還

1872

Dec. 21st 11.30 a.m. Cast off from the Jetty in Portsmouth Harbor, and with steam commenced our voyage of Scientific exploration and Circumnavigation. For a wonder the sun shone out just as we started and remained out as we discharged our Pilot and a few friends to the Tug which had accompanied us out as far as Spithead. These good people did their best to enliven our departure and we were greeted with three cheers as they shoved off, and immediately afterwards we proceeded for the Needles. The lively propensities of the ship were soon to be developed, for even before we reached the Needles signs of motion were observable, and made me anxious to get everything secured as quickly as possible, precautions which were soon to be found necessary, as a falling Barometer and awkward looking sunset gave every indication of a gale from the [illegible]. In the first watch it became thick and plenty of drizzle. At 2.30 a.m. we got a glimpse

Dec. 22nd of the Start Light abeam and lost sight of him 2 hours afterwards. The 22nd opened with a fine bright sunshine, the wind having hauled gradually from West round to the Southward, a moderate breeze, to which we made all Plain sail except Royals and F. Jib, steering course to W by S. to keep get good Westing in case of falling in with the expected SW gale. At Midnight the wind and sea began to increase and necessitated a gradual shortening of sail until 4 a.m. found us under Topsails on the Cap and Courses. There was a nasty confused sea and the Ship was uncommonly uneasy rolling 32° to Starboard and 16° to Port, with a few hints that she could and would ultimately do more. The Barometer still fell steadily and the ship was kept rap full on the Port Tack to make Westing in case of a shift to the NW.

Dec. 23rd A lively day promised, under close reefed Topsails and Gaff sails with heads hauled in, a fresh Gale from the SSW, the ship rolling 35° to leeward. During the day the Bar. fell and the wind rose. Wore in the hope

Dec. 24th of getting wind from NW but "Boreas wouldn't". The wind never getting farther round than from SSW, SW to WSW, a heavy Sea running and ship knocking about a great deal. The first night in a gale of wind always produces a few mishaps, fortunately ours were confined to those at which one could well afford to laugh, nothing more serious happening than the "gutting" of one or two cabins and the tendency to fly, of a patent wire sounding reel, which found its way down into the Cockpit very close to the Paymaster's head.

1872 年挑戰者號出航，準備探索海洋，尋找新的生命類型。這次探險成績斐然，總共找到 4,700 種新的海生物種，也創立了海洋學這個新學門。這是團員之一的奧爾德里齊（Pelham Aldrich）所寫的海洋日誌首頁。

拖著一張撈網，一路檢查沉積在海底的東西。

顯然這是極端無趣的工作，船上的科學家跟船員一共 240 人，在探險過程中棄船逃亡者竟達四分之一，死亡或瘋掉的有 8 人。史學家溫伯格（Samantha Weinberg, 1966-）說他們之所以逃亡或甚至發瘋，是「被長期做一成不變煩人篩檢工作給搞瘋的」。

雖然如此，這趟研究之旅成果斐然，全部航行里程長達十三萬公里，蒐集到超過了 4,700 種新的海生物種，這些資訊足以寫成一部五十冊的報告（總共花費了十九年才完成），而且還促成了「海洋學」（oceanography）的創立。

這些科學家藉由深度測量方法，發現在大西洋的中央部位，似乎有些被海水淹沒的大山。這個消息使得一些觀察家大為振奮，認為他們發現了傳說中消失的亞特蘭提斯（Atlantis）。

由於官、產、學各界向來不大理會海洋研究，我們得依靠熱心且為數不多的非專業人士來告訴我們海底有些什麼。近代的深水探測始於 1930 年，由畢比（Charles William Beebe, 1877-1962）跟巴騰（Otis Barton）兩人帶頭。雖然他們是對等夥伴關係，但是個性有趣的畢比，較受媒體青睞，報導他的篇幅比巴騰的多得離譜。

畢比在 1877 年出生於紐約市的一個富有家庭，弱冠進入哥倫比亞大學念動物學，畢業後在紐約動物學會謀得一個養鳥員的職位。不久，畢比對該職位失去了興趣，決定遠離家鄉去追尋刺激、過冒險犯難的日子，於是在爾後的四分之一世紀裡，他到處旅行，足跡遍布亞洲跟南美洲，而且身邊一直有不同的年輕貌美女助理相伴。這些助理的職稱每每不同，但都頗具創意，諸如「歷史學者兼技術員」或是「魚類問題專任助理」等等。他的旅遊費用主要是靠他所寫的一些暢銷書的版稅收入來支持。這些書包括《叢林邊緣》（*Edge of the Jungle*）及《叢林中的日子》（*Jungle Days*）。同時他也寫了一些有關野生動物跟鳥類學的書籍，頗受學術界推崇。

1920 年代中期，在前往加拉巴哥群島（Galápagos Islands，位於東太平洋）的航行途中，畢比發現了他描述中的「自由搖擺之樂」，也就是深海潛水。其後不久，他找到巴騰合作。

巴騰的家境比畢比更富有，也出身哥倫比亞大學，同樣想出遠門去冒險。雖然外界幾乎每每都把功勞歸諸於畢比，但是事實上是巴騰設計出世界上第一個「深海潛水球」（bathysphere，該字來自希臘文，即「深」的意思），並且出資 12,000 美元請人打造出來。

這個潛水球體積不大，但結構非常堅固結實，外殼為接近 4 公分厚的鑄鐵所製，上開兩個小天窗，窗洞嵌入 7.5 公分厚的石英片。球內可載兩人，但是彼此會擠得幾無間隙。

其實就算以當時的標準衡量，潛水球也算不上先進，因為球本身沒有移動能力，只能吊掛在一根鋼纜的一端；潛水球的呼吸系統也極原始，為了去除潛水員呼出的二氧化碳，必須使用一種罐裝的鹼石灰。另外，為了去掉同樣由呼氣而來的濕氣，必須打開一小桶氯化鈣。他們甚至得用棕櫚葉在裝有這兩種化合物的容器上方搧動，好加速它們的作用。

不過，那個從沒有命名的小潛水球終究不辱使命，替他們達成了目的。

1930 年 6 月在巴哈馬（Bahamas）海域，它載著巴騰與畢比兩人第一次潛水，到達水面下 183 公尺的深度，創下了當時的世界紀錄。在 1934 年開春之前，他們再把紀錄刷新，提高到了 900 公尺，這項紀錄維持了十多年，直到第二次世界大戰結束之後，才有人打破。

雖然他們在潛水球下潛時，深度每增加一噚（相當於 1.829 公尺），都可以聽到球上的每一根螺絲釘及鉚釘在咯咯作響。但巴騰在設計潛水球之初，就很有信心的認為這項設計應該可以安全到達水面下 1,400 公尺。事實上，無論在哪個深度，要坐在那個潛水球中都需極大的勇氣並冒極大的危險，譬如在 900 公尺的深度，那兩個小窗洞上所受到的壓力大到每平方公分 2.95 噸。

畢比在他寫的許多書跟文章以及無線電廣播中，不厭其煩一再強調潛水球一旦破裂，球內乘客就會立即面臨死亡。其實最讓他們憂心的是船上那具拉東西的絞盤，因為他們潛水時全靠它拽住這顆潛水球與重達兩噸的鋼纜，若是絞盤承受不住拉扯力量而斷裂，這顆鐵球就會帶著乘客筆直沉落海底，毫無脫險希望。

可惜的是，他們的冒險潛水經歷並沒有創造出很多有價值的科學。雖然他們遇到了許多前人從未見過的海生動物，但是一來局限於很差的能見度，二來是這兩位勇敢的潛水員都不是訓練有素的海洋學家，所以他們經常無法把自己的發現以真正科學家的方式仔細描述下來。

畢比（左）跟巴騰與他們那個既沒取名、還偶爾會漏水的潛水球合影。
他們兩人用這個潛水球，在 1930 年代創下了潛水的深度紀錄。

他們的潛水球外面沒有裝設照明燈，只在球內有一盞 250 瓦的電燈泡，可以舉在窗口透些光線出去，然而在超過 150 公尺深的海水裡，照明效果可說是其差無比。更糟糕的是，他們還得透過 7.5 公分厚的石英板向外望，以致於能夠看得清楚的範圍更是狹窄。

因此，他們只可能看清楚某些對這顆潛水球產生好奇，而趨前來現身的「觀察」者。他們僅能報告，深海裡有許多稀奇的事物。譬如 1934 年間的一次潛水，畢比驚懼的看到了一條「超過 6 公尺長且極為粗壯」的巨蛇。牠快速的游過畢比的窗前，過程幾乎只是一閃即沒，而且還成了絕響，因為其後再也沒有人見過類似的東西。由於報告中充滿不明確的事物，所以學術界人士並不重視他們的報導。

在 1934 年那次破深度紀錄的潛水後，畢比對潛水失去了興趣，於是轉換了人生跑道，從事不同的冒險活動去了，但巴騰卻堅持留了下來。

我們得給畢比一些褒辭，因為只要有人問起，畢比總是告訴別人，巴騰是他倆冒險事業背後的真正主腦，然而巴騰卻似乎無法走出（畢比的）陰影。巴騰學著像畢比一樣，也寫文章披露他們在水下冒險的驚悚點滴，甚至還導了一部好萊塢式電影「深海悍將」（*Titans of the Deep*, 1938），以紀錄片的形式敘述他跟畢比乘坐潛水球潛水的經過始末，並且邀請畢比一同擔綱演出，由他們兩人親自出馬扮演自己。

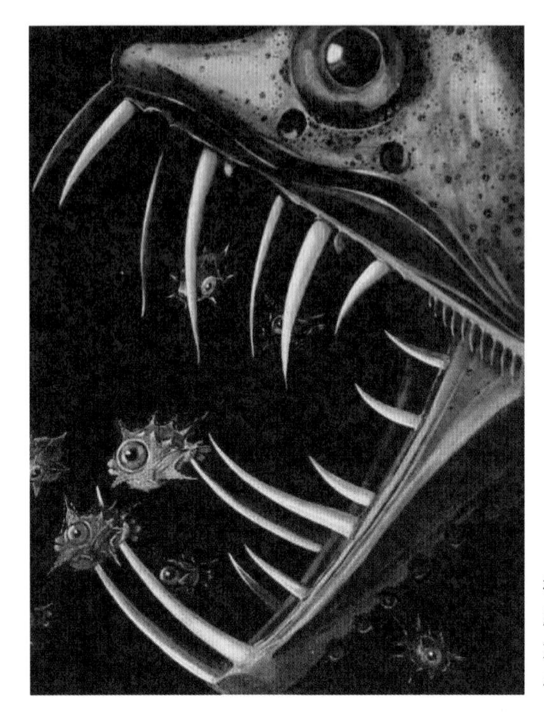

根據畢比跟巴騰由潛水球所見的描述，畫出來的怪魚。這種魚雖然體型微小，但卻有駭人的劍齒。

其實影片中種種緊張刺激的深海奇遇內容，像是遇到攻擊性強大的巨大烏賊等，絕大部分情節都是虛構。在這段時間裡，巴騰還替駱駝牌香菸做過廣告（廣告詞為「它們不會讓我的神經緊張」）。

1948 年，巴騰在靠近加州的太平洋中，把潛水球下潛深度的紀錄一口氣推進了百分之五十，到達 1,370 公尺，但是全世界對他這項傑出成就卻不聞不問。當時有一家報紙登載的「深海悍將」影評，錯以為這是由畢比一人主演，壓根兒未提巴騰。如今凡是涉及潛水球這段往事的文章，只有偶爾才會提到巴騰。

昂貴的探險

當時巴騰的潛水事業已經到了強弩之末，幾乎遭一對來自瑞士的皮卡德父子（Auguste and Jacques Piccard）所掩蓋。皮卡德父子自己設計，並請人建造了稱為「探海艇」（bathyscaphe，字義為「深海船」）的新型深海探測工具，命名為特里斯蒂號（Trieste，義大利東北角的濱海古城，為建造此艘探海艇的所在地）。這項新設計已經具有獨立操作的功能，雖然只是簡單的下沉跟上浮而已。

在 1954 年初的一次潛水嘗試中，它一舉就潛到了水面下 4,000 公尺，深度幾乎是六年前巴騰所創紀錄的三倍。但是深海潛水需要大把鈔票的支持才能繼續，使得皮卡德父子逐漸走上破產的命運。

1958 年時，皮卡德父子跟美國海軍達成一項協議，讓海軍取得所有權當老闆，但是潛水計畫的策劃與進行，仍由皮卡德父子負責控管。有了美國海軍的充分資助，皮卡德父子得以重新打造特里斯蒂號，把外殼增厚為 13 公分，而窗洞縮小成直徑 5 公分，只比門上的窺視孔稍大一些。不過如此一來，它真的是堅固異常，能承受巨大水壓。

1960 年 1 月，小皮卡德跟美國海軍中尉威爾許（Don Walsh）搭乘該艇，慢慢下降到海洋最深的峽谷谷底。這個峽谷的名稱是馬里亞納海溝（Mariana Trench），位於西太平洋，距離關島約 400 公里〔記得吧？就是普林斯頓學者海斯（Harry Hess）在第二

老皮卡德從他們的潛水球特里斯蒂號探出頭來，他們父子靠這個潛水球，在1960年創造了潛水深度的紀錄。

次世界大戰期間，利用船上的測深儀意外發現的海溝〕。

他們花了將近四個小時下沉了10,918公尺，也就是接近11公里。雖然在那個深度下，水壓每平方公分高達將近1,200公斤，但是他們驚奇的注意到，當抵達海底著陸時，驚動到了一條底棲比目魚。只可惜當時艇上沒有照相機，所以沒有留下紀錄。

他們在這個世界最深處逗留了僅僅二十分鐘，然後啟程返回水面，人類待在這麼深的地方，這是唯一的一次。

光陰似箭，日月如梭，晃眼到如今，四十寒暑已經過去了，人們很自然的會問：為什麼從那次之後沒人再下去過？原因可不只一個。第一是受到後來人稱「美國海軍核能動力之父」的李高佛（Hyman G. Rickover, 1900-1986）激烈反對。

當時李高佛身為海軍中將，他的個性鮮明，主見極強，而最關鍵的一點是，他當時正負責管控海軍的荷包。他個人認為海底探測只是浪費資源的行為，而且堂而皇之的指出，海軍不是研究機構。第二是當時的大環境使然，因為美國即將全面專注於太空旅行，想辦法要送人上月球，相較之下，深海研究看起來既不重要，也不夠新潮。

此外，最重要的一項考量是，上述特里斯蒂號的下潛任務實際收穫不多。在許多年後，一位海軍官員解釋說：「除了證明我們能夠做到之外，我們並未從中學習到什麼，所以沒有回去的必要。」換句話說，軍方認為犯不著跑那麼遠去看有沒有比目魚。而我們猜想，關鍵極可能還是在於費用太高，因為有人估算過，若是今天要重複一次當年那樣的潛水，以現在的幣值而論，費用至少要一億美元。

當研究海底的科學家覺悟到，海軍壓根兒沒誠意要進行任何勘探計畫時，大夥兒發動了集體抗議。為了平息部分外界批評，海軍提供經費請人建造了一艘更為進步的潛水工具，交給國際海洋學界知名的美國麻州塢茲荷海洋研究所（Woods Hole Oceanographic Institution）來使用。

這個潛水工具命名為阿爾文號（Alvin），以紀念設計者海洋學家范恩（Allyn C. Vine）。雖然它的抗壓能力遠不及特里斯蒂號，因而下潛深度有限，但它是一個自備動力、且行動能完全操控的袖珍潛水艇。

不過，阿爾文號在建造時出了一個不尋常的問題，那就是設計者找不到有意願的承建商。根據兩度普立茲文學獎得主布洛德（William J. Broad）在他的《深海宇宙》（*The Universe Below*）中的記述：「大廠商諸如替海軍建造潛水艇的通用動力公司等，都不敢接單，原因是美國海軍造艦局跟李高佛海軍上將都對這個潛水設計有所責難，他們是海軍承包商心目中的神明，絕對不能得罪。」

由於這麼一個轉折，最後阿爾文號只得交由通用食品公司，在該公司所屬專門製造穀類速食早餐機器的工廠裡建造而成。

海水為什麼沒有變鹹？

至於海水底下還藏有什麼，人們實際上知道的不多。即便1950年代都過了一大半，海洋學者能拿到手的海底地圖，還只是根據一些在1929年以前，人們所做過且公布了的零星局部調查數據，東拼西湊起來的結果。

若以整個海洋而論，絕大部分區域的深度都還只是猜測而已。不過美國海軍不然，他們早已經過探測而擁有極佳的海圖，能夠給潛水艇導航，藉以安全穿過水底峽谷、繞過海裡的平頂山峰。但是軍方不希望這類資訊落到蘇聯手中，所以一直當成機密而不公開，使學術界必須將就使用一些概略且古董級的調查結果，或是依靠一廂情願的臆測。

甚至到了今天，一般非軍方人士對海洋底部地貌的瞭解可說仍然極其粗略。如果你使用一般人架在後院的標準望遠鏡觀看月亮，會看見月球表面上的一些主要坑洞，那些坑洞的名字，任何一個月球科學家都是背得滾瓜爛熟，諸如弗拉克斯特（Fracastorius）坑、布蘭卡納斯（Blancanus）坑、吒克（Zach）坑、普朗克（Planck）坑等等。

但是躺在咱們海底同樣大小的坑洞，一般人都無從知道它們的存在，更甭提名字啦。我們對地球海底地形的瞭解，甚至比我們所繪製的火星地圖還要模糊。

即使是在接近海面的層次，科學家的調查技術要完備，一向都得碰點兒運氣。例如在 1994 年，一艘韓國貨船在太平洋上遭遇暴風雨，船上所載的許多貨物被吹落海中，其中包括三萬四千隻冰上曲棍球手套。這些手套被海水沖走後陸續浮了起來，從加拿大溫哥華到越南，一路上散落得到處都是。結果無意中幫助海洋學家，畫出了有史以來最正確的洋流路徑圖。

在寫這段文字時，阿爾文號的船齡即將屆滿四十，但它仍舊是美國最頂尖的海洋研究船。雖然在特里斯蒂號之後，還沒有另一款潛水工具能夠像它那樣潛到馬里亞納海溝裡面，但是能夠到達「深海平原」（abyssal plain，亦即各個大洋海底，總面積超過了地球表面的一半）的現有潛水船舶（包括阿爾文號在內），也僅有五艘。

不過，這些深海潛水船只要一開動運轉，每條船一天下來的基本開銷就高達美金兩萬五千元，所以因為一時興起而讓它們下

創造了許多豐功偉業的袖珍潛水艇阿爾文號，從 1964 年在美國麻州的塢茲荷下水以來，獲得了許多重要的發現。

水的機會非常有限，更不可能讓它們平日沒事就到各處海裡巡弋，寄望它們會撞到有趣的東西。

即使不惜成本，成天放任它們出去探勘，但以海洋體積之龐大，它們能做的實在太過有限。要靠它們得到第一手的海洋資料，這有點像是指望用夜間才摸黑出動的五輛剪草機，去探勘地球表面的大千世界一樣，非常不切實際。根據作家孔齊格的說

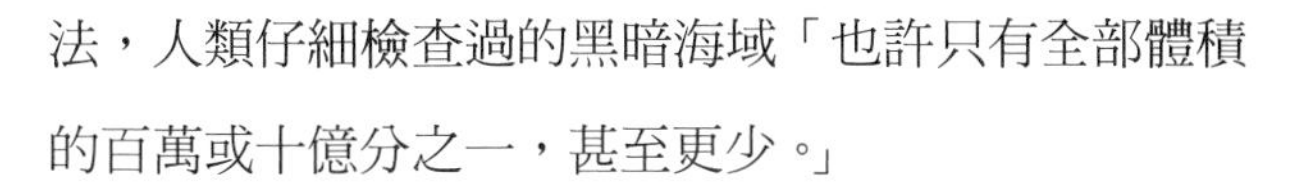

法，人類仔細檢查過的黑暗海域「也許只有全部體積的百萬或十億分之一，甚至更少。」

不過，海洋學家非常勤奮，雖然資源如此有限，但在他們的善加利用下，也已獲得好幾樣重要發現；包括在 1977 年間一項二十世紀最重大、也最叫人震驚的生物學發現。

那年阿爾文號在加拉巴哥群島外海的深海噴孔周圍，發現有極其繁茂的大型生物群居於此，其中有長度超過三公尺的管蠕蟲（tube worm）、寬度超過三十公分的蚌殼、大量蝦跟貽貝，以及擺動的麵條蟲（spaghetti worm）。牠們的生存完全仰賴該處巨量的細菌群，而這些細菌則是從噴孔不斷向外宣泄的硫化氫（對地面上生物毒性極強的化合物）取得能量來繁衍。

這個世界完全不依賴陽光、氧氣、或任何其他通常跟生命相關的物質，換句話說，這是一個依靠化學合成作用（chemosynthesis），而非光合作用的生命系統。在真正發現這個現象之前，如果有人僅憑想像、推理而指出這種可能的話，肯定會被生物學家斥為胡說八道。

那些深海噴孔中，流出了極大量的熱跟能量，根據估算，兩打噴孔產生的能量，相當於一個大型的發電廠。它們周圍的溫度差異非常大，在宣泄物出口處的溫度可以高達攝氏 400 度，而在離它兩公尺遠的海水，水溫卻僅比冰點高出了兩、三度而已。

他們發現一種叫做阿爾范里德（alvinellid）的細長蠕蟲，就生長在這兩個極端溫度之間，牠的頭部所在處的水溫，比尾巴處高出了攝氏 78 度。在此之前，人們總是認為，複雜的多細胞生物不可能存活在高於攝氏 54 度的環境中，然而這種怪蟲不但能存活在更高的溫度下，身體的一部分竟然還可以去對付極冷的溫度。此發現無疑大幅改變了我們對生命需求的瞭解。

這個發現還解開了一個海洋學長久以來叫人非常困惑的難題（或許一般人在此之前，多半尚未發覺這是問題），那就是海水裡的鹽為何沒有與時俱增？

海水裡面含有巨量的鹽分，若是全部抽取出來，足以淹沒地球上的所有陸地達 150 公尺高。我們知道，數世紀以來河流夾帶礦物質進入海裡，與海水中的離子形成鹽，但為什麼海水的鹽分不會上升？

位在大西洋中脊海底 3,080 公尺深的螺旋（Spire）噴孔，會噴出黑色的硫磺液。

科學家原先設想，在極深的海底，因為沒有陽光，所以沒有生物能夠存活。但是，深海發現的大量管蠕蟲，顯示深海噴孔滋養了許多奇特的生物。

此外全球每天有數百萬加侖的海水讓陽光蒸發，變成了水蒸氣進入大氣層，而那些受蒸發的海水把鹽留了下來，「加」進其他海水裡。所以從理論上看，海水中的鹽應該逐年往上遞增才對，但事實上並非如此。長久以來，海水顯然維持固定的鹽分。

那麼，肯定是有某些事物正不斷把海中的鹽分抽掉，而抽走的量剛好與增加的量相當。只是長久以來，海洋學家搔破了腦袋，始終研究不出那「某些事物」究竟是啥？

阿爾文號發現的深海噴孔提供了答案。地球物理學家終於想到，這些噴孔發揮了跟魚缸過濾器非常相似的作用。作用的詳細情形是：當海水進入地殼後，其中的雜質像砂石跟鹽分都被留在地殼內，過濾後的潔淨淡水，則從這些噴孔噴回海洋。這樣的過濾過程不怎麼迅速，也許需要一千萬年才能把整個海洋裡的水濾過一次，但是只要不急，長遠來看效果可是非常之好。

人類曾把海洋當垃圾桶

也許在我們的心目中，海洋深處離我們十分遙遠。表現得最為清楚的一次，是海洋學家把 1957-1958 國際地球物理年的目標訂定為：研究「利用深海做為傾倒放射性廢棄物的場所」。你該知道，這事當年並不是見不得人的祕密任務，反而是公開吹捧的正經想法。事實上在那之前，把放射性廢棄物傾倒到深海的作業，已經進行了十多年，規模到達驚人的地步，只是沒有大舉公開而已。

自從 1946 年開始，美國政府就一直把裝有放射性廢棄物的

安全人員在放射性廢棄物丟入地下壕溝前，先進行檢查。從 1946 年到 1990 年代，有許多核廢料裝在未經處理的 55 加侖鐵桶中，直接投入海洋。

五十五加侖鐵桶，用船運送到離加州舊金山海岸約五十公里遠的法拉隆群島（Fallarone Islands），然後把鐵桶丟進海裡。

這樣子的做法著實太草率，而且大部分的鐵桶就像你在加油站後面，或是工廠周圍常常見到的，鏽漬斑斑且裡面沒有塗上任何保護層的那種。屢見不鮮的情形是，它們給丟下海後卻浮在海面上不肯乖乖下沉時，海軍弟兄就奉令把它們當靶來射擊，好讓水進入鐵桶（當然，同時也讓裡面所裝的鈽、鈾、鍶跑出來）。

這種作業一直持續到 1990 年代才全面停止，在停止之前，美國已經在大約五十個地方傾倒了數十萬個鐵桶，僅僅法拉隆一地，就傾倒了將近五萬個。

不過，美國並非世界上幹這種糟糕事的唯一國家，其他大量往海裡傾倒放射性物質的還有俄國、中國、日本、紐西蘭、以及幾乎全部的歐洲國家。

神祕的海洋生物

這樣的人為事件，對海底的生命會造成什麼影響？我們希望影響不很大，但實際上我們毫無概念。我們對海中生命真是有夠無知，甚至連最重要的海中生物是啥都不太搞得清楚，包括其中尺寸最大的海生動物藍鯨。藍鯨究竟有多大呢？讓我引用知名自然生態紀錄片製作人艾登保祿（David Attenborough, 1926-）的說法，牠的「舌頭跟大象的一樣重，心臟的大小跟一部汽車相仿，而牠的某些血管之粗，可以讓人在裡面游泳」。

藍鯨是地球上曾經出現過的最大隻動物，比以往最大隻的恐龍還更大隻。但是藍鯨的生活情況我們知道得極少，絕大部分的時間裡，我們不知道牠待在哪兒；比方說，牠們到何處交配繁殖，或是沿什麼途徑到達那兒。

而我們所知道的一丁點有關藍鯨的事情，幾乎完全來自於偷聽牠們唱歌，但是這些歌似乎也非常神祕，譬如藍鯨的歌唱有時會突然中斷，然後六個月後，在同一地點接下去唱同一首歌。有時候牠們會改唱另一首新歌，這首歌以往從未聽牠們唱過，但是似乎陡然間，每隻藍鯨都會唱這首新歌，而我們完全搞不懂這是怎麼回事。

你得記住，這些動物並不能長時間離開水面，牠們必須經常

藍鯨是所有在地球生活過的動物中，體型最大的，
但我們對牠的瞭解少得可憐，我們不知道藍鯨之間如何溝通，
也不知道牠們平常的活動為何。

游上來呼吸空氣。至於那些不需要到水面上換氣的動物，我們對牠們的無知程度更是叫人著急。譬如傳說中的大烏賊，雖然牠的塊頭遠不及藍鯨，但牠無疑是極具分量的動物：眼睛有足球那麼大，行動時拖在後面的觸手可長達十八公尺，體重幾達一噸，是地球上最大隻的無脊椎動物。如果把大烏賊丟到一般家庭的游泳池裡，就沒剩什麼空間啦。

這幅 1805 年法國人描繪的海洋生活，畫了嚇人但絕對不符現實的大章魚。

但是，目前世上還沒有任何科學家（據我們所知）曾經親眼目睹過活的大烏賊。有些動物學家甚至以看到活的大烏賊為事業目標，不過往往是一開始豪氣干雲，誓言要去活捉一隻，後來不得不退而求其次，只希望能看上一眼活的大烏賊，可惜最後都未能如願。

我們之所以確知有此動物，是牠們不明死因的屍體，偶爾會被海浪沖到紐西蘭南島的海岸上。根據我們的推測，牠們為數還不少，因為牠們顯然是抹香鯨的主要食物，而抹香鯨的食量可是大得驚人。

有人估計，很可能有高達三千萬不同的動物種類，生活在海洋裡面，而大部分都還沒有被人發現。

深海裡會有這麼豐富的生命，可不是人們固有的想法，一直要到 1960 年代，隨底棲生物雪橇（epibenthic sled）的發明，才首度透露給人們一些真相的端倪。這種「雪橇」是一種挖掘工具，不但能夠捕捉到海底表面及其上方不遠處的水中生物，連埋在汙泥內的生物，也可以一併打撈上來。

塢茲荷海洋研究所的兩位海洋學家山德勒（Howard Sandler）跟希斯勒（Robert Hessler），使用這種工具在深度約 1.5 公里的大陸棚拖行了一個小時，就網到超過 25,000 件生物，包括蠕蟲、海星、海參等，牠們分屬 365 個種（species）。

他們甚至也到 5 公里深的海底，同樣用「雪橇」拖行一個小時，結果網到 3,700 件生物，幾乎有 200 個種。不過，這種挖掘工具只能捕捉到那些動作很慢，或是太笨而不知閃躲的動物。

1960 年代末期，一位名叫愛沙克斯（John Isaacs）的海洋生物學家想到了另一個點子，他把照相機跟魚餌一起沉到水下，結果發現了更多生物，特別是一群群擠得密密的、扭動著身體的盲鰻（hagfish，一種原始的鰻魚狀動物），以及大群速度極快的長尾鱈魚（grenadier fish）。

當有滿意的食物來源突然出現（例如一具鯨魚屍體沉到該處海底），可以發現有多達 390 種不同的海生動物一起跑來聚餐。有趣的是，牠們之中有些是老遠從 1,600 公里外的海底噴孔跑來；此外，還包括了一些貽貝跟蚌殼，這些一向被認為不會遠距

大烏賊與香水

我們對大烏賊知之甚少，之所以確知有這號動物，是牠們不明死因的屍體，偶爾會被海浪沖到海岸上。

此外，大烏賊是抹香鯨的主食，且會在抹香鯨的胃裡留下一些無法消化的部分，特別是牠們的硬嘴喙，因而形成了一種叫做龍涎香的物質，可以用來當作香水的固定劑。下次當你噴香奈兒五號香水到身上時（如果你用的是這牌子），也許你可以幻想噴灑到你身上的，是那隻看不見的大海怪的精華。

離旅遊的生物。如今的想法是，也許某些生物的幼蟲會在海水中到處漂流，牠們藉由某些我們尚不知道的化學方法，偵測到食物，然後降落到其上。

既然海洋是如此廣大寬闊，那麼為什麼專家常警告我們說，要小心別超出它的負擔上限呢？

這個嘛，首先我們應該指出，全世界的海洋並不是到處都生機茂盛，整體說來，天生就多產的海洋，只占不到十分之一的面積。大部分的水生物種都喜歡生長在淺水海域，因為那兒有溫暖的陽光，以及豐富的有機物質可以孕育食物鏈。所以，雖然有珊瑚礁的海域面積不到全部海洋的 1%，但卻是整個海洋中大約 25% 魚類的棲息地。

海洋裡其他區域的生產力就差得遠了。以澳洲為例，澳洲的海岸線長度有 36,735 公里，領海面積達兩千三百萬平方公里，這兩個數字都是其他國家望塵莫及的，然而正如《失落的自然》作者弗蘭納瑞（Tim Flannery）所指出，澳洲的漁獲在世界各國的排名上，連前五十名都擠不進去。

請人類「口」下留情

說來叫人難以相信，澳洲居然是重要的漁產品淨輸入國，原因是絕大部分的澳洲海域，就跟澳洲本身的土地一樣，都是不毛的沙漠（有個特別的例外是位於昆士蘭外海的大堡礁，那兒的生態環境可是一級肥沃且多產）。其實土地與海洋之間不無關聯，由於澳洲整體說來土壤貧瘠，生長出來的有機物質本就非常有

在荷屬安地列斯群島的海域裡，一隻鯯魚從片腦紋珊瑚裡探出頭來。珊瑚礁占有的海域面積，不到全部的 1%，卻為 25% 的魚類，提供了棲息地。

限，經由雨水與河川沖洗後，灌注入海的「營養」物質自然就相當少了。

即使在生機茂盛的地方，生命對外來的干擾往往也是極端敏感。例如到了 1970 年代，澳洲當地漁民才發現到，在澳洲跟部分紐西蘭的外海，水深約八百公尺的大陸棚裡，居住著一大群以往名不見經傳、現稱之為大西洋胸棘鯛（orange roughy，也有人稱為紐西蘭紅魚）的魚群。這種魚的肉質鮮美，群體內的數目又極其眾多，於是漁船爭相組隊前去打撈，頃刻之間，年獲量高達四萬公噸。

正當漁民高興之際，海洋生物學家卻獲得叫人震驚的發現，原來這些大西洋胸棘鯛的壽命異常的長，但成長速度特別緩慢。有些魚在撈上來時高齡一百五十歲，而任何一隻給人吃下肚的大西洋胸棘鯛，牠出世時很可能維多利亞女王還在統治英國。

之所以如此，原因是牠們居住的海域太過缺乏資源，為了適應貧瘠的環境，牠們只得把生活步調大幅放慢，有些魚甚至一輩子只產一次卵。顯而易見的，這樣的魚群沒有本事忍受嚴重干擾，而非常不幸的是，在專家搞清楚這些事實之前，存活海中的大西洋胸棘鯛數量已經嚴重枯竭。雖然當地的漁政單位馬上因應，制定辦法小心管理，指望能起死回生，不讓大西洋胸棘鯛滅絕，但想要牠們恢復舊觀只怕非常困難，即使僥倖能成功，也將花上數十年的努力。

行動緩慢的大西洋胸棘鯛是肉質鮮美的海魚，在海洋學家發現牠們非常容易絕種之前，已經遭到大規模濫捕了。

不過在其他地區，誤用海洋資源的事例多半是基於任性，而非不小心造成的。許多漁民樂於替鯊魚「去鰭」，意思是把鯊魚身上的鰭活生生割下來，然後把奄奄一息的鯊魚丟回大海，任其自生自滅。1998 年間，魚翅在遠東地區的價格高達每公斤 110 美元，而在日本東京餐館裡，一碗魚翅湯的價碼是 100 美元。世界野生動物基金會在 1994 年估計，每年因此遭人屠宰的鯊魚數目在四千萬到七千萬之間。

在 1995 年，全世界共有約 37,000 艘工業規模的大型漁船，加上大約一百萬艘小一點的船隻，散布在海洋各處打魚，當年的全世界總漁獲量，比二十五年前整整增加了一倍。現今的大型拖網漁船，大小已跟巡洋艦不相上下，而它們所拖的網，大到可以

在香港的乾貨店中，成包的魚翅堆積如山。有一些漁夫為了取得最有經濟價值的魚翅，會把鯊魚鰭活生生割下來，再把受傷的鯊魚丟回海中，任其自生自滅。

同時裝下一打巨無霸噴射機，有些漁船甚至還自備偵察飛機，以便從空中尋找魚群。

有人估計在每次網上來的漁獲中，約有四分之一是「誤捕的」（by-catch），意思是說，其中一些魚因為個頭太小、種類不符要求、或季節不對等原因而不能帶上岸。

一位觀察家告訴《經濟學人》雜誌說：「我們如今還是處於黑暗時期，因為我們把網撒下去，得等到收網時才知道撈到了什麼。」每年大概有兩千兩百萬公噸不符所需的魚，在撈上來後又丟回海中，而牠們給丟回海裡去時多半已是死屍。從另一個角度看，在打撈蝦的過程裡，每捕獲一公斤的蝦，漁民就得毀掉四公斤的魚以及其他海洋生物。

北海有大片海底，每年遭橫梁式拖網漁船（beam trawler）來往拖過七次之多，沒有生態系統能吃得消這麼嚴重的干擾。許多評估認為，北海裡至少有三分之二種的海生動物，都遭過度捕撈。大西洋對岸的情形也是同樣糟糕，以往在新英格蘭近海海底棲息的大比目魚數量之多，一條漁船可以在一天之內撈獲九千多公斤，但如今北美洲東北海岸的海底，大比目魚已經絕跡。

不過相較之下，鱈魚的命運最糟。在十五世紀末期，義大利的探險家卡波特（John Cabot, 1450-1499）來到北美洲東岸，發現沿岸有些沙洲（或稱淺灘）的淺水域裡，生長著數量驚人的鱈魚。這些沙洲的面積有的非常廣大，例如麻州近海的喬治斯沙洲（Georges Bank）的面積就比麻州還大，而紐芬蘭近海的大淺灘（Grand Banks）範圍則更是遼闊。在過去數個世紀的歲月裡，無論人們如何打撈，這些淺海裡的鱈魚似乎從未變少，人們一度以為牠們不可能被捕光，當然事實並非如此。

在 1960 年代開始之前，前去北大西洋產卵的鱈魚據估計已經下降到了一百六十萬公噸；而快到 1990 年時，這個數字只剩下兩萬兩千公噸。以商業的觀點來看，鱈魚已經滅絕。

作家克倫斯基（Mark Kurlansky）在他那本引人入勝的《鱈魚》（*Cod*）歷史書裡，直截了當的說：「漁夫把牠們全撈光了。」而且看樣子原在西大西洋沿岸一帶棲息的鱈魚，很有可能就此永遠絕跡。

早在 1992 年，大淺灘的鱈魚打撈作業就已經完全停擺，而到了 2002 年秋天，根據一篇登載在《自然》期刊上的報導，這些海域裡的鱈魚還未顯示出任何捲土重來的跡象。

克倫斯基並指出，北美市場販賣的魚排跟魚柳，早期用的都是這種鱈魚，在來源枯竭後，曾經一度由北大西洋產的哈特克鱈（haddock，也稱黑線鱈）取而代之，稍後變成了鱸鮋（redfish，又叫做挪威鱈魚），接下來改用太平洋青鱈（Pacific pollock）。如今呢？他冷冷的指出，「魚」成了「餘」，就是海裡剩下的、還能撈上來的任何類似魚類。

其他許多海產的情況也大同小異。新英格蘭地區的羅德島近海盛產龍蝦，在早期打撈上來的龍蝦中，重達九公斤的屢見不鮮，甚至偶爾還會有十三公斤的大龍蝦。只要人們不去打擾，龍蝦的壽命長達數十年（專家認為牠們最多可活到七十歲），而且牠們一輩子都在不停的長大。如今捕捉上來的龍蝦，幾乎少有超

在北大西洋海域，鱈魚曾經多到只要用網子在船邊隨意捕撈，每次都可以大豐收。但現在，鱈魚的漁獲量大不如前，以商業的觀點來看，鱈魚已經滅絕。

過一公斤重的。根據《紐約時報》的報導：「生物學家估計，捕捉上來的龍蝦中有 90%，都只長到法律規定的最小尺寸後的一年內，而最小尺寸的年齡大約是六歲。」

雖然捕獲量每況愈下，但新英格蘭的漁民不斷受到州政府跟聯邦政府減稅圈套的鼓勵（有時根本就是被迫），購置更大的漁船，並且更勤快的出海捕魚。今天，麻州的漁民已經落魄到去捕捉面目可憎的盲鰻，因為這種魚在遠東地區還有些市場，只是那兒的盲鰻數目也在減少之中。

我們對主宰海洋裡各種生命的動力學，顯然還是極端無知。不錯，在上述那些遭人過分捕撈的海域裡生活的海洋生物，數量的確比原有的、或應當有的少了很多。然而奇怪的是，在某些自然條件非常貧瘠的水域裡，卻擁有比看起來應當有的生物數量要多得多。比方說，圍繞著南極洲近海海域生長的浮游植物群落，只占全球總數量的 3%，看起來實在不足以支持一個複雜的生態系統，但是事實卻證明它能。

我們大部分人連聽都沒聽說過的「食蟹海豹」(Crabeater seal，譯注：此名稱有點誤導之嫌，因為這種動物的主食並非螃蟹，而是南極蝦)，數目卻極其繁多，很可能是除了人類之外，地球上數目最多的大型動物。

在南極洲周圍的冰塊上，目前（2002 年）居住著一千五百萬頭食蟹海豹。此外，這個地區還有大約兩百萬頭威德爾氏海豹（Weddell seal，譯注：威德爾是發現這種海豹的探險家姓氏）、至少五十萬隻帝王企鵝（emperor penguin），以及總數多達四百萬隻的阿德利企鵝（Adélie penguin）。所以，此處的食物鏈看起來絕對是頭重腳輕，而且到了不成比例的地步。事實上就是如此，沒有人能解釋其中原因。

兜了這麼大的圈子，我想說明的是對於地球上的最大系統，我們所知道的是何其有限。在接下來的篇幅裡，你將會進一步瞭解到，只要打開話匣子談論生命，我們不懂的事可是車載斗量，尤其是最初生命的起源。

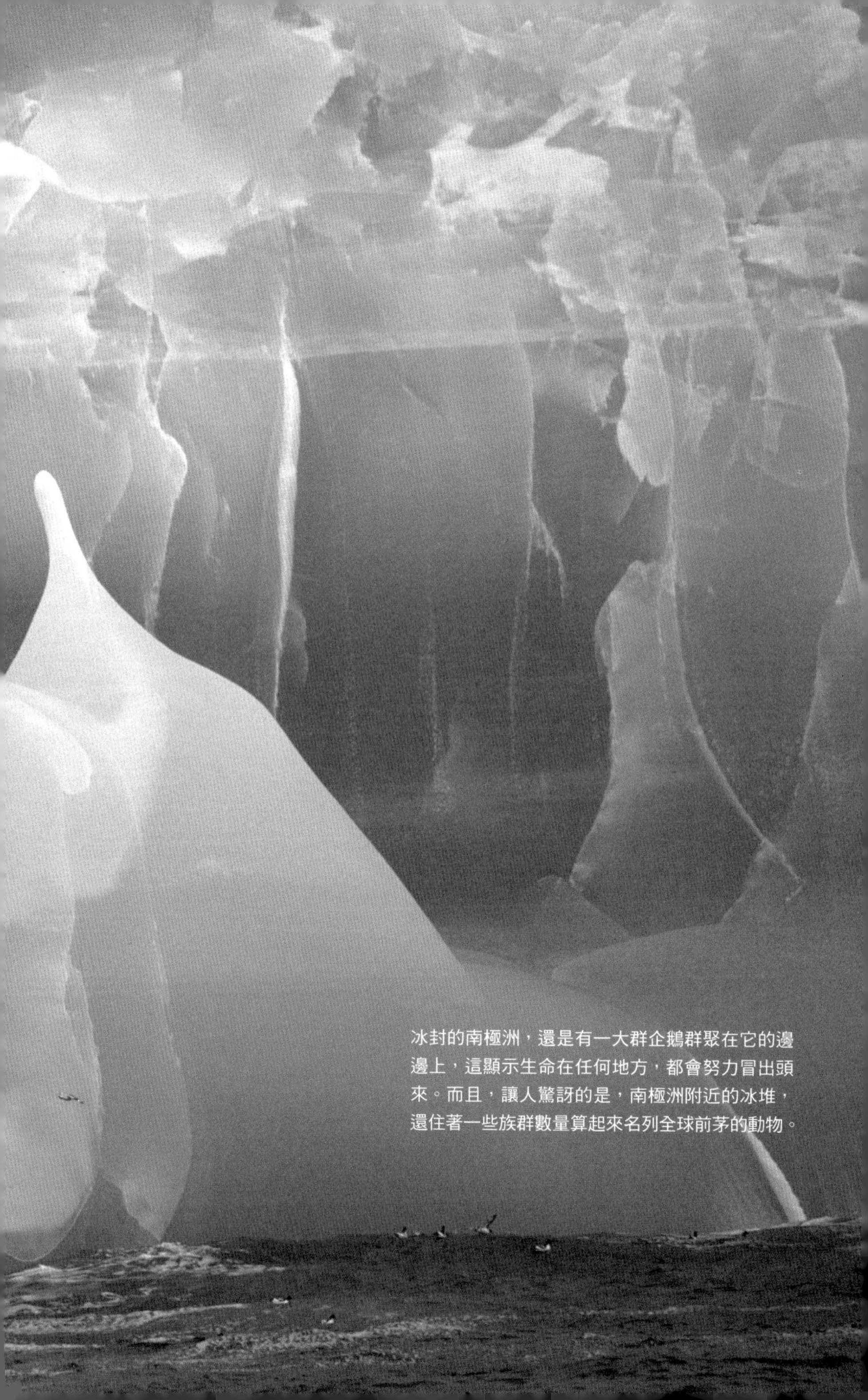

冰封的南極洲，還是有一大群企鵝群聚在它的邊邊上，這顯示生命在任何地方，都會努力冒出頭來。而且，讓人驚訝的是，南極洲附近的冰堆，還住著一些族群數量算起來名列全球前茅的動物。

第19章 生命如何而來

澳洲鯊魚灣發現的疊層石，可能是地球上演化得最慢的生物，它是由數十億的藍綠藻層層相疊而成的活石頭。在數百萬年來，這個小生物的小小呼吸作用，慢慢釋放出氧氣，大幅增加了地球大氣中的含氧量，為更複雜的生物形態鋪好了路。

1953 年，芝加哥大學的研究生密勒（Stanley Miller, 1930-2007）拿了兩個燒瓶，其中一個裡面裝了一些水，用以代表原始時期的海洋；另一個裡面則加進去一些甲烷、阿摩尼亞及硫化氫的混合氣體，代表地球早期的大氣。他把兩個燒瓶用橡皮管連接，然後安排了些電火花冒充閃電。過了幾天，燒瓶中的水顏色開始變綠、轉黃，水裡出現了各種胺基酸、脂肪酸、醣類，及其他有機化合物。

密勒的指導教授，也是 1934 年的諾貝爾化學獎得主游理（Harold Urey）高興之餘宣稱：「如果當初上帝不是這麼做的話，祂可是錯過了一個好辦法！」

當時的報紙在報導此事時，把它寫成了好像一切生命所需的條件都已齊備，只要有人把那個裝水的燒瓶好好搖一搖，生命就會從裡面爬出來似的。但是後來，時間告訴我們，這事並沒有大夥兒想的那麼簡單。雖然之後有半個世紀，有許多人不斷的努力研究，我們目前在這方面的實際本領，跟能夠成功合成生命的距離，並不比 1953 年的密勒跟游理更接近，反倒是對成功所抱持的信心還遠不及他們那時。

科學家現在很確定，早期的大氣跟密勒與游理所用的混合氣體並不相同，而是化學反應力更差勁的氮跟二氧化碳混合物。科學家試過使用這種混合氣體去重複密勒的實驗，結果得到的只是一種相當簡單、原始的胺基酸。然而無論如何，真正的問題並不在製造胺基酸，而是蛋白質。

蛋白質是把許多胺基酸串聯起來所形成的玩意兒，是咱們身

1953 年，芝加哥大學的研究生密勒，宣布他做了一個實驗，發現有可能從燒瓶中，找出生命起源的祕密。這張照片攝於其後不久。

上不可或缺的東西。確實數目雖然仍不清楚，我們知道一個人身上有著也許多達一百萬種不同形式的蛋白質，而且每一種蛋白質都是一個小小的奇蹟，因為依照任何機率法則，蛋白質都不應該存在。

吃角子老虎的奇蹟

要製造某一種蛋白質，你必須把一些胺基酸按照特定的次序連接起來（這兒我必須遵照長久以來的傳統，稱呼胺基酸為「生命建構單元」)，就好像咱們把一些字母按照特定次序連接起來，組成不同的單字那樣。不過兩者之間最顯著的不同是，一般單字裡的字母數目有限，有十幾二十個字母就很了不起了，但是蛋白質裡的胺基酸鏈通常都非常長。

舉例來說，「膠原蛋白」是很常見的蛋白質，它的英文名字叫 collagen，是由 8 個字母按照特定次序組合而成。但是若要把胺基酸串聯起來，做成一個膠原蛋白分子，那麼你需要把 1,055 個胺基酸，遵照一定的次序連接。然而，這可是明顯的關鍵所在，問題在於從來沒有人真會動手去「做」一個膠原蛋白分子，它可以自己製造自己，不需外人指導。而這就是為什麼我說，蛋白質不應該存在的緣故。

如果把那 1,055 個單獨的胺基酸放在一塊兒，然後指望它們自動組合起來，變成一個膠原蛋白分子，老實說這機率幾乎等於零，也就是根本不會發生。讓我舉一個大家比較熟悉的例子，你就很容易瞭解這樣的機率究竟小到什麼程度。

很多人去過美國賭城拉斯維加斯，見識過吃角子老虎，甚至還親手拉過幾把。一般標準的吃角子老虎機器，裡面只有三個或四個轉輪，凡是玩過的人或看過別人玩的都知道，角子進去容易，出來卻非常困難，也許是數千次裡面只有一次因拉出特定組合而中獎，所以成功機率不到千分之一。

這個想像出來比擬膠原蛋白分子合成機率的吃角子老虎，應該要放大到寬度約 27 公尺，好容納得下 1,055 個一字排開的轉輪，而每一個轉輪上，都有 20 個不同的標誌（每一個標誌代

表一種常見的胺基酸＊。像這樣的巨型吃角子老虎，你得拉多少次、花多久時間，才能拉出一個組合跟膠原蛋白分子完全一致呢？答案是無窮多次，或可以說是壓根兒拉不出這個組合來。

這樣的答案由於欠缺確切的數字，很難讓人滿意，所以讓我們退後一大步來考量，把吃角子老虎的轉輪數目大幅裁減到只剩下 200 個，而 200 個也剛好是較典型的蛋白質中胺基酸的數目。那麼，以這個機器拉出預定組合的機率又是多少呢？這回倒是有了一個比較確切的數字，那就是平均起來，每 10^{260} 次中會拉出一個所要的組合來（10^{260} 就是 1 後面跟著 260 個 0）。而 10^{260} 又是多大呢？它比咱們這個宇宙裡面所包含的全部原子總數還更大！

簡而言之，蛋白質是種頂複雜的玩意兒。血紅蛋白（也稱作血紅素）只有 146 個胺基酸，在各種蛋白質中算是短小個子，但即使如此，一連串 146 個胺基酸的所有可能組合數，仍高達 10^{190}。那是為什麼劍橋大學的化學家比魯茲（Max Perutz, 1914-2002）當初花費了二十三個年頭（幾乎是他職業生涯的全部），才把血紅蛋白的胺基酸序列找了出來。

＊ 到目前為止，自然存在於地球上、且已為人發現的胺基酸總共有22種，實際上的數目也許還更多，只是尚待我們去發掘罷了。不過在人類跟其他絕大部分生物身上，可以找到的只有其中的20種。

最後發表的第二十二種自然胺基酸，叫做吡咯賴氨酸（pyrrolysine），在2002年間，由美國俄亥俄州立大學的一組研究人員所發現，不過這種胺基酸只存在於一種學名叫做「巴氏甲烷八疊球菌」（*Methanosarcina barkeri*）的獨特型古菌身上，這種細菌起源自距今25億年的太古時代，不同於現今一般細菌的單細胞基本生命形式，待會兒我們的故事裡還會提到它。

如果要單單依靠隨機方式去製造蛋白質，即使是其中最簡單的任何一種蛋白質，成功的機率也是幾乎等於零。英國天文學家霍耶（Fred Hoyle）曾有過精采的比喻，他說這種可能性就像是一陣旋風吹過廢物堆積場，居然把垃圾組裝成一架巨無霸噴射客機，那樣的叫人不可思議。

我們身體中有著數十萬、甚至超過了一百萬的各種不同形式蛋白質。根據我們所知，其中的任何一種都與眾不同，且不容取代，因為要維持一個健康快樂的你，每一種蛋白質都是不可或缺的。除此之外，一種蛋白質要能派上用場、發揮作用，光靠胺基酸排序正確還不夠，必須經過某種化學上的摺紙工藝，將蛋白質摺疊成特定的形狀才行。蛋白質在有了這麼複雜的結構要求之後，若是無法自我複製，對你也沒什麼大用。

蛋白質的確沒有複製的功能，所以需要去氧核糖核酸（DNA）來幫忙。DNA 是複製專家，它能在短短數秒鐘內，製造出自己的一份拷貝來；不過除了複製之外，DNA 幾乎毫無其他功用。

所以你瞧，我們現在有了一個相當矛盾的情況：蛋白質沒有 DNA 便無法存在，而 DNA 沒有蛋白質則失去了它存在的目的；也就是說，誰也不能沒有對方。所以，我們是否應該推測說，它們當初是抱著相互支援的理念，而同時出現或來到這個世界上的？這種說法，鬼才相信！

事實上，蛋白質、DNA、以及其他各種生命成分之所以能成長茁壯，還必須有某種薄膜去把它們「包」起來。因為沒有原子或分子能夠獨自「活」起來。不信的話，我們可以從生龍活虎的你身上取出一個原子來，這個原子一旦離開了細胞，就頓時變成了死的東西，跟一粒沙沒啥兩樣。分子或原子唯有在細胞羽翼的呵護下，才能彼此搭配、演出奇妙得不可思議的舞蹈來，而我們稱這種舞蹈為生命。

一旦沒有了細胞的庇護，它們不過只是有趣的化合物而已；然而若是細胞失去了這些內容物，細胞本身也就失去了其目的。就像物理學家戴維思（Paul Davies）所說的：「如果每件東西都需要別的東西在場才能存活，那麼這個相互依賴扶持的分子社團，當初又是如何從無到有的呢？」

舉個實例來說明，這就像你家廚房裡，陡然之間，各種蛋糕佐料自動自發的聚集、混合、跳進烤箱，烘焙出一個香噴噴的蛋糕；更扯的是，這個蛋糕必要時還會自動分裂，製造出更多蛋糕來！這個小小的奇怪現象，咱們稱為生命奇蹟，而它究竟是怎麼回事？這麼說吧，咱們對它的瞭解目前還只是剛起步而已。

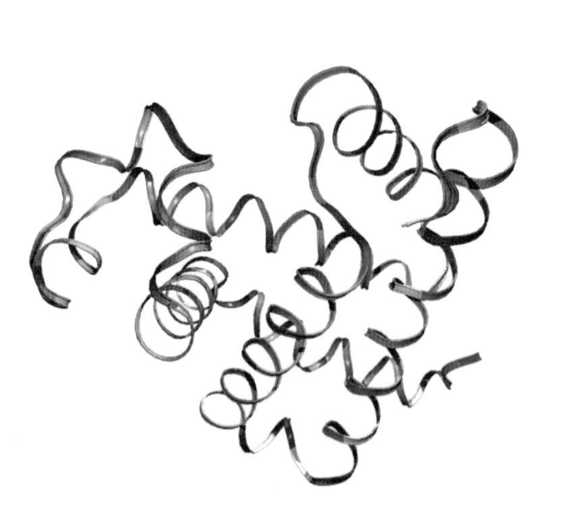

電腦繪圖顯示出肌紅蛋白的形狀，它是肌肉中重要的成分。蛋白質特殊的扭曲形狀，是有重要意義的，因為蛋白質除了要有正確的組成，也要有正確的形狀，才有功用。

究竟這樣奇妙的複雜現象原因何在呢？有個可能的答案是，它也許並不像乍看之下那麼奇妙。就拿叫人難以置信的蛋白質為例，我們之所以認為它們的形成簡直是不可能之至，是因為我們預先假設，它們在最初出現時就已經是這等模樣。

但是，如果最早出現的胺基酸聚合物並不是現今的蛋白質，相互串聯的胺基酸數目也沒這麼多，就像是前述用來比喻蛋白質形成的吃角子老虎裡面，轉輪的數目沒那麼多，那麼賭徒拉把的勝算，也會相對提高，從「不可能」變成了可能。換句話說，長鏈蛋白質當初並不是整個突然蹦了出來的，它應該是長久以來，逐漸演化而來的。

你可以試著想像有人把一個人身上所有的元素（碳、氫、氧等），一股腦兒放進一個容器裡，加進一點兒水，蓋上蓋子後，給它一陣劇烈的搖晃，然後打開蓋子，居然從裡面走出一個人來！你想會有這種事嗎？其實這跟前述霍耶的精采比喻，以及其他人士（包括許多虔誠的創世論者）所相信的，偌大蛋白質會自動自發從無到有形成的說法，是同一回事。但就事論事，這種情形顯然不可能在一夕之間發生。

唯一的可能應該是像英國生物學家道金斯（Richard Dawkins, 1941-）在他所寫的《盲眼鐘錶匠》（*The Blind Watchmaker*）中推斷的：這世間必然有種累積性的選擇程序，讓胺基酸能一小段、一小段的逐漸組裝起來。也許在開始的時候只是兩、三個胺基酸連接，可以發揮某種簡單的功能，然後過了一段時期後，此一小段無意中撞到了另一小段而相連接，從而發生了某種功能上的進步。

雪花跟所有晶體一樣，都會自我組合，顯示出在宇宙中，這種自發的複雜性是很普遍的現象。

其實跟生命有關的化學反應比比皆是，也許是咱們的化學能力不足，所以無法像密勒與他的老師游理那樣，在實驗室裡面把它們模擬出來，但是這些化學反應在自然界卻屢見不鮮。比方說，自然界有許多分子會自動連接，形成我們稱為聚合物的長鏈分子，例如澱粉就是由醣類聚合而成的。此外，晶體也能夠做許多跟生命相似的事情，包括能自我複製、受環境刺激會產生反應，且具有某些特定的複雜結構。

當然，它們從未到達具有生命的地步，但是它們卻一再證明，複雜性是自然、自發的普遍現象。我們並不清楚在咱們宇宙的各個角落裡，是否還隱藏大量生命，但是有條理的自我組合現象卻舉目皆是，小至叫人嘆為觀止的雪花對稱性質，大到美麗悅目的土星環。

只要環境合適，生命必會發生

由於自然界顯現的自我組合趨勢非常強烈，使得許多科學家如今相信，生命也許比我們所想像的更難以避免。就如同比利時生化學家暨諾貝爾生理醫學獎得主杜武（Christian de Duve, 1917-2013）的說法：「生命是物質的一種義不容辭的表現，只要環境條件合適，就一定會產生。」杜武認為這樣的環境在每一個星系內，也許有一百萬處之多。

有一件事我們很確定，那就是使得我們「活」起來的化合物並不特別稀奇古怪。如果你希望創造另一種活的東西，無論它是一條金魚、一顆萵苣、或是一個人，你所需要的只是 4 種主要元素，碳、氫、氧、氮，還有一些少量的其他元素，其中以硫、磷、鈣、鐵 4 種元素為主。將這些元素以三打左右的不同方式組合，形成了一些醣類、有機酸類、及其他種種基本化合物後，你就可以用它們建構出任何能活的東西。正如道金斯所寫的：「組成生物的物質並不特殊，生物跟其他東西一樣，都是由分子聚集起來的。」

重要的是，生命看起來很奇妙、讓人喜悅，甚至像是奇蹟，但正如同我們自己平淡的生存事實所一再證明的，它絕非不可能。當然，生命的起始過程中，有許多細節仍舊相當不可思議。每一種你曾經讀到過、有關產生生命的必要條件的腳本裡，都少不了水；從最早期達爾文認為是生命發源處的「溫暖的小水池」，到目前最為人們看好的生命開始處「海底噴孔」，都是如此。

不過，大家都忽略了一件事實，那就是把單體轉變為聚合物（亦即開始製造蛋白質）的過程中，勢必涉及生物學上所謂的「脫水縮合反應」（dehydration linkage）。

在一本廣受採用的生物學教科書中，作者有些許無奈的承認：「科學家都同意，這種脫水反應在古早海洋中的化學動力學並不看好。事實上，由於質量作用定律（mass action law，化學反應速率與反應物的濃度成正比）的關係，在任何有水的場合裡，這種反應都難以進行。」有點像把砂糖加到一杯水裡，心裡卻指望這些砂糖會自動聚攏起來變成方糖；這應該不可能，但在自然界卻發生了。

其中牽涉到的化學細節，由於跟我們這兒的目的無關，故不贅述，我們只需知道其中的關鍵是：在一般情形下，單體一旦變濕，就不會變成聚合物，但唯一的例外，就是地球上最初創造生命的時候。不過，為什麼當初可以這麼發生，後來卻不再行得通？這是生物學上尚無答案的大問題。

最近數十年來，地球科學最大的意外發現是：地球上，很早就開始有了生命。一直到 1950 年代以前，人們還一直相信，地球上的生命起源距今不到六億年。然而在十五年後，也就是 1970 年代來臨之前，已有少數幾位大膽冒進的學者覺得，這段歷史很可能長達二十五億年。如今的說法則是叫人吃驚的三十八億五千萬年，這個時間之所以叫人吃驚，是因為地球表面的冷卻硬化，只不過是三十九億年前的事而已。

著名的演化生物學家古爾德（Stephen Jay Gould）1996 年發表在《紐約時報》的一篇觀察報導中說：「從這麼早就出現生命的說法看來，我們只能推論說，細菌層次的生命只要在條件合適的行星上，演化起來毫不『困難』。」他在別處也提到，這點很難叫人不下結論說：「生命顯然是化學上宿命所歸，一定會盡快出現。」

生命是外太空來的？

生命出現得如此之快，使得有些專家真的認為，其間必有外來的幫助，也許這幫助的規模還不小呢。地球上生命來自外太空的想法已有很長的歷史，而且有此想法者，也不乏傑出之輩。譬如偉大的凱文勳爵（William Thomson）就曾在 1871 年，一次不列顛科學促進會的會議上說：「生命的種子也許是早期由某些隕石帶到地球上來的。」但是他這句話一直未受重視。

一直要等到 1969 年 9 月間的一個星期天，數萬個澳洲人給一連串巨響所震撼，並且目睹一顆火球從東到西劃過長空。火球前進時不斷發出奇怪的爆裂聲，還在空氣中留下了一種特殊氣味，有人說聞起來像是加了甲醇的酒精，有人只是覺得很難聞。

這個火球在墨爾本北方哥爾本谷（Goulburn Valley）中，有六百個居民的莫契森（Murchison）小鎮上空爆炸，隨後碎塊從空中如雨點般灑落，有些較大的重達 5 公斤，幸好無人傷亡。

這是相當罕見的隕石，名叫碳質球粒隕石（carbonaceous chondrite）。當時鎮民出來幫忙蒐集了差不多總重達 90 公斤的隕

這塊石頭很重要，它是 1969 年，墜落澳洲莫契森的那團驚人火球的一個小碎塊。

石碎塊。這次事件的發生時機可說是再好不過，因為就在此前不到兩個月，美國阿波羅十一號（Apollo 11）太空人成功登月回來，帶回滿滿一袋月球石塊，全世界各地的實驗室都準備妥當且真的大聲嚷嚷，要求檢驗這些天外來的石頭。

後來，莫契森的隕石很快經過檢驗證實，年齡高達四十五億年，且上面散布著各式各樣的胺基酸，總數高達 74 種，而其中有 8 種胺基酸，與地球上蛋白質的形成有關。另外，在 2001 年的年底，在該隕石墜地已經超過三十個寒暑之後，位於加州的美國航空暨太空總署艾米斯研究中心（Ames Research Center），有一組研究人員宣布，莫契森隕石上還含有一種稱為多元醇，結構錯綜複雜的醣類串，這玩意兒以往從未在地球上發現過。

自從莫契森隕石事件發生後，又有少數幾起碳質球粒隕石陸續「闖入」了地球，其中有一顆於 2000 年 1 月間，墜落在加拿大西北角落，育空（Yukon）行政區境內的塔吉許湖（Tagish Lake）附近。在這顆隕石墜落之前，北美洲大部分地區的民眾都可以看到。

而這些隕石也都一一證實，咱們的宇宙中的確有著豐富的有機物。如今專家認為，哈雷彗星大約有百分之二十五，是由有機物組成。只要有這樣的彗星或隕石撞擊或墜落到合適的地方，像是地球上，生命所需要的基本材料問題就解決啦！

不過這個所謂的「宇宙撒種論」(panspermia)，也就是生命來自於地球以外的理論，本身有兩個缺點，第一個缺點是它並未正面回答「生命到底如何崛起」這個根本問題，它不過是轉移焦點、把責任推給了別的地方；另一個缺點是，這個理論激勵起許多它的信徒，甚至包括一些最受人敬仰的學者，做出了一些咱們只能說是很輕率的臆測。

比如在 1950 年代，跟華生一起發現 DNA 結構而共同獲得 1962 年諾貝爾生理醫學獎的英國生化學家克里克，後來跟他的另一位同事，也是生物學家的奧格（Leslie Orgel）提出，說咱們地球上的「生命起源是由有高等智慧的外星人，故意前來播種的」。

在英國國家畫廊中，英國天文學家霍耶的馬賽克畫像，呈現的畫面很是特殊。霍耶曾說地球上的很多疾病，都是外太空來的。

作家葛瑞賓（John Gribbin）說他們這個想法「處於科學受尊敬尺度的最邊緣。」他的意思說得更白一些就是：若不是提議人之一曾拿過諾貝爾獎，他們這個想法準會給認為是胡說八道。

先前提到的天文學家霍耶，跟同事威克拉馬辛格（Chandra Wickramasinghe），還更進一步的為「宇宙撒種論」風潮加碼，他們提出了另一個奇怪想法，說外

2003 年夜晚，一顆流星劃過英國威爾斯的夜空。大部分的流星在穿過大氣層時，就已經焚燒殆盡，不會對地球造成傷害，殞落到地面的流星則稱為隕石。

太空不但帶給了地球生命，也帶來了許多疾病，諸如流行性感冒跟腺鼠疫；不過，他們這個想法已經由生化學家很輕易的證明有誤。似乎有必要在這裡再次強調，霍耶可是二十世紀有最頂尖科學頭腦的人之一，他還曾一度提出過，咱們之所以演化成鼻孔朝下的原因，就是為了避免讓天外飛來的宇宙病原體墜落到鼻孔裡！

追尋生命的開端

不論究竟是什麼引起了生命的開端，這種事也只發生過一次而已。在生物學上，這是一件最不平凡的事實，而且也許是我們所知道的事實中，最最不平凡的一件。每一樣曾存活過的生物，植物也好、動物也罷，都可以上溯到同一次「原始的抽動」（primordial twitch）。

原始的抽動在指：不可思議的久遠年代裡的某一刻，有一小包化合物突然不安分的活動了起來，它吸取一些養分，輕微的震動了一陣子，然後又悄然停止下來，算是「活」了一段很短暫的時間。

這個事件也許不是第一次，在時間的長河裡，也許之前已經發生了非常多次，但是成為生命始祖的那個小包多做了一件與眾不同的事，那就是它自動發生分裂，產生了一個繼承者。而且，在這分裂過程中，一束微小的遺傳物質從一個活的個體傳遞給了另一個活的個體，而此傳遞動作從此以後就再也沒有停止過。

那個第一次的分裂繁殖事件，就是全部生命（包含你、我）

創始的那一刻，生物學家有時稱之為大誕生（the Big Birth）。瑞德利（Matt Ridley）在《23 對染色體》（*Genome*）中寫道：「在這世界裡，不論你走到哪兒，目光所接觸到的任何動物、植物、蟲子、或是難以形容的一小坨東西，只要是活的，它就會使用同一部字典、瞭解同一套密碼。一切生命都相同，沒有例外。」

換言之，我們全都是同一套遺傳基因把戲綿延下來的產品，這套把戲代代相傳，已經經歷了將近四十億年。你甚至可以擷取一小節人類的基因片段，把它綴補到一個由於基因破損而失去了某些機能的酵母菌細胞內，而此酵母菌立即就能利用這段人類基因上的有關指令，恢復它原來失去的機能，好像這指令本來就屬於它的一樣。事實上，這段人類基因一旦連接上酵母菌基因後，就成了後者的一部分，與其他部分不分軒輊。

生命的破曉（或是某樣很接近生命的東西），現正坐落在某位科學家辦公室的儲物架上。此人又是誰呢？她是在坎培拉的澳洲國家大學任職、性情友善的美國地球科學家班奈特（Victoria Bennett）。1989 年，班奈特應聘從加州來到澳洲，原來的工作合約只有兩年，但之後她就留了下來沒有離開。

2001 年年底我去拜訪她時，她拿了一塊相當重的石頭交到我手上讓我瞧，上面滿布白色跟灰綠色相間的條紋。據她說，那些白色部分是石英，而灰綠色部分則叫做單斜輝石。這塊石頭來自格陵蘭境內的艾克力亞島（Akilia Island），1997 年有人在那兒發現了一些異常古老的岩石，經測定年齡高達三十八億五千萬年，是人們發現過最古老的海洋沉積岩。

班奈特告訴我：「我們並不確定你手裡的這塊石頭，是否曾經包含過活的生物。因為要確知的話，必須把它輾成細粉才能檢測出來。但因為它來自最古老的生命出土的同一地點，所以它或許曾有過生命在裡面。」無論你如何小心的觀察，都不可能發現微生物的化石，因為任何這類的簡單生物在海洋爛泥轉變成石頭的過程中，早已經被烤得消失不見了。

所以，如果把石頭壓碎後用顯微鏡仔細觀察，我們能夠看到的，只是微生物殘留下來的一些化合物，包括不同的碳同位素，以及一種叫做磷灰石的磷酸鹽類。只要有這兩類物質同時存在，就提供了我們強有力的證據，說明該石頭上一度有過生物聚落。班奈特還說：「由於缺乏化石證據，我們只能猜測這些最初期生物的長相，它們也許非常簡陋、原始，但的確是不折不扣的生物，因為它們活過、也繁衍過。」而這就是目前所有生物的祖先。

測量岩石年齡的「小蝦」

或許你也對古老的石頭很感興趣，而班奈特無疑是箇中翹楚，澳洲國家大學現在已經成為世界上研究古老石頭的最主要學術據點之一。當初該校之所以能在這個領域獲得發展，大部分得歸功於康普斯頓（Bill Compston, 1931-）的高超設計長才。

康普斯頓目前已自學術界退休，在 1970 年代，他設計了世上第一部「小蝦」（Sensitive High Resolution Ion Micro Probe，正式名稱為「靈敏高解析度微量離子探測儀」，由於英文字首縮寫為 SHRIMP，於是「小蝦」就成了該儀器的暱稱）。

小蝦是專門用來測量稱為鋯石的微量礦物質中鈾的衰變率。除了玄武岩外，世上絕大部分岩石內都含有鋯石，而這種礦物質的質地極其堅固，除了我們前面提到過的所謂「隱沒」之外，任何其他的自然地質變化過程都拿它沒轍。

地球目前地殼的絕大部分，過去都曾經偶爾發生過「隱沒」，溜回地球內部的大熔爐中，重新進行「熔煉」。但是地質學家發現，仍然有極少數暴露在外的地殼，譬如在澳洲西部與格陵蘭境內，從最早地球表面開始冷卻以來，還從不曾回鍋過。

康普斯頓當年設計、創建的這台機器，能夠以舉世無雙的精確度，測量出這些岩石的年齡來。「小蝦」的最初原型就是依照他的設計，在澳洲國家大學地球科學系的小型工廠建造成的，這部從外觀一看就知道是經費不足的產物，一副將陋就簡、七拼八湊的模樣，但功能卻是極佳。1982 年該儀器完工後的第一次正式測試，就決定了一樣世界上已知最古老東西的年齡，這是一塊從澳洲西部採來，高齡達四十三億歲的石頭。

班奈特告訴我：「由於這項嶄新科技一出馬，就獲得了如此重要的發現，因而在當時學界曾造成了不小的轟動。」

她領著我來到走道的另一頭，去看新款的「小蝦二號」，這一台全由不鏽鋼打造的巨大、笨重儀器，大約 3.5 公尺長、1.5 公尺高，厚實得像是要用在深海裡做探測似的。

儀器的前方有個控制座位，坐著一位從紐西蘭坎特伯里大學來的，小名叫巴布的男生，他目不轉睛的望著控制面板上，一連串正在不斷變化的數據。巴布告訴我，他那天從清晨四點鐘起，就一直坐在那兒了。由於有太多的石頭等著要測年齡，小蝦二號每天無休的運轉二十四個小時。我見到巴布時是上午九點剛過，他分配到的儀器使用時段，到當天中午即將截止。

我問了這兩位地球科學家，想知道一點這項技術的原理，哪曉得他們一打開話匣子，暢談的是不同的同位素豐富度跟游離化程度，雖然他們的熱心令人感佩，但我卻聽得滿頭霧水。最後，我總算稍微搞懂，這儀器是把石頭中的鋯石部分用帶電荷的原子束轟擊，因而能夠精確的偵測出其中鉛跟鈾的含量差別與比例，然後再由此一比例推算出該石頭的年齡。

巴布告訴我，這部儀器測量一處鋯石的時間約需十七分鐘，為了最後能得到靠得住的數據，一塊石頭試樣必須連續重複測量數十處。使用這部儀器的實際操作過程，涉及的體力活動跟智力刺激程度，大約跟去投幣式洗衣店差不多。但是很奇怪的是，巴布看起來卻是興致勃勃、毫無倦意；不過話說回來，一般紐西蘭人都是超乎尋常的樂觀派。

這個地球科學系所在處是複雜的老式建築，有辦公室、實驗室、儀器工作室等。班奈特說：「以前我們在這兒建造了每件東西，甚至還具備專屬的吹玻璃師傅，現在這位師傅已經退休，不過我們還有兩位全職的碎石師傅。」

她顯然看出我臉上的些微疑惑，於是接下來說：「我們得不斷的測試極大數量的石塊樣品，而每一個樣品在上機器分析之前，都得非常小心、謹慎的輾碎，而且絕對不能受前面測試過樣品的殘渣汙染。每次將石頭壓碎完畢，場地都得清理得乾淨溜溜，一丁點灰塵殘渣都不能留下來。」她帶我去參觀了碎石機，果然是裡外一塵不染，只是兩位師傅都不在場，顯然是喝咖啡去了。在碎石機旁有著許多大箱子，裡面裝滿了各式各樣、大大小小的石塊，顯然等候澳洲國家大學檢測的石頭還真是不少。

太古時期的地球

參觀完畢後，我們回到班奈特的辦公室，我注意到她的牆壁上掛著一幅海報（不是右頁這一幅，但是很雷同），上頭是畫家想像中，距今三十五億年前的地球彩色寫照。那時的地球已經生氣蓬勃，處於地球科學上所謂的太古時代（Archaean）。

圖中的遠方背景顯示出一群巨大且極其活躍的稀有火山景觀，以及冒著蒸氣的古銅色海洋，天空則是嚴酷無情的紅色。圖中近處的淺海裡面，布滿了一些叫做「疊層石」（*stromatolite*）的細菌岩石。這幅景象以我看來，實在不像是創造跟培育生命的好地方，於是我問班奈特，她是否認為這幅畫畫得跟事實相符。

「這個嘛，有一票專家認為，那時候地球上的溫度並不像圖中表現的那麼高，因為當時的太陽比現在的要弱得多。」（後來我聽說生物學家在心情愉快時，喜歡拐個彎戲稱這個看法為「中國餐館問題」，起因於晦暗的太陽，英文是 dim sun，跟「點心」的英文諧音。）

班奈特接下來說：「但是在那個時候，大氣成分與現今大不相同的情況下，即使不是很強的陽光，其中的紫外線仍然可以很容易的將分子間剛形成的任何聯繫打斷。不過，這幅想像圖把生物……」她用手指敲了敲海報上畫的疊層石繼續說：「放在暴露於陽光下的地球表面，這一點就頗不合理。」

「所以，我們並不確知那個時代地球表面的真正情形囉？」

「沒錯。」她說。

「但是你所提到的可能景況，對生命的助益似乎都不大嘛！」

她點了點頭，然後說道：「但是那時候必然有某種有利於生命的情況，否則你我今天也不會在這兒了。」

只是，那時候的環境肯定不適合我們人類。如果世上真有一部時光機器，能把你帶到古老的太古時代去，那麼當你步出機器後，大概不用一分鐘就得趕緊逃回去，原因是那時地球上能供人呼吸的氧氣，還沒有今天火星上的多，而且空氣中還充滿了有毒的鹽酸跟硫酸蒸氣，強度足以咬穿你的衣物，讓暴露在外的皮膚頓時產生水泡。

此外，大自然在那時還沒有像班奈特辦公室牆上海報所描述的那樣清晰、明亮的景色，原因是那時大氣的各種氣體化合物，幾乎完全無法讓陽光穿透、照到地球表面上來。而讓你還能夠稍微看得到一些些地面景物的唯一光源，是頻頻出現的短暫、強烈的閃電。簡單的說，雖然是在同一個地球上，但那時的地球卻跟我們所認識的現在這一個，有天壤之別。

在太古時代的世界裡，值得記述的重要事件極少。在前後長達二十億年的漫長歲月中，各種細菌是地球上僅有的生命形式，它們活著、繁殖、也成群的遷移到各處，但是卻從未在存活的層次上表現出要更上層樓、或活得更具挑戰性的傾向。

在太古時代初期，也就是三十五億年前，地球應該就是這個模樣。當時，月球較靠近地球，而地球的地殼相當薄，火山爆發是家常便飯。隕石不斷撞擊地球，空氣中充滿濃濃的酸性蒸氣。就在這麼惡劣的環境下，竟然有生命誕生了，真是不可思議。

改變世界的藍綠藻

在太古時代第一個十億年中的某個時刻，有一種稱為藍綠藻的藍綠細菌（cyanobacteria），學會了去攫取一種免費的自然資源，也就是水中豐富的氫。它們把水吸進體內，「吃」掉水分子中的氫，把剩下的氧當成廢物排放到體外。做這件事需要外來的能量推動，於是它們率先創造了光合作用。

正如同馬古利斯及她兒子多里昂 · 薩根（Lynn Margulis & Dorion Sagan）在《演化之舞》中指出的，光合作用「無疑是地球生命史中，在新陳代謝上最重要的一次創新」。妙的是這件事情是從細菌開始的，而不是植物。

隨著藍綠藻的欣欣向榮、大量繁殖，這世界的大氣裡才開始有了氧氣。這對於希望能乘坐時光機器回去拜訪的我們，也許是個好消息，但對當時生存在地球上的所有細菌來說，卻是一個莫大的災難，原因是在所謂厭氧性（anaerobic，不會利用氧的）世界裡，氧都是極端歹毒的東西。我們的白血球實際上就是利用氧去殺死侵入我們身體的細菌。

氧氣有毒這件事，對許多人來說是一個大意外，因為我們從經驗裡得知，氧似乎只會對健康有益，殊不知這只是因為我們經過了演化，如今不僅能容忍它，還能利用它。但對其他東西來說，無論有機物或無機物，氧都極其可怕，它會使得奶油變酸變臭、讓鐵器生鏽。即使是我們，對它的容忍也只能到達某個上限，那就是為什麼在我們細胞中的氧濃度，大約只有大氣中濃度的十分之一而已。

新出現的用氧生物有兩個生存優點，因為用氧不只是比較有效率的能量生產方式，還可以把氧當武器，用以戰勝競爭對手。所以舊有的細菌在空氣中有氧之後，就只能撤退到沼澤與湖底，泥濘的厭氧世界裡。

其中有一些細菌在撤退到泥濘中後（很久很久以後），再移

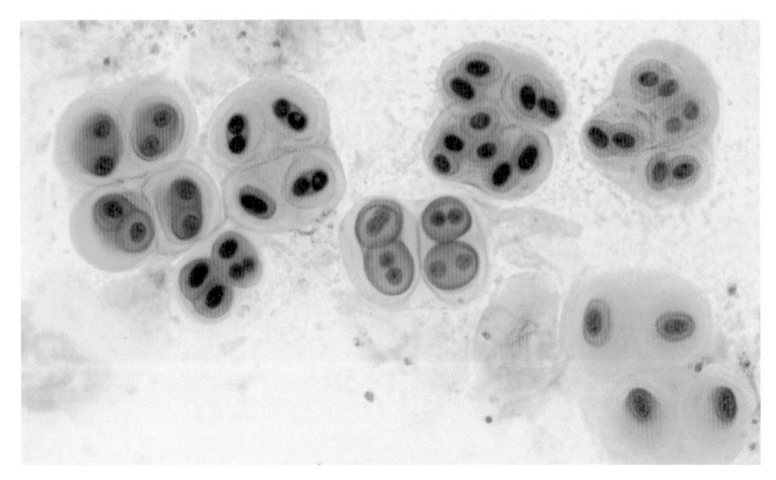

這張光學顯微鏡圖顯示出藍綠藻的一個菌落，它們用小小的身體大大的改變了這個世界。

民到動物的消化道裡；如今在你我的身體裡，就有好些這種最原始的細菌，幫助我們消化食物，但是它們仍然痛恨氧氣，只要一丁點兒氧就能消滅它們。其他無數沒能跟著改變以適應新環境的細菌，就只有死路一條。

藍綠藻的例子是極為成功的改變。剛開始，它們產生的氧氣並沒有在地球大氣中累積，而是跟四周的鐵元素結合成各種氧化鐵，然後沉積到原始海洋的底部。這整個地球生鏽的現象前後進行了數百萬年，地表的鐵大都鏽蝕殆盡了，這段歷史全部清楚的由世界各地的鐵礦蘊藏帶記錄了下來。

之後的數千萬年，並沒有比這更重要的事情發生。如果你回到原生代（Proterozoic）早期的世界裡，你還不會看到地球上有多少跡象適合將來的生命形態。最多只是在有遮蔽的小水塘裡面，偶爾可以找到一些含有生命的浮渣，或是在海岸線附近的岩石表面上，附著一層有光澤的綠色跟褐色東西。除此之外，生命用肉眼全看不見。

但是到了距今約三十五億年前，有一件比較顯眼的生命跡象開始出現了，位置是在有淺海的地表部分。也就是眼睛看得見的所謂「結構」出現了。在藍綠藻履行它們的日常化學工作時，突然之間變得比以前稍微「黏」了一點，這點黏性使得它們招致了一些微小的灰塵跟砂礫，而這些異物彼此結合，形成了看來有些奇怪但很扎實的結構，也就是前面所提到，班奈特辦公室海報上那淺海裡突出的疊層石。

螺旋藻是眾多現代藍綠藻中的一種。它由個別的藻類細胞串在一起成為捲曲的幾股。

疊層石有各種不同形狀跟大小，有時候它們長得像一顆顆巨大的花椰菜，有時像是一塊塊鬆軟的床墊（疊層石的英文 stromatolite 源自希臘文，原意就是「床墊」)，有時則像是柱子，突出水面數十公尺，甚至可達 100 公尺。

不論它們的外表是如何不同，本質卻無差異，都是一種「活的」岩石，而且它們代表著世界上最早出現的群體合作打拚先例。譬如說，活在那個柱子上的細菌並不是同一種類，其中有些種類的原始生物喜歡住在這些結構的表面，另一些則寧願待在底下，它們各自利用其他種細菌營造的條件來滿足自己的喜好，這世界從此出現了第一個生態系。

以往有很長一段時間，科學家只能從化石上看到疊層石的遺跡，但是到了 1961 年，有人在澳洲西北海岸線上，一個叫做鯊魚灣（Shark Bay）的偏遠地點，居然無意中發現了一整群活著的疊層石。這是科學家以前連做夢都不敢想的事情，正因為在此之前根本沒人能夠預料到，以致於這項發現在當時沒人知道是啥，過了數年後，科學家才醒悟到，原來這是活化石！

今天，鯊魚灣變成了著名的觀光景點，這對於距離人口稠密地區少說有數百公里、離略有人煙地區至少數十公里的鯊魚灣來說，可算是個奇蹟。

在那兒，有人用木板搭建了一些從海岸伸入海灣的走道，讓遊客可以漫步越過海面，去仔細觀看水面下正在靜靜呼吸的疊層石。這些石頭不具光澤、顏色灰暗，乍看起來像是我以前在遊記中提過的大坨牛糞。不過當你睜大眼睛望著這些地球上的活遺跡，想想它們可能仍然有著與三十五億年前相同的模樣時，你會神奇的感到一陣頭暈目眩。

古生物學家福提（Richard Fortey）說：「目睹活的疊層石才是真正的時空旅遊。如果大家能瞭解它的意義，這些其貌不揚的東西，就應該至少跟埃及吉薩的金字塔齊名。」

雖然你永遠不會猜到，這些看來毫不起眼的岩石包含極大數量的生命。有人估計（顯然不會真的掰手指頭去數），在每平方公尺的岩石表面上，大約聚集著 36 億細菌個體。你若是看得夠仔細，有時候還可以依稀瞧見它們釋放出來的氧氣，集結成一串

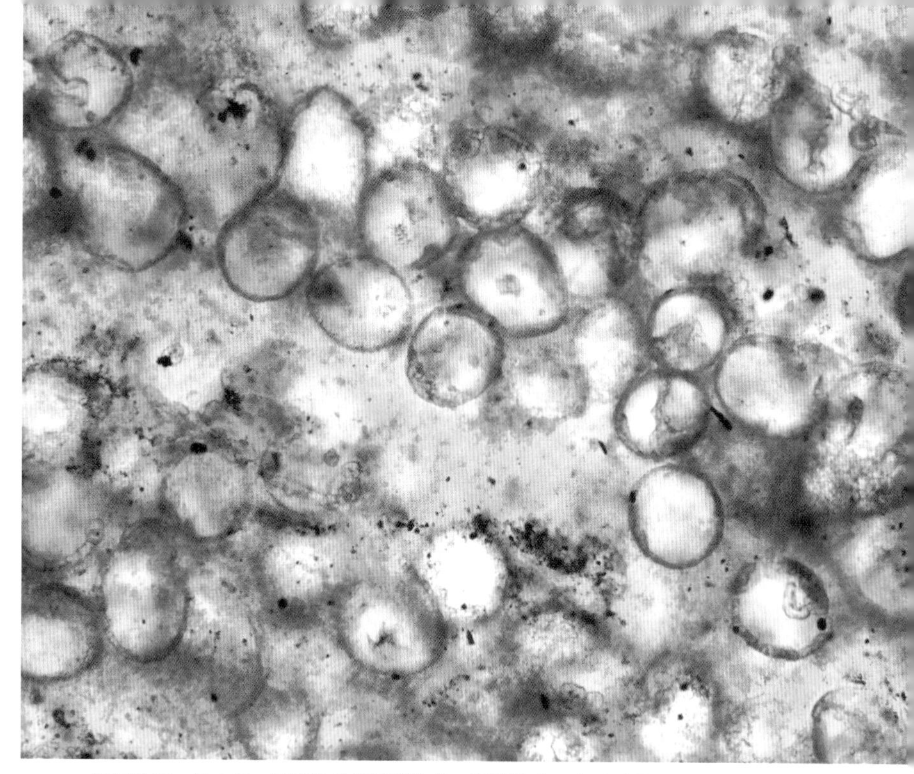

這個化石，是 3 千 8 百萬年前就已消失的一種藍綠藻。在地球長長的歷史中有一半的時間，最厲害的生物成果，就是這種簡單的小生物體。

串微小的氣泡，從岩石上升到達水面。

它們就憑著這麼幾乎難以覺察的速度釋放氧氣，日積月累的經過了二十億年後，居然就把大氣中的氧氣濃度提高到了跟目前相仿的 20%；也為生命歷史中更複雜的下一樂章準備好一條道路來。

有人提出意見說，鯊魚灣的藍綠藻很可能是地球上演化得最緩慢的生物，而它的確是目前世界上最稀有的生物之一。它們在為更複雜的生命形式鋪好了道路後，卻在幾乎是全世界各處，遭到有了它們才有可能出現的後起生物給當作食物，吃到早已絕了種。（專家認為，它們之所以還能在鯊魚灣苟延存活，是因為當地海域的海水鹽分太高，一般會吃掉它們的海生動物都躲得遠遠的，才得以在此倖存。）

真核生物出現

生命在歷史上之所以花費了這麼長久的時間，從簡單演化為複雜，原因之一就是在等待較簡單的原始生物，把大氣裡面的氧充填到一個足夠的程度。福提的說法是，在氧氣濃度到達這個起碼程度之前，「動物無法產生維持生存所需的足夠能量」。

整個大氣的充氧過程長達二十億年，約占地球歷史的百分之四十。但是一旦舞台準備工作完成妥當後，顯然是相當突然的，一類嶄新的細胞形式出現並迅速崛起，這類細胞內有一個細胞核，還有一些統稱為胞器（organelle，源自希臘文，字義為「小工具」）的其他部位。

這項進展是怎麼發生的呢？有專家認為，是某個笨拙或大膽的細菌，意外侵入另一個細菌內，或不小心給後者逮住，結果雙方發現此舉對彼此都有好處，這個被逮住的細菌就變成了粒線體。這個所謂的粒線體入侵事件——或是生物學家喜歡使用的另一個名稱：內共生事件（endosymbiotic event），使得後來的複雜生命變成可能。（在植物界，相似的入侵事件也造就了一些植物細胞中的葉綠體，有了它們，植物才能進行光合作用。）

粒線體可以巧妙利用氧氣，讓食物很容易的釋放出能量。若是沒有這套獲取能量的方便法門，今天地球上的生命可能還是一堆堆爛泥似的簡單微生物而已。粒線體的體積非常小，一粒沙所占據的微小空間，可以容納得下十億個粒線體；不過，它們非常飢餓，幾乎所有你我吸收的營養，都給身體拿來餵了它們。

粒線體對於我們的生存厥功甚偉，要是沒有粒線體，我們大概活不過兩分鐘。然而，寄居在細胞裡的粒線體即使已經過了十億年，到現在似乎還是不放心這個共生關係。它們一直維持著自己的一套 DNA、RNA 與核糖體，且繁殖時刻故意與宿主的時間錯開。

它們的外貌看起來像細菌，分裂生殖的方式亦如同細菌，而且有時對抗生素的反應，也跟細菌一致。它們甚至於在基因語言的表達方式上，跟宿主細胞不完全一致。簡單的說，它們一直都似乎是行李打包好了的模樣，像極了到別人家裡作客的陌生人，只是到如今已經客居了十億年！

這類新型細胞被稱作真核生物（eukaryote），以有別於叫做原核生物（prokaryote）的原有舊型細胞。從化石紀錄看來，真核生物似乎是突然出現在地球上。

到目前為止，我們所知道的最古早真核生物叫做捲曲藻（*Grypania*）。1992 年，有人從位於美國密西根州境內的鐵沉積岩中，發現了它的化石（距今約二十一億年）。不過，這麼年代久遠的真核生物化石只出現那麼一次，在世界上其他地區所發現的，都比它晚了至少五億年。

地質學家杜里（Stephen Drury）說：跟真核生物比較起來，舊有的原核生物比「化合物小包」強不了多少。真核生物個頭比較大，比原核生物大上一萬倍；真核生物所攜帶的 DNA 數量也多得多，是原核生物的一千倍。

真核生物出現後，一種生態系逐漸演化形成，這種生態系將生命劃分成兩大陣營，一方是排放氧氣的生物（像是植物），而另一方則是吸入氧氣的生物（就像你我）。

單細胞的真核生物曾一度被叫做原生動物類（protozoa），不過這個名稱已不太為人所用了，如今大家通稱它們是原生生物（protist）。與在它們之前出現的原有細菌比較起來，這些原生生物在設計跟精巧程度上，簡直就是奇蹟。

其中的變形蟲（amoeba，或譯為阿米巴蟲），雖然只是簡單的單細胞個體，而且除了生存之外，顯然別無其他特殊野心，但它的 DNA 卻包含著四億個位元的基因資訊。根據太空科學家薩根（多里昂·薩根之父）的計算，這些資訊若全部轉譯為文字，足可寫成一套八十本、每本五百頁的巨書。

最後，這些真核生物還學到了更獨特的把戲。不錯，它們為此花費了很多工夫、很長的一段時間（前後長達十億年），但是當它們終於學會並且精通之後，這把戲的效果果然不同凡響。到底是什麼呢？就是細胞學會分工合作、彼此共同形成繁複的多細胞個體。由於這項創舉，碩大、複雜、可見的個體（像是人類）才有可能出現。到了這兒，行星地球算是一切就緒，可以進入下一個大躍進階段。

不過，在我們變得太興奮之前，有一點我們得記住，此時大型的多細胞生物尚未出現，那是個仍然屬於極微小的單細胞生物的世界。

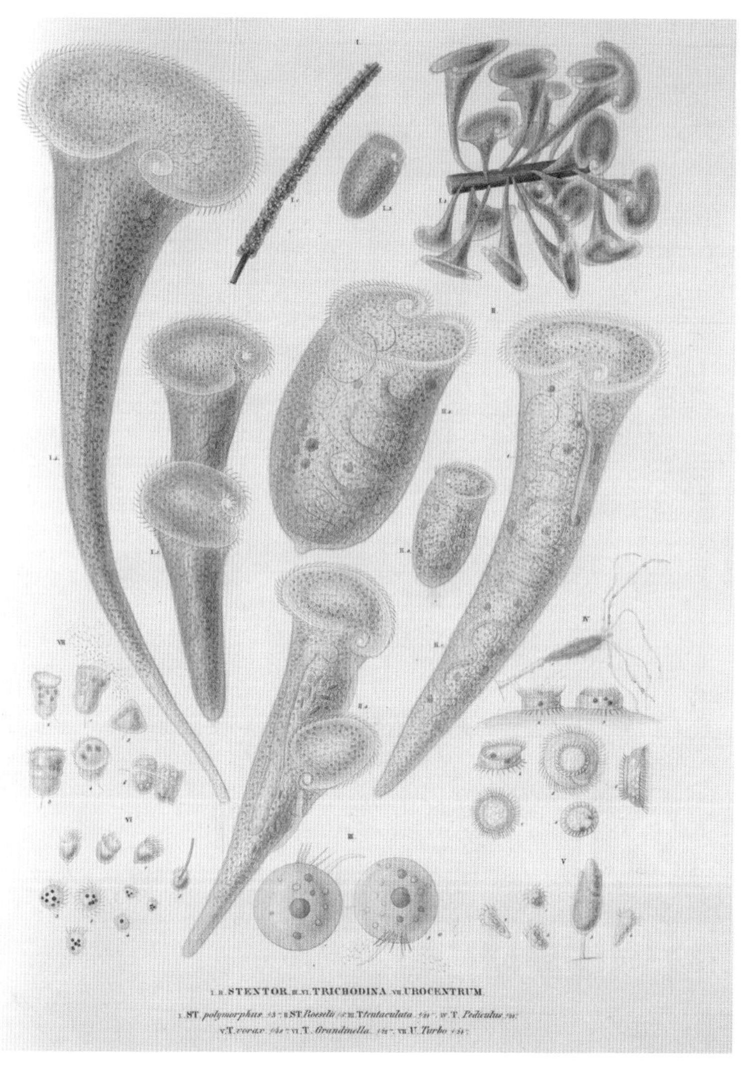

喇叭狀原生動物的插圖。出自德國科學家埃倫伯格（Christian Gottfried Ehrenberg, 1795-1876）所著的十九世紀微生物經典之作《*Infusionsthierchen*》。

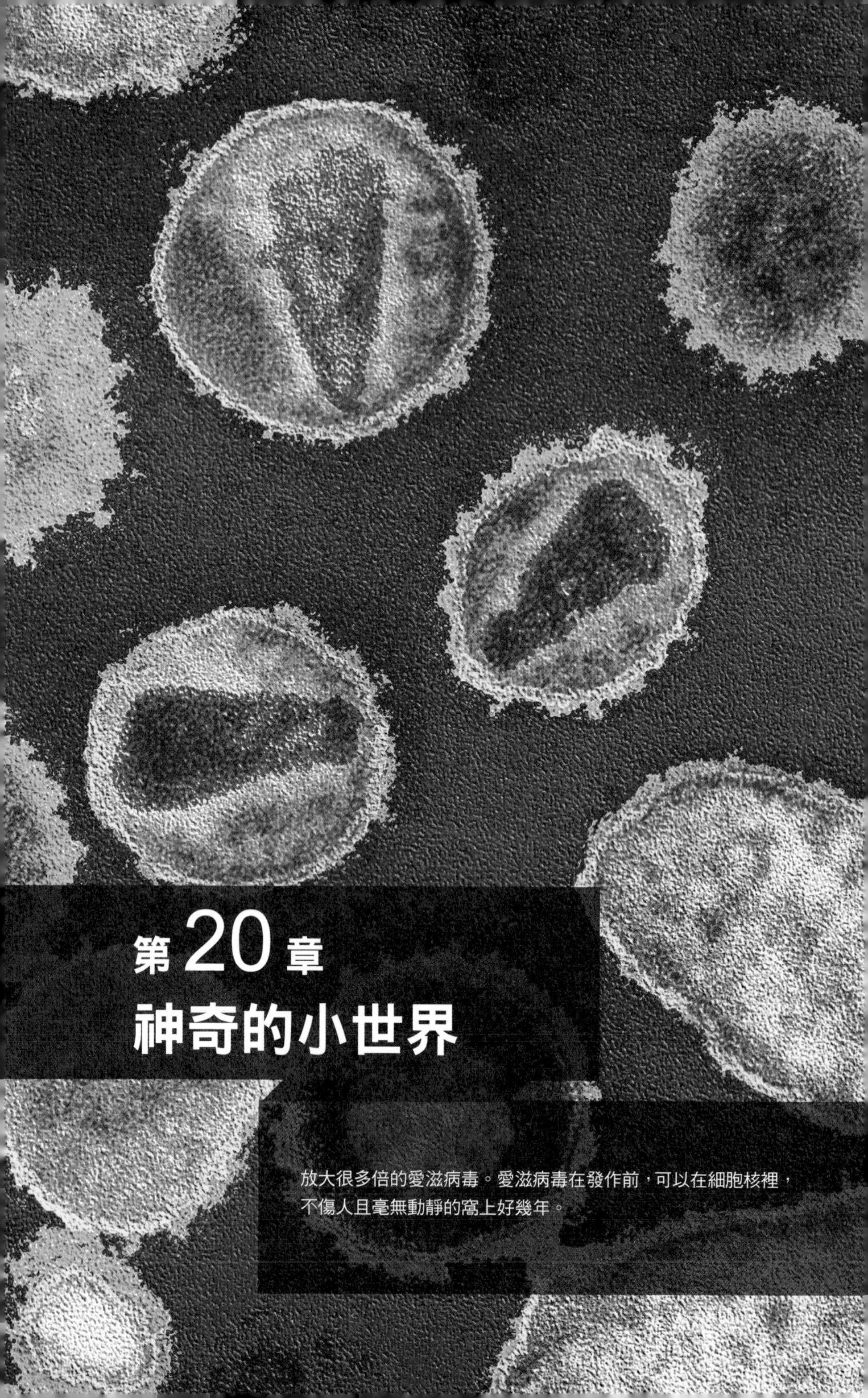

第20章 神奇的小世界

放大很多倍的愛滋病毒。愛滋病毒在發作前，可以在細胞核裡，不傷人且毫無動靜的窩上好幾年。

也許對周遭的微生物過於感興趣並不是一件好事情。看看這個前車之鑑，偉大的法國化學家與細菌學家巴斯德（Louis Pasteur, 1822-1895）生前曾因為對細菌太有興趣，而養成了一個習慣：只要有人把盛了東西的碟子擺到他面前，他就會從身上掏出放大鏡仔細檢查一番。這個習慣據說常使得請他吃飯的主人打消了下次再度邀請他的意願。

事實上，我們沒有理由去試圖躲避細菌，因為它們永遠會待在我們身上或周遭，而且數目大得你難以想像。

如果你的身體健康，個人衛生習慣跟大部分人相同，不至於太過邋遢懶散，那麼在你的身體表面上，就飼養著大約一兆隻細菌，平均每平方公分的皮膚上就有十萬來隻。它們在那兒等著吃掉每天從你身上剝落的一百億片小蛻皮，以及從每個毛孔跟裂縫中湧出、味道不壞的油脂跟礦物質。

對這些細菌來說，你的身體是它們最理想的美食廣場，而且還附帶免費的暖氣，還有可以隨你到各處旅遊的方便。它們有對你表示感謝嗎？當然有囉，就是給了你「體臭」！

以上所說只是棲息在你皮膚表面的細菌而已，另外還有數以兆計的細菌，分別躲在你的腸子跟鼻孔裡、附著在毛髮跟眼睫毛上、在你的雙眼上頭游泳，還在你牙齒的琺瑯質上鑽洞。光是藏在你消化系統裡面的微生物，總數就超過了一百兆隻，且分屬至少四百種類型；它們有的跟各種醣類打交道、有的負責澱粉，有的則在攻擊其他細菌。

其中還有一些數目大得驚人的原核生物，譬如到處都可見到的小腸螺旋體（intestinal spirochete），完全沒有任何明顯的功用，只是喜歡跟你作伴而已。每一個人的身體由大約一百兆個人體細胞組成，卻附帶著十萬兆隻左右的細菌。所以說，這些細菌可是人體的一大部分；當然，從細菌的觀點來看，我們反倒只是它們之中的少數族群而已。

我們仰賴細菌而活

我們人類因為個子大，而且夠聰明，會製造跟使用各種抗生素與殺菌劑，很容易自認為我們已經把細菌驅趕到了生存的邊緣。如果有人這麼告訴你，你可千萬別相信。細菌也許不能建造城市、享受有趣的社交生活，但是直到將來太陽爆炸、地球隨之毀滅以前，它們還會生活在這兒。因為基本上這是它們的行星，我們之所以能生活在這裡，是它們夠客氣，禮讓我們的緣故。

永遠不要忘記，在我們出現之前，細菌已經在地球上生存了數十億年。要是沒有細菌，我們一天也活不下去。它們處理我們的廢棄物，使無用的東西重新變得有利用價值。若是沒有它們勤快的咀嚼，東西壓根兒不會腐爛。它們純化我們的水，保持土壤的生產能力。細菌在我們肚子裡合成維他命，把我們吃下肚的各種東西轉變成有用的醣類及

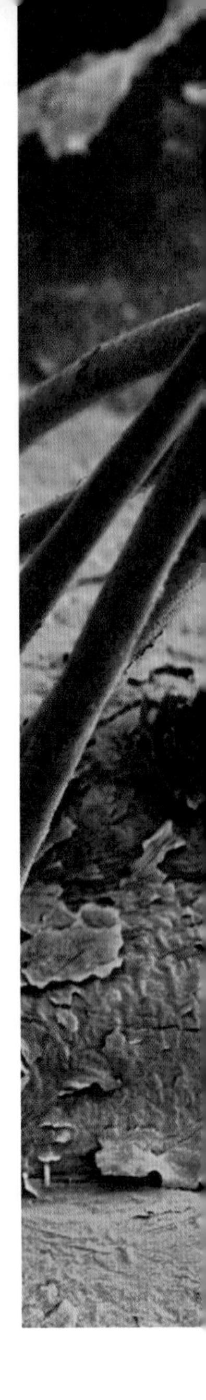

這是人的眼睫毛放大兩百倍後經顏色處理的景象，一般人可能從不知道長著睫毛的皮膚是這副模樣，而且應該很樂意不知道。一根根綠色毛髮從硬硬的毛囊鑽出來，毛囊也是睫毛蟎寄居的地方，你可以從毛囊開口處看到蟎的尾巴。至於毛囊之間的黃色片狀物，是皮膚乾屑。

多醣類，並且去攻打、消滅那些溜進我們腸胃裡，意向不明或不友善的外來微生物。

我們完全依賴細菌替我們把氮元素從空氣裡攫取出來，並且轉換成各種有用的核苷酸跟胺基酸。這可是一項特別了不起，也非常令人滿意的工作。

為什麼這麼說呢？馬古利斯及多里昂．薩根指出，工業上要做到同樣的固氮效果（例如在製造氮肥的過程中），工廠必須把原料加熱到攝氏500度的高溫，還得在三百倍於大氣壓力的高壓下，才能成功。但這件事由細菌做起來，只需在常溫、常壓下，似乎不費吹灰之力。而且謝天謝地，若是沒有它們一直在幫忙固定空氣中的氮，所有比細菌大的生物就無法存活下去。

最重要的是，微生物不斷的供應空氣，讓我們得以呼吸且讓大氣的成分保持安定跟一致。各種不同的微生物，包括現代的藍綠藻，其實就是地球大氣中氧氣的主要提供者。藻類以及其他在海水裡冒著小泡泡的微小生物，在全球各地每年總共釋放出大約1,500億公斤的氧氣。

這些微生物繁殖之快，實在令人吃驚，其中的佼佼者在不到十分鐘時間內，就可以產生出一個新的世代。例如產氣莢膜梭菌（*Clostridium perfringens*）是一種能造成壞疽的不友善細菌，從新生、成長到自己開始進行分裂生殖，只需要花費九分鐘。以這樣的繁殖速度來計算，理論上一個單獨的這種細菌，只要能夠毫無限制的不停繁殖兩天，所產生的子孫總數，就會比咱們宇宙裡的全部質子數量還要多。

根據諾貝爾獎得主、比利時的生物學家杜武（Christian de Duve）的計算：「如果給予充足的無限營養供應，一個細菌細胞在一天內就可以產生出 280 兆個後代。」而同樣是一天的時間裡，一顆人類的新生細胞只勉強能進行一次細胞分裂而已。

大約每一百萬次細胞分裂，就會產生一個突變種。對新產生的突變種來說，突變通常不是好消息，因為改變都有風險；但是在偶然的情況下，新出現的細菌會具有某種非預設的優點，例如可以躲過或擺脫某種抗生素的攻擊。除了這項快速演化的本領之

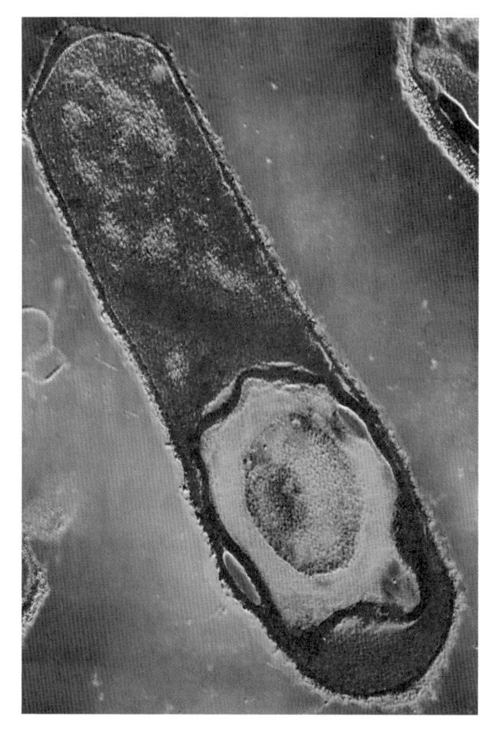

產氣莢膜梭菌是數一數二的致命細菌，它可以休眠很長時間，然後在一小時內，繁衍數十億後代，導致宿主產生血中毒或氣腫疽等可怕後果。

外，細菌還有一項更可怕的優點：它們會分享資訊，任何一隻細菌都能從另一隻身上擭取一些基因片段後，據為己有。

超乎想像的耐活

重要的是，正如馬古利斯及多里昂．薩根所描繪的，所有細菌都像是在同一個基因池子裡游泳，而在細菌世界任何一個角落裡所發生、對環境適應能力上的改變，都會傳播出去到達其他所有角落。這種能耐就好比人可以跑到昆蟲界去，任意取得能夠長出翅膀或是能在天花板行走的必要基因那樣神奇。換句話說，從基因的觀點來看，細菌早已變成了超級生物。雖然它們很小、很分散，可是所向無敵。

你吐出、濺灑、或滴出的任何東西，細菌幾乎都能賴以存活、繁殖。只要給它們少許濕氣（譬如你用濕抹布在桌面上抹一下），它們就會無中生有似的大肆繁殖起來。它們能吃木頭、壁紙後的黏膠，還有硬化的油漆中的金屬成分。

澳洲科學家還發現了一種學名叫做蝕固硫桿菌（*Thiobacillus concretivorans*）的微生物，必須生活（而且是真少不了）在濃度高到可以溶解金屬的硫酸溶液中。另一種叫做嗜放射微球菌（*Micrococcus radiophilus*）的細菌，也被人發現它們快樂的活在核反應爐的廢棄物槽內，用鈽跟在那兒的核廢料填飽自己。還有些細菌專門把一些化合物質分解，而且就我們所知，它們完全不能從中得到任何利益。

它們被發現生活在滾燙的天然泥漿鍋及含有燒鹼（氫氧化鈉）的湖泊裡、在岩石的深層內部、在海洋的底部、隱藏在南極洲麥克馬多乾河谷（McMurdo Dry Valley）地區的冰凍湖水中，還有太平洋深達 11 公里的海水中，那地方的水壓大到超過了海平面上大氣壓的一千倍、或是相當於被壓在五十架疊起來的巨無霸噴射機的輪子底下。

它們之中有些似乎根本無法用外力破壞，譬如《經濟學人》上的一篇報告說，有一種抗輻射奇異球菌（*Deinococcus radiodurans*）就「幾乎完全不怕放射性的傷害」。用放射線轟擊它的 DNA，結果那些撕破了的 DNA 碎片馬上就會自動重組，「好像恐怖電影裡殺不死的怪物，牠的斷手斷腳自動跑回斷裂處癒合那樣」。

也許到目前為止，所發現最不尋常的生存能耐表演，是一種鏈球菌（*Streptococcus*），有人把它密封在照相機的鏡頭內，然後把相機安置在月球上，兩年後發現這些細菌居然還活著。所以說啦，這世界上幾乎沒有會讓細菌放棄生存的自然環境。

上一章裡提到的澳洲大學班奈特女士（Victoria Bennett）告訴我，他們曾把細菌探測器伸進海底板塊流出熱液的噴孔中，那裡的溫度之高，使探測器都開始熔化，而探測的結果居然是陽性，也就是證明那兒確有細菌存活。

早在 1920 年代，芝加哥大學的兩位科學家，巴斯丁（Edson Bastin）與葛利爾（Frank Greer）即對外宣稱，說他們從油井裡分離出一些細菌種類，他們認為這些細菌原來是居住在地表下 600 公尺深處。不過，當時學界把這項宣布斥為胡說八道，原因是大家先入為主的認為，那樣的深度不可能有活的東西存在。

所以，在其後五十年內，大家都自以為是的認定，巴斯丁與葛利爾的樣品，在分析之前「必然」受到地球表面細菌的汙染。

現在我們知道，的確有許多微生物住在很深層的地球內部，而且其中有不少是跟我們所知道的生物界完全脫離了關係，它們可以吃石頭過日子，更確切一點的說法是吃石頭裡的成分，像是鐵、硫、錳等等。而它們所「呼吸」的東西也夠奇怪，有鐵、鉻、鈷，甚至是鈾。它們這些生活上的點滴，也許對自然界的金、銅及其他貴金屬礦的集中、純化有所貢獻，也可能造成了石油與天然氣的蘊藏；甚至還有人認為，由於地下大量細菌的無休止細嚼慢嚥，才有了地殼的創建。

如今有些科學家認為，在咱們腳下的地裡，也許住著總重高達一百兆噸的細菌，它們合組成了一些所謂「地表下石頭自營性微生物生態系統」（SLiME, subsurface lithoautotrophic microbial ecosystem）。

美國康乃爾大學的勾德教授（Thomas Gold, 1920-2004）估計，如果把地球內部的細菌全挖了出來，然後平均倒在地球上，可以鋪滿整個地球表面且厚度達 15 公尺。如果他的這項估計正確，那麼活在地面下的生命，很可能比地面上的還要多！

微生物的長壽祕訣

在很深的地下，微生物的體積會縮小，而且活動能力大幅減緩。它們之中最活躍的成員，分裂增殖的頻率也許會慢到每世紀不超過一次，其他成員則可能每五百年才增殖一次。《經濟學人》於是這麼說：「看樣子，長壽的訣竅似乎就是不要做得太多、不要太勞累。」當周遭環境變得真是難以對付時，細菌會自動關閉自己所有的生活機能系統，然後靜候時局好轉。

1997 年，科學家把一些原本展示在挪威特隆赫姆市一家博物館內，已經蟄伏了八十個年頭的炭疽菌活化成功。其他類似的例子還包括：有人把一個一百一十八年前製造的肉罐頭，跟一瓶一百六十六年前封口的啤酒開啟，讓儲存在內已經喪失活動跡象的微生物再度獲得了生機。

1996 年，俄羅斯科學院的科學家宣稱，他們讓一些埋藏在西伯利亞永凍層裡，長達三百萬年的細菌復甦了過來。然而它們還不是目前細菌蟄伏期最長久的紀錄保持者。在 2000 年，美國賓州西徹斯特大學（West Chester University）的維里蘭（Russell Vreeland）與同事，寫了一篇文章登在《自然》上宣稱，他們讓一些已經休息了兩億五千萬年的細菌復活。

維里蘭等人把這些細菌命名為二疊紀芽孢桿菌（*Bacillus permians*），認為它們最初是埋藏在今天美國新墨西哥州卡爾斯巴德（Carlsbad）地面下、約六百公尺深的一處鹽礦裡。如果它們的年齡真的有那麼老，那麼這些微生物比北美洲大陸的歷史還要悠久。

這份報告遇到了一些可理解的質疑。譬如許多生物學家堅持，在這麼長的時間裡，除非這些微生物能夠每隔一段時間就自動復甦一陣子，否則這事不太可能。因為若是真的一口氣停止活動那麼久，這些細菌的組成成分必然會逐漸下降到無用的程度。只是，若是它們真的曾經不時的復甦，要上哪兒去找到所需的能源以供每次復甦之用，而且一路下來維持這麼久的時間？

懷疑心較重的科學家則乾脆認為：維里蘭測試的樣品很可能遭到了汙染。即使維里蘭在採樣過程中非常小心，沒有任何汙染情形發生，但無人能保證在他開挖之前，該處鹽礦從沒遭汙染。

2001 年，以色列台拉維夫大學的一組專家提出了一個相當有力的反駁，他們說上述在美國發現的所謂二疊紀芽孢桿菌，幾乎跟目前在死海鹽水中生活的原古芽孢桿菌（*Bacillus marismortui*）完全相同，它們的基因序列只有兩處有著些微差異。

這些以色列研究人員寫道：「難道我們應該相信，二疊紀芽孢桿菌在過去的兩億五千萬年期間，所累積下來的基因差別，只相當於該菌在實驗室內三到七天，就能發生的變化嗎？」維里蘭的答覆是：「細菌在實驗室內的演化速度比在自然環境中快了一些。」

也許是吧！

不像植物，也不像動物

有件叫人吃驚的事實是，咱們雖然已經進入太空時代數十年，大部分的學校教科書仍然把生物世界一分為二：植物界跟動物界，只有很少數的教科書把微生物另立一界。一般的教科書通常把變形蟲跟類似會動的單細胞生物劃歸動物界，稱它們為原生動物；把藻類歸類為植物界的原生植物；而細菌則大多給胡亂的混雜在植物界內，雖然內行人都知道細菌並不屬於那兒。

其實早在十九世紀末，德國博物學家海克爾（Ernst Haeckel, 1834-1919）就曾經主張，把細菌從動、植物界內分出來另成一界，且幫它們命名為原核生物界（Monera）。但是他這個想法要等到 1960 年代，才開始有些生物學家表示贊同附和，然而因為人數不多，始終未成氣候。〔我注意到，我很依賴的 1969 年版《美國傳統》（*American Heritage*）桌上辭典，都不認識這個名詞。〕

看得見的世界裡也有許多生物，跟傳統的動、植物二分法扞格不入。例如包括了洋菇、黴菌、酵母、以及馬勃菌（puffball）等的真菌類，通常都給當作植物看待，然而事實上它們幾乎沒有任何特徵（像是繁殖跟呼吸方式、身體結構細節等），跟植物完全相同。

德國博物學家海克爾（左）和一位不知名的朋友展示他們的器材。在十九世紀中葉，科學家習慣帶著漫不經心的態度，盛裝進行田野採集。海克爾雖然以生物學分類在歷史上留名，但事實上他的專長是研究海綿與其他海中生物。

在結構上，上述生物跟動物反而比較近似，因為它們的細胞是用幾丁質建造的，所以這些真菌類生物具有特殊的質地。幾丁質也叫甲殼素，因為它也是構成昆蟲甲殼跟哺乳動物爪鉤的材料，雖然說鍬形蟲嚐起來大概不會像波特貝勒蘑菇那樣美味。

最重要的是，真菌類不以光合作用製造食物，它們沒有葉綠素，外表也不是綠色的。它們直接生長在食物來源上，而這些來源幾乎可以是任何東西。譬如說它們會長在水泥牆上，靠其中的硫過活，或長在你的腳趾間，把正在腐敗的物質當作食物；這兩件事都是植物辦不到的。它們跟植物間幾乎只有一個相似之處，就是它們也有根。

有一種生物比起上述更難以分類，它們是從前叫做黏菌門（myxomycetes）而如今通稱為黏菌（slime mold）的特殊生物族群。從名稱上我們不難看出它們模糊不清的形象，如果它們有一個聽起來稍微帶勁些的名字，像是「可移動的自動活化原生質」之類，而外表也好看一點，不是像現在那樣，有如排水管堵塞物的話，人們對這些不尋常東西的注意必然會增加很多，因為說實在的，黏菌是自然界最有趣的生物種類之一。

當日子好過的時候，黏菌以單細胞個體存活，跟變形蟲很相似；但是當環境條件變得惡劣時，它們會爬到一個會合地點，然後奇蹟似的變成蛞蝓的樣子。這蛞蝓的外表不很美觀，也移動不了多遠，通常只是從一堆破爛葉子的底部爬升到最頂上，因而可以稍微增進一些暴露自己的程度。你也許認為這沒啥了不起，殊不知這很可能是過去千百萬年來，宇宙間最漂亮的巧計之一。

當黏菌蛞蝓爬到爛葉子堆的最上頭，占據比較有利的位置後，這些黏菌又改變成一株植物的模樣。經過某種奇怪但有條理

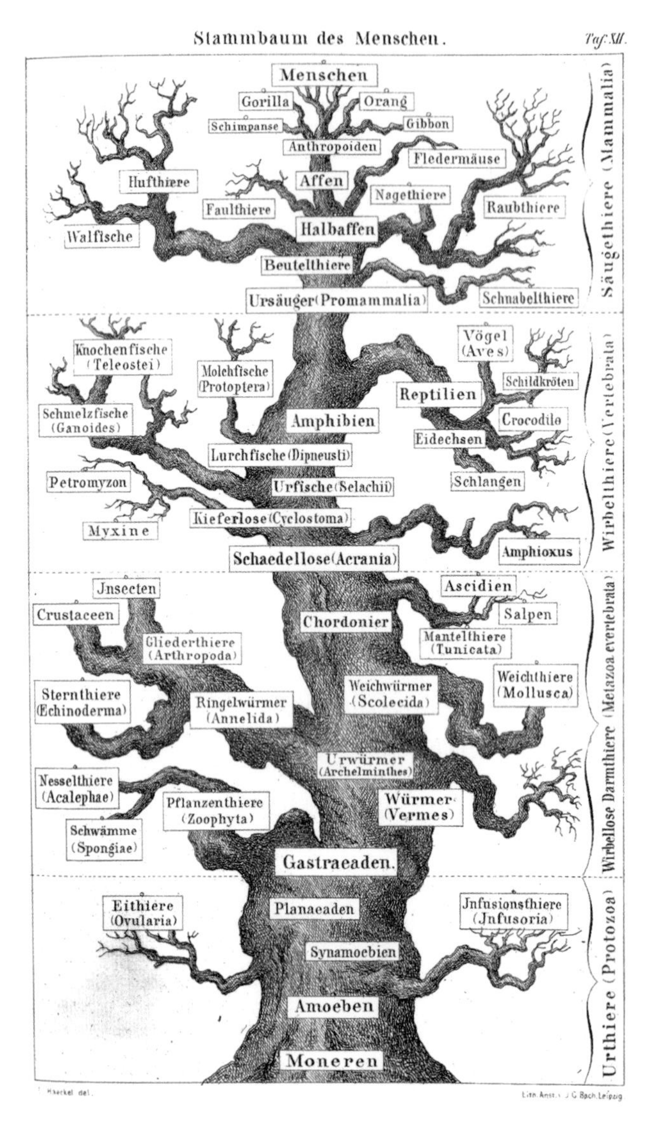

德國博物學家海克爾在 1874 年構想出的系統樹，可以用來表示物種演化及分化途徑。海克爾是第一位把細菌從動植物界分出來另成一界的人。

的程序後，這些細胞重新組合，就像在行進間表演變換隊形的軍樂隊那樣，它們先形成一根莖狀的東西，然後在頂端長出一個叫作子實體的球狀物。

在這子實體裡面，則是數以百萬計的孢子。當適當的時機來到，子實體就會把孢子釋放到空氣中，借風散布出去，這些孢子發育後又變成了單細胞的個體，完成一個循環後再度出發。

重新分類生物

長久以來，雖然大多數人們都看得出來，在既有的分類中它們啥都不像，但是動物學家卻宣稱黏菌是原生動物的一種，而黴菌學家則認為它們屬於真菌類。基因檢驗的時代來臨後，研究人員驚訝的發現，黏菌的基因非常獨特且怪異，它們不但跟自然界中其他生物沒有直接關係，有時連它們彼此間也沒有直接關係。

1969 年，一位名叫魏大可（R. H. Whittaker）的美國康乃爾大學生態學家，為了重新整頓愈來愈罩不住的舊有分類方式，在《科學》期刊上發表了一項提議，把生物劃分成五個界。

他的五界分別是動物界、植物界、真菌界、原生生物界，以及原核生物界。他的原生生物界是引自約一世紀前，蘇格蘭生物學家霍格（John Hogg）首創的原生生物一詞，最初的原生生物是指任何非動物、也非植物的生物。

雖然魏大可的新設計是一大改進，但是他的原生生物界定義仍然不很明確。有些分類學家把它保留給大型的單細胞生物，也就是真核生物，但是其他人卻把它當作生物學上的單隻襪子抽屜，凡是發現無法配對（即歸納到其他四界）的生物，都給丟了進去。

丟進這個抽屜裡的生物包括（端看你用的是哪一本教科書）黏菌、變形蟲，甚至還有海藻。有人統計了一下，說這裡總共包含了 20 萬有案可稽的不同物種。你瞧，無處可去的單隻襪子可真多呢！

滿諷刺的是，就在魏大可的五界分類觀念即將納入教科書之際，一位名字叫伍斯（Carl Woese, 1928-2012）的美國伊利諾大學退休學者，從他多年的分類經驗中，獲得了一項可以用來質疑每樣東西身分的發現。

原來從 1960 年代中間那幾年（或者說有了基因技術開始）以來，他就一直不動聲色的在研究細菌的基因序列。早期做這項工作非常辛苦，因為要研究出一種細菌的序列，需要花費一年的時間。

根據伍斯所說，當時人們知道的細菌種類數目不過 500 左右，還不到寄生在人類口腔裡細菌種類的總數。到今天，這個數字差不多增加了十倍，但仍然遠低於 26,900 種藻類、70,000 種真菌、30,800 種變形蟲類等生物，它們的傳記充斥於過去的生物學年鑑之中。

已知細菌種類數之所以一直低迷，不單是因為它們未受重視，而是細菌的分離跟研究往往困難重重。能以人工培養的細菌只占它們全部的百分之一左右，細菌似乎很不願意生長在培養皿裡面。

美國伊利諾大學的伍斯，從研究微生物的基因發現，
單細胞生物的分類，遠比我們想像的要複雜。

在自然界中適應力超強的細菌卻如此難以培養，是很難讓人理解的事。在把它們種到培養基上之後，無論如何小心伺候，它們絕大部分都只是毫無作為的躺在那兒，無視於任何誘導它們生長的努力。任何能在實驗室裡快速生長的細菌，定義上就是個「例外」，而且它們幾乎全都是微生物學家已經研究過的。伍斯說這個情形「好像是依靠逛動物園去研究動物學。」

然而，基因讓伍斯能從另一個角度去研究微生物。在他的工作中，伍斯瞭解到在微生物的世界裡，還有許多人們尚未猜想到的基本分野。譬如許多外表看起來像細菌、行為也跟細菌相同的小生物，實際上根本是另類，它們很早以前就已經跟細菌分道揚鑣了。伍斯把這類生物取名為古細菌類（archaebacteria），後來這個英文字縮短為古菌「archaea」。

有人曾指出，把古細菌類從細菌界劃分出去，並不會讓生物學家以外的人脈搏增快，因為它們彼此間只有脂肪成分上的一些差異，也就是古菌缺乏一種叫做肽聚糖的東西。但是這點差異卻造成了天壤之別，使得古菌跟細菌之間的差別，比起你我跟螃蟹或蜘蛛之間的差異還大得多。因此伍斯獨自一人發現了別人甚至連做白日夢都從未猜想過的生命領域，而這個領域的層級，就好像是站在全世界生命樹（Tree of Life）最頂點的上方。

1976 年，伍斯開始為世人（至少是一小撮豎起耳朵注意聽他的人）重新畫了生命樹，其中包含的不是五大類，而是二十三個主類。他把這二十三個主類劃分到三個領域內，也就是細菌域、古菌域、真核生物域。新的安排是這樣的：

細菌包括：藍綠細菌、紫色細菌、革蘭氏陽性菌、綠色非硫細菌、產黃菌及熱袍菌。

古菌包括：嗜鹽古菌、甲烷八疊球菌、甲烷球菌、熱球菌、熱變形菌及熱網菌。

真核生物則包括：微孢子蟲、毛滴蟲、鞭毛蟲、內變形蟲、黏性黴菌、纖毛蟲、植物、真菌及動物。

伍斯的新三域論發表時，並沒有在生物學界造成轟動，有些學者批評說他太注重微生物部分，有些則根本裝沒聽見。根據作家艾許克羅福特（Frances Ashcroft）的記述，伍斯當時「感覺非常失望、怨懟」。

但是後來微生物學家漸漸認同了他的觀點，只是植物學家與放大 10 萬倍的 *Staphylothermus marinus* 是喜歡熱的微生物，可以在攝氏 135 度的高溫下生存，是在深海熱泉裡發現的。

動物學家朝相同方向移動的速度就特別慢些。其中原因非常明顯，在伍斯的分類模型裡面，植物學跟動物學的世界被貶謫成了真核生物域軀幹最外圍幾根小樹枝，而整棵樹的其他部分，全屬於單細胞生物。

1996 年，伍斯告訴一位訪談節目主持人說：「這些人由於從小就被教導以粗陋的形態學，用相似跟相異處去做生物分類。現在突然要改用分子序列分類的新觀念，無怪許多人都無法接受。」簡單的說，只要遇到他們用眼睛分辨不出來的差異，他們就會不高興，所以這些人仍然堅持使用傳統的五界分類法。

對傳統的分類法，當伍斯心情還不錯的時候，他的批評是「沒啥用處」，而大部分其他時間則直斥之為「絕對是誤導」。伍斯寫道：「生物學的發展跟在它之前的物理學情形一樣，已經來到了新的階段。在這個階段裡，我們研究的對象跟它們之間的交互作用，已經不再能以直接觀察的方式去理解啦！」

1998 年，當時高齡 94 歲的哈佛大學動物學大師麥爾（Ernst Mayr, 1904-2005）也加進來一起論戰。他寫了一篇文章登在美國《國家科學院彙刊》（*Proceedings of the National Academy of Sciences*），提出所謂的生物界兩大帝國說。

麥爾說伍斯的發現雖然很有趣，但是完全遭人誤導，他指出：「由於伍斯不是科班出身的生物學家，因此很自然對各個分類原則不是那麼熟悉。」這樣的說法大概是傑出科學家在批評別人不知所云時，所能使用的最重語氣了。

麥爾那篇批評文章的內容細節由於太過專業，沒有必要在這

哈佛大學動物學大師麥爾在晚年時，強烈批評伍斯的分類方法有失偏頗。

兒一一轉述。它提到的問題一大堆，譬如牽涉到細胞減數分裂中的性作用；海尼格的演化枝分類法（Hennigian cladification）；以及各種頗具爭議性、有關嗜熱產甲烷桿菌（*Methanobacterium thermoautotrophicum*）基因組合的解釋。

其中的關鍵是認為伍斯安排的生命樹有失偏頗。麥爾指出，細菌領域內包含了不過數千物種，而古菌範圍中目前有名稱的也僅 175 種，也許尚有數千種尚待發掘，「但是顯然不會超過數千之數。」相對的，真核生物（即由有核細胞所組成的各類複雜生物，包含你我等）的物種數目，有名稱的就已有數百萬之譜。

為了顧及「平衡原則」，麥爾主張把所有簡單的細菌類生物合併，稱為原核生物帝國（Prokaryota），而把其餘比較複雜及

「高度演化」的物種歸納在真核生物帝國（Eukaryota），兩個帝國平起平坐、沒有高下。換句話說，麥爾主張回歸到從前的觀念，把單細胞個體跟複雜多細胞個體之間的分際做為「生物世界中的偉大分水嶺」。

對於絕大多數普通人來說，去仔細考究嗜鹽古菌類跟甲烷八疊球菌類，與產黃菌跟革蘭氏陽性菌之間的差異，永遠不會讓人感覺到有啥必要。但我們至少該記住它們實際上差別之大，猶如我們看動物之有別於植物。

伍斯的新分類法至少告訴我們一件事，那就是生命在形式上有很多變化，而大多數的變化是發生在微小、單細胞、及我們不熟悉的世界裡。從我們人類的觀點看，很自然的會把生物演化想像成是：朝向大跟繁複個體（就是在說咱們自己）的一個永無止息的進步過程。其實這只是我們自抬身價的想法，因為在實際演化過程中，大多數基本的多樣性變化都發生在小尺寸、小單元內，而我們這些「大個子」生物之間的差異，反倒只是碰巧產生的表面現象（有趣的次要部分）而已。

在伍斯劃分出來的二十三個主要類別中，只有三個類別（植物、動物、及真菌）是人類眼睛看得見的，而且這三個類別的成員中，也有些物種屬於微生物，得放在顯微鏡下才看得見。所以伍斯的說法也沒錯，如果你把地球上所有生物量（biomass）加總起來（全部的生物，包括了各種植物在內），微生物所占分量最少也有全部的 80%，甚至還可能更多。所以，這世界的確屬於這些最小的生物，而且長久以來就是如此。

微生物為什麼要傷害我們？

說到這兒，讓我想到一個每個人在有生之年遲早都會問的問題，那就是為什麼微生物老是要傷害我們？它們幹嘛搞得我們的身體發燒、發冷、長瘡，甚至死亡，這些對它們有什麼好處呢？再怎麼說，把宿主整死了，哪裡還能繼續享有長期飯票呢？

首先我們應該記住，絕大多數的微生物是中立而無敵意的，甚至還對人類的健康有非常多益處。世界上最猛的致病生物，是

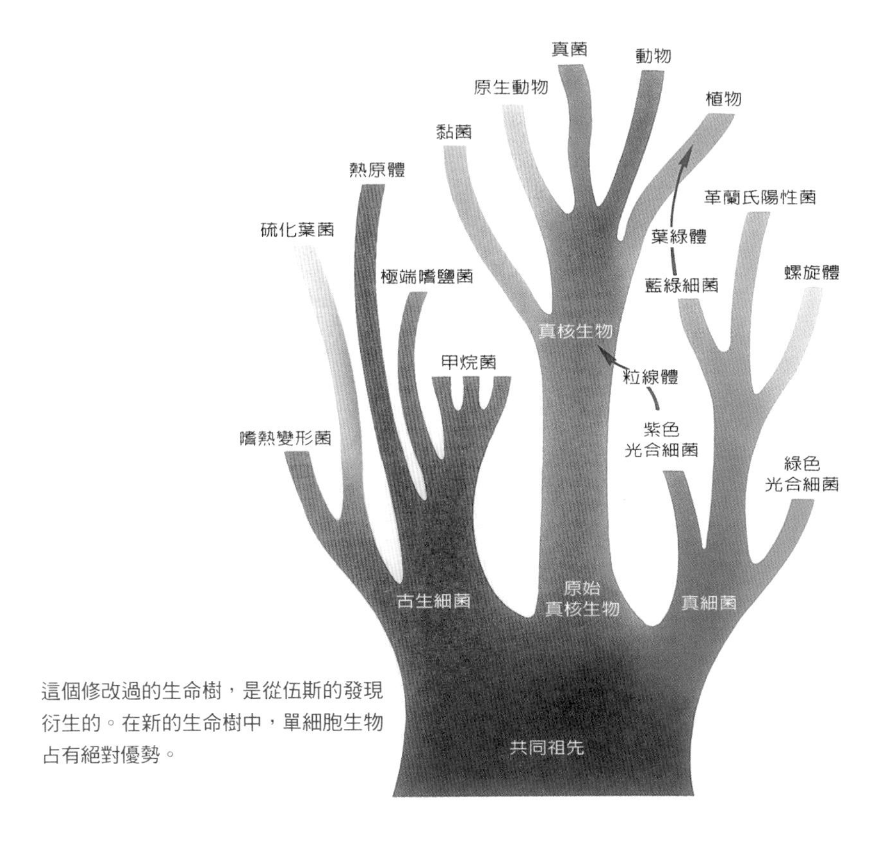

這個修改過的生命樹，是從伍斯的發現衍生的。在新的生命樹中，單細胞生物占有絕對優勢。

一種名叫沃爾巴克氏體（Wolbachia）的細菌，它們甚至根本不侵犯人類（或是任何其他脊椎動物），但如果你是一隻蝦、蠕蟲、或果蠅，它會把你整得生不如死。

根據《國家地理》雜誌的資料，整體說來，每一千種微生物中僅有一種會使人生病。但在知道了它們的某些了不起能耐後，我們仍然不免會有些懷疑：千分之一是否還是太多了一點？因為即使它們絕大多數對人無害，微生物仍然是西方人的第三號殺手，再加上其他許多並不厲害到能致人於死，但能讓生活品質大打折扣的病菌，我們不得不深深覺得，如果這世界上沒有它們該多美好！

另外一點我們要知道的，就是使得宿主生病不舒服，的確對微生物有某些好處，因為宿主生病時出現的病徵，通常都會幫助該疾病的散播，像是嘔吐、打噴嚏、還有拉肚子等，都是微生物從原宿主身上散布出去，入侵其他宿主的最佳辦法。另外，最有效的策略是用流動的第三者幫忙。傳染病病原體喜愛蚊子，是因為透過蚊子的叮咬，可以直接把病原體遞送到新宿主的血液循環系統內，然後在受害者的防禦機制還沒搞清楚狀況前，出其不意的製造傷害。

那就是為什麼那麼多甲級疾病，像是瘧疾、黃熱病、登革熱、腦炎，以及約一百種惡名雖沒那麼昭彰、強取豪奪性格卻相仿的疾病，都是由蚊子叮咬開始。

在這兒我們有個很幸運的巧合，那就是愛滋病（AIDS）的病原體（HIV）不在這個名單內，至少到目前為止是如此。蚊子吸

DESTROY THE ENEMY THAT STALKS BY NIGHT

For Greater Comfort and Health's Sake

THE "GREY" MOSQUITO

known to science as *Culex fatigans*, is able to transmit Filaria from man to man. Some years ago the percentage of infection amounted to about 10 in every 100. Since then the percentage has been reduced through successful control, but the infection is still sufficiently high to warrant the destruction of this mosquito.

It is in the best interests of every householder to help us to get rid of this pest.

The civilised world demands the destruction of mosquitoes. Will you help to see this carried out and to make Brisbane the healthiest and most ***comfortable city in the world to live in?***

CLEAN UP
AND
Keep On Cleaning Up.

The "Grey"
Night-biting Mosquito,
the carrier of Filaria.

THE MOSQUITO THAT CARRIES FILARIA

is a domestic mosquito and is found usually in polluted waters: household waste water produces such pollution, so that houses properly drained seldom breed this mosquito. Liquid manure is a favourite breeding place, and unless regularly dealt with once a week will breed thousands of mosquitoes.

ONLY THE FEMALE BITES.

The male is provided with beautiful ornate head plume and is quite harmless.

Clean up—puncture all tins and destroy all water-holding rubbish, induce your neighbours to do the same, ***and develop a pride in your city.***

CLEAN UP
AND
Keep On Cleaning Up.

This Mosquito Needs Watching—it is our worst Mosquito: it breeds in foul gully-traps, sewers, and drains; it frequents all kinds of water-holding rubbish; and above all it is one of the principal mosquitoes which breed in cemeteries, in vases left standing on the graves. Get rid of all stagnant water in and around your house and in your backyards. ***Drain your premises properly.***

Clean Up—and Keep on Cleaning Up.

THE COMPLETE LIFE CYCLE OF THIS MOSQUITO.

Eggs are laid in rafts of about 300 eggs at a time on dirty, filthy, polluted water for choice. These hatch within three days, the resultant larvae, or wrigglers, then feed for about eight or ten days, when they turn into pupae, or tumblers, which within three days change into the perfect adult insect capable of laying eggs within two or three days.

This mosquito is the only one which breeds in unscreened septic tanks.

Published by the Department of Health, Brisbane City Council.　　Price, per set, 3s. Postage paid.

1928 年的澳洲布里斯本市議會發布的公共衛生宣傳海報。1927 年，澳洲曾爆發大規模的登革熱疫情，這張海報教導民眾，要清除積水，不讓病媒蚊有繁殖的空間。

下肚的 HIV，會遭蚊子體內的代謝作用摧毀，但是將來一旦 HIV 突變到具有不受蚊子代謝作用干擾的能耐時，咱們的麻煩可就大啦！

關於微生物為什麼要讓我們生病這一點，想用邏輯觀點去仔細思考，本身就不合邏輯。因為微生物顯然不會去做計算分析，它根本不在乎你的死活。就像我們抹上肥皂沖個澡，或是往身上塗些除臭劑時，一次就能屠殺掉數百萬個它們，但我們何時又曾經在乎過呢？在跟致病微生物周旋時，唯一能保證人類得以繼續無恙的情況，是在該病原體殺人能殺得十分容易、快捷、徹底時。如果它們來不及在病患死前轉移陣地，只好跟病人同歸於盡。

這種情形的確發生過，生理學教授兼作家戴蒙德（Jared Diamond, 1937-）指出，歷史上充滿了「突然之間無預警的出現，隨後又突然神祕消失的恐怖瘟疫」。戴蒙德所舉的例子是當初來勢洶洶，幸好後來一去不復返的英國發汗病（English sweating sickness），這種病在 1485 到 1552 年間曾經大肆流行，在它自動消失之前，造成了數萬人的死亡。所以其實致病效率太好，對任何傳染病病原來說都不是件好事。

有許多疾病之所以產生，並不是因為病原體做了哪些傷害你的行為，反倒是你的身體試圖去對付病原體所招致的後果。在設法除去體內的病原體時，我們的免疫系統有時會採用堅壁清野的戰術，摧毀自己的細胞或重要組織。

所以在生病不舒服的時候，你感覺到的不是病原體，而是你

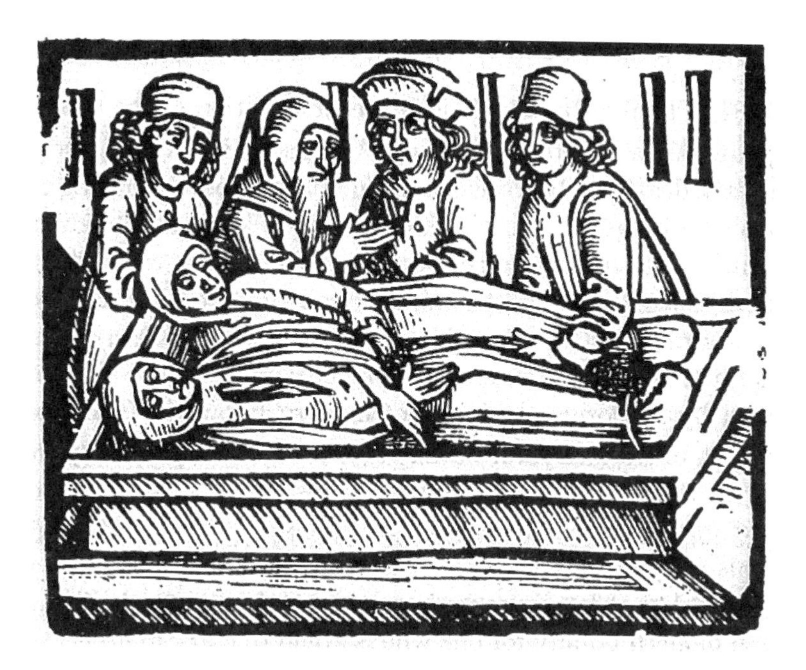

十六世紀的一本醫學教科書上的插圖，描述英國發汗病的病徵與治療方式。
英國發汗病來勢洶洶，造成很大的恐慌，但幸好很快就神祕的銷聲匿跡了。

自己的各種免疫反應。不過，生病都是對外來感染的一種「有感而發」的反應，這一點不需懷疑。病患臥病在床，可以減少對周圍人群的威脅，也可以節省下更多的身體資源，好去對付感染。

由於外頭有那麼多東西隨時可能來傷害你，所以你的身體有很多不同的防禦性白血球，它們總共有多達一千多萬種形式，每一種都是特別設計來確認跟消滅某種特殊的侵入者。

不過，要同時保持一千萬支龐大軍隊，不僅是不可能的任務，且是極無效率的做法。所以在平日裡，每一種白血球都會派出少數幾個擔任偵察任務，每當有外來的感染原（行話稱做「抗原」）入侵身體時，相關的哨兵會確認出來襲者的身分，然後發出通知要求補強專門對付這種抗原的部隊。在你的身體加緊製造所需的白血球時，你很可能會覺得非常難過，當這些部隊終於準備就緒、出發「剿匪」，難過的感覺也就開始平復啦。

白血球是些全無慈悲心的傢伙，它們一出動就一定要把找得到的病原體全部趕盡殺絕，絕對不留活口。為了避免遭殲滅絕種，侵入者也演化出兩個基本應付策略來，一是攻其不備，趁宿主的免疫反應機制整合完成之前，快速攻占，然後繼續進攻新的宿主。

一般的傳染病（像是流行性感冒）多半是採用這種手段。或者，它們善於偽裝自己，不讓宿主的白血球看出它們的身分來；造成愛滋病的病毒 HIV 就是箇中翹楚，它在突然付諸行動之前，可以靜靜待在宿主的細胞核內長達數年之久，裝作一副無害的模樣，讓偵察兵白血球認不出來。

傳染病還有一項比較為人知的性質：有些平常完全無害的微生物，有時會跑到身體內不該去的地方，製造出一些嚴重的麻煩。我要借用在美國新罕布夏州達特茅斯－希契科克醫療中心（Dartmouth-Hitchcock Medical Center）服務的傳染病專家馬諮（Bryan Marsh）醫生的說法：「它們會突然發飆。這種事情經常發生在車禍中受到內傷的人，原本待在腸子裡對人無害的微生物，跑到身體內其他地方，譬如血液循環系統內，結果造成可怕的大破壞。」

目前最教人害怕、也最難控制的細菌性感染，是一種叫做壞死性筋膜炎（necrotizing fasciitis）的疾病，這個疾病本質上就是細菌把病人從內向外吃掉。它們會吞食病人體內的組織，並留下一種果肉似的有毒殘餘物。

病人最初去看病時，通常只有很溫和的症狀，典型的症狀是皮膚長疹子跟發燒，但是接著病情就會急速惡化。當醫師把病人肚子剖開時，往往發現細菌正在裡面把病人逐漸嚼食掉。要對付這種病，只有一種治療方法，我們稱為「根除手術」（radical excisional surgery），就是把身體上所有受細菌感染的地方盡可能割除。罹病者有 70% 會死亡，倖存的大多也成了嚴重殘障。

壞死性筋膜炎的感染原是 A 群鏈球菌，這是很普通的細菌科，平常頂多只會造成鏈球菌性喉炎。但是在非常偶然的時機，也不知是啥原因，這種細菌的某些成員穿過喉嚨的襯裡，進入身體開始大肆破壞。它們對各種抗生素都有抵抗力，沒有抗生素能奈何得了它們。目前在美國每年大約有一千個這種病例，而且沒有人知道將來情況是否會進一步惡化。

同樣的情形也發生在罹患腦膜炎的病人身上。至少有 10% 的年輕成人與 30% 的青少年，身上有致命的腦膜炎球菌。這種細菌平日相當無害的活在帶菌者的喉嚨裡，只是它偶爾跑進了宿主的血管裡，讓患者突然生非常嚴重的病，大概每十萬名年輕人中會有一名受感染。在最糟糕的情況下，病患撐不過十二個小時就一命嗚呼，速度快得驚人。馬詡說：「病患可能在吃早餐時還生龍活虎、十足的健康，但是卻在太陽下山前死亡。」

抗生素的濫用

如果過去我們不曾濫用手上對付細菌的最佳武器「抗生素」，今天細菌就不會這樣不受控制。驚人的是，有人估計在已開發國家中，大約有 70% 的抗生素是用在農場動物身上，這些抗生素加在飼料中讓動物吃下，只是為了促進動物生長跟預防疾病感染。這種做法無疑提供了最佳的條件，讓細菌發展出對抗生素的抵抗能力，而細菌當然也沒白白放過這些機會。

回溯到 1952 年，盤尼西林對葡萄球菌家族的所有細菌都能撲殺或抑制，效率之高使得 1960 年代尚未開始，美國的公共衛生局局長史都華（William Stewart）就信心滿滿的宣布：「終結一切感染疾病的時刻已經到來，基本上我們已經把美國境內的感染原全部撲滅啦！」

然而，就在他說這些大話的同時，有 90% 左右的這類細菌正在逐漸發展出對抗盤尼西林的能力。不久後，一種叫做「抗藥性金黃色葡萄球菌」的超級細菌開始現身在醫院。四十年之後的現在，葡萄球菌屬只害怕一種叫萬古黴素的抗生素，但是到了 1997 年，日本東京一家醫院報告說，他們那兒出現了一株不甩萬古黴素的葡萄球菌。而且在其後短短數個月內，這種無敵細菌散布到了另外六家日本醫院。

在全球各地，微生物在跟人類的戰爭中逐漸占了上風。如今僅僅在美國醫院裡，每年約有一萬四千人死於院內感染。正如《紐約客》雜誌的專欄作家索羅維基（James Surowiecki）指出的：如果給予藥廠機會，在兩種新藥研發中做選擇，一邊是病人需要每天服用，但只連續服用兩星期的抗生素，另一邊則同樣是病人要每天服用，且需服用一輩子的抗抑鬱劑，製藥廠商當然會選擇後者。

因此，自從 1970 年代以來，除了把少數幾樣抗生素改進了一些些之外，製藥工業完全沒有給我們製造出任何新款的抗生素。

自從發現了許多疾病的肇因也很可能是細菌之後，我們對抗生素的濫用就更變本加厲了。這樣的發現始於 1983 年。生活在澳洲西部伯斯（Perth）的馬歇爾（Barry J. Marshall, 1951-）醫師發現，許多胃癌跟大部分胃潰瘍，都是由叫做幽門螺旋桿菌（*Helicobacter pylori*）的細菌造成的。

雖然他的這項發現很容易證實，但是因為這樣的觀念太過新穎，以致於過了十多年後才逐漸為人接受，譬如美國國家衛生研究院一直到 1994 年，才正式為此想法背書。馬歇爾在 1999 年告訴一位《富比士》雜誌的記者說：「成千上萬的人因

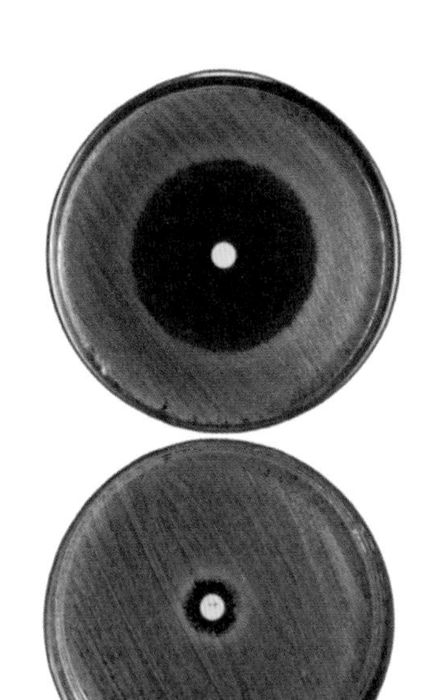

在上面兩個培養皿中，可以清楚看到細菌有抗藥性後，會有什麼後果。
上圖的培養皿中，還未有抗藥性的細菌（綠色的部分），生長範圍不會靠近中央白色的盤尼西林；下圖的細菌已經有抗藥性了，所以生長範圍會幾乎碰到盤尼西林的邊緣。

為這項資訊的擱置，而死於不必要的潰瘍。」

其後進一步的研究顯示，似乎所有其他各種身體機能失調，包括心臟病、氣喘、關節炎、多發性硬化症，還有好幾種類型的心理異常、許多種癌症、甚至還有專家學者提到（刊登在《科學》等一流期刊上）的肥胖症等，很可能都各自跟某一種細菌有所牽扯。如此發展下去，也許就在不久的將來，我們將面臨到一種絕望處境：極度需要某種有效抗生素，卻還來不及研發。

讓細菌也生病的病毒

說到這兒，有件事也許會讓我們心裡稍微平衡一點，那就是細菌自己也會生病：它們有時會被噬菌體（bacteriophage）感染。噬菌體是一種病毒，而病毒是怪異且不可愛的東西。1960 年的諾貝爾獎得主梅達華（Peter Medawar, 1915-1987）有句描述病毒的名言，說它們是「由壞消息包圍起來的一段核酸」。

病毒比細菌小、比細菌簡單，當它們獨處時並沒有活著的跡象，反應遲鈍而無害。但是一旦把病毒放進合適的宿主體內，它們就會突然活了起來。目前已知的病毒大概有五千種，它們可以害我們生數百種疾病，從流行性感冒與一般感冒，到許多令人非常難以忍受的病痛，像是天花、狂犬病、黃熱病、伊波拉病毒出血熱、小兒麻痺，以及愛滋病。

病毒靠劫持活細胞的基因物質來製造更多病毒，它們以瘋狂的方式跟速度繁殖，然後大批蹦出來，去尋找更多的細胞入侵。由於病毒不是活著的生物體，它們的結構可以非常簡陋，許多病毒（包括 HIV）只有十個或更少的基因，而最簡單的細菌則非得要好幾千個基因才行。

病毒的個頭非常小，透過傳統顯微鏡還無法看見。一直要到 1943 年電子顯微鏡發明後，人們才首次看見了病毒。你可別因為病毒的個子而小看了它們，它們的破壞力大得驚人，光是在二十世紀這一百年內，得天花而死的人數估計就高達三億。

此外，病毒還有一項叫人緊張不安的能耐，它們能突然以前所未有且出人意表的形態出現，然後又突然消失無蹤，來去都極其快速。例如在 1916 年，歐洲跟美洲地區開始有人罹患一種奇怪的昏睡症，後來這種病就稱為嗜眠性腦炎（encephalitis lethargica）。罹病者一睡後就無法自動醒來，不過很容易把他們叫起來吃飯、上廁所，他們也能有條理的回答問題，知道自己是誰、身在何處，雖然態度一直是一副無動於衷的樣子。

不過一旦你讓他們休息，他們就會再度陷入最深沉的睡眠中，有些患者就在連續睡了數月之後死亡。只有非常少數的患者能倖存下來並恢復了意識，但是他們再也不會有從前的活力了。他們的態度會明顯變得冷淡，有位醫師說他們「好像死火山一般」。

在當時的十年之間，這個病症奪去了大約五百萬人的性命，然後就靜靜的消失不見。這種病後來似乎沒多少人注意，原因是當時發生了一場更糟糕的流行性疾病，不錯，是史無前例的糟糕，而且橫掃全球。

這場流行性感冒有時稱做「豬大流感」（Great Swine Flu），

有時則叫做「西班牙大流感」（Great Spanish Flu）。不過稱呼是其次，重要的是它非常兇猛。

第一次世界大戰廝殺了四年，總共陣亡了兩千一百萬人，而豬流感僅在開始流行的四個月內，就差不多殺死了同樣的人數。美國派遣到歐洲參加第一次世界大戰而捐軀的人，有將近 80% 是死於流感，而不是犧牲在敵人的砲火下，其中有些部隊的流感死亡率，竟然高達 80%。

這場豬流感是在 1918 年春天開始流行，起初似乎只是跟往常一般的非致命性流感，但是在隨後的幾個月裡（沒有人知道是怎樣或從哪兒開始），它突變成了很兇猛的變種。流感罹患者中，約有五分之一的人病徵很和緩，但其他病患則病情非常嚴重，且多數失去了性命。其中有些人在發病數小時後即宣告不治，其他的也只能多支撐個幾天而已。

在美國境內，紀錄上最早的一批流感死亡病例，是發生在 1918 年 8 月底，患者是波士頓水手。這個瘟疫在當時很快就傳遍全美各地，學校因而停課、公共娛樂場所相繼關閉、每個地方的人都戴上了口罩，但是似乎都沒什麼幫助。

從 1918 年秋季到來年的春天，這段期間全美死於流感的總數高達 548,452 人，同期英國的死亡人數是 22 萬人，法國與德國的死亡人數也都跟英國的不相上下。

由於第三世界國家的紀錄普遍不完全，因此沒人確切知道全球究竟一共死了多少人。但是據估計，死亡總人數應該至少在兩千萬人以上，且很可能超過了五千萬，甚至有人估計當時有高達

在 1918 到 1919 年間，全球流感大流行的尖峰時刻，美國士兵戴著口罩行軍的畫面。這場流感奪走了數千萬人的生命，但是即使士兵戴上口罩，對於預防流感也是毫無用處的，因為口罩絲毫無法過濾這麼小的病毒。

一億人死於這場流行病。

那時還發生了一件與疫苗研發有關的事，美國的衛生當局在波士頓港灣鹿島（Deer Island）上的軍事監獄，對一些囚犯進行自願性試驗。他們向囚犯承諾，若是自告奮勇參加這些試驗而最後能幸免於難者，可以獲得赦免而出獄。

這些試驗可以說是非常嚴厲，總共有三道步驟：首先，他們把已死病患受到感染的肺部組織取出，注射到受測人的身上，並且在受測人的眼睛、鼻子、口腔部位噴以有感染性的水霧。如果受測人有幸逃過了這一劫，下一步則是把垂死病患的眼淚、鼻涕等分泌物，用棉花棒塗抹在受測人的喉嚨上。如果受測人還是堅持不生病的話，最後一招是要受測人坐下來把嘴張開，然後把一名病得要死的病患攙扶過來，叫他直接對著受測人的臉部咳嗽。

出人意表的是，囚犯中居然有三百人自告奮勇應徵，主持醫生從自願者中選出六十二名進行測試。更讓所有人跌破眼鏡的是，受測試的自願者沒有任何人得到流感，真的是一個都沒有！整個測試過程裡只有一個人得病，他不是囚犯，而是監獄的醫生，他在得病後很快就死亡。這個結果的可能解釋是，該次流感瘟疫在數星期前已經在這所監獄中流行過，所有自願者都遭流感病毒光顧過，因而身體裡都自然有了抵抗力。

我們對 1918 年的那場流感所知非常有限，說是完全沒搞清楚也不為過。最無法解釋的一點，是它突然在全球許多地區同時爆發，這些地區之間隔著海洋、高山、還有其他種種地理阻礙。而我們知道，任何病毒在離開宿主身體後，只能存活數小時而已，那麼它們是如何能夠在同一個星期中，在西班牙的馬德里、印度的孟買、還有美國的費城，一起出現？

可能的答案是病毒在感染人之後，會有一段潛伏期，它們隱藏在一些患者身上，讓這些人帶著病毒到世界各地去散布。這些患者的症狀很輕微，或甚至完全沒症狀。在較不嚴重的流感流行時，受到感染的人中，大約有一成根本不曉得自己得病，他們感覺不到身體有任何異狀，社交活動仍然繼續，因而無形中成為病毒最有效的散布者。

這位婦人正在示範如何使用流感面具。這個面具看起來顯然很不方便，效果如何也讓人起疑。1918 年的流感為何可以跨越海洋向全球傳播，是永遠的謎。

不過這項解釋只能用來說明，為什麼 1918 年的流感疫情分布如此廣泛，卻還不足以解釋它是如何在潛伏數個月之後，幾乎同一時間在世界各地全面爆發。

更離奇的是，這次流感的摧毀對象主要是生命力最旺盛的青壯年，而平日一般流感的受害者都是以嬰兒跟老年人居多。1918 年的流感是個大例外，絕大多數得病死亡的，都是二十多歲跟三十多歲的人。年紀較大的人之所以能夠幸免，也許是因為他們年輕時曾經暴露在相似的病毒下，或曾經被感染過，所以有了抵抗力。但為什麼小嬰兒也能夠置身事外，原因就不得而知了。

1918 年的流感所留下最大的謎，是為什麼它會如此兇猛致命，完全不像是每年例行的流感。這問題到目前為止，還沒有人想得出任何道理來。

消失又重現的病毒

有幾種病毒會在消失一段時日後，又再度出現。例如有種討人厭的俄羅斯流感病毒叫做 H1N1，曾在 1933 年造成了廣大地區的嚴重疫情，同樣的病毒後來在 1950 年代跟 1970 年代曾兩度回來現身。

在它們沒有露面的年份裡，沒人知道它們究竟去了哪裡。有一說是它們不露形跡的藏身在野生動物身上，等候機會再到新一代的人身上去大顯身手。也因為這樣，沒人敢保證豬流感將來不會故事重演、再度出現。

即使豬流感將來不會再回來，但其他要命的病毒還是隨時都可能出現，因為事實上，嶄新的病毒一直不斷的在產生。伊波拉、拉薩（Lassa），還有馬堡（Marburg）熱病都曾經突然爆發，然後消失不見。沒人敢說，它們並不是正躲在什麼地方進行突變，或只是靜候恰當的時機出現，準備突然跳出來給人類製造重大災難。

現在已經十分明顯，愛滋病並不是我們以往所認為的新興疾病，英國曼徹斯特皇家醫院的研究團隊發現，1959 年有一名水手因為罹患不知名的不治之症而死亡，有許多跡象證明他事實上是得了愛滋病。只是不知道為了什麼原因，在那之後愛滋病保持靜止不動的狀態，超過了二十年。

其他類似的惡劣病毒疾病，奇蹟似的沒有變得像愛滋病這樣猖獗，例如拉薩熱是 1969 年首度在西非出現的疾病，傳染性極高，而我們對它幾乎全無瞭解。

1969 年，一位美國耶魯大學的醫師在實驗室裡研究拉薩病毒時，不慎遭到感染得病，幸好他沒有因此送命。不過，讓人更加不安的是，在附近一間實驗室工作的一名技術員，跟拉薩病毒從未直接接觸過，居然受到感染而病死。

豎立在奈及利亞巴耶爾薩省（Bayelsa）的愛滋病防治廣告。愛滋病是完全預防得了的疾病，但現在卻是非洲的頭號殺手，每天會奪走六千條性命 。目前的趨勢是，在非洲下撒哈拉地區的民眾有四分之一會死於愛滋病。

還好該次疫情就到此為止，沒有繼續延燒，但是我們不能老是依靠好運氣過活。我們的生活方式很容易招致流行病的發生，頻繁的空中旅行使感染原傳播到全球各地並不困難。

譬如說，某種伊波拉病毒可能清晨剛在西非貝南（Benin）境內出現，而同一天午夜之前就可以到達紐約、或是德國漢堡、或是東非肯亞的首都奈洛比，也或者是三個地方全去了。這也意味著各國的衛生當局，愈來愈需要對世界各地的每一種疾病都有所認識。當然，事實跟理想總不免有些差異。

1990 年，有一名住在美國芝加哥的非裔奈及利亞人回國探親時，無意中遭到拉薩熱的侵襲，但是他在回到美國之後才出現症狀。這名病患在送進芝加哥的一家醫院後迅速死亡，死前院方沒來得及檢驗出他得了什麼病。

由於不知道他罹患的是地球上最致命且傳染能力最強的疾病，所以照顧他的醫護人員也就沒有採取特別的預防措施。結果奇蹟似的，居然沒有人受到感染。但下一次咱們的運氣若是沒有這麼好，後果將會如何呢？冷靜下來之後，我們把話題轉回到看得見的生物世界吧。

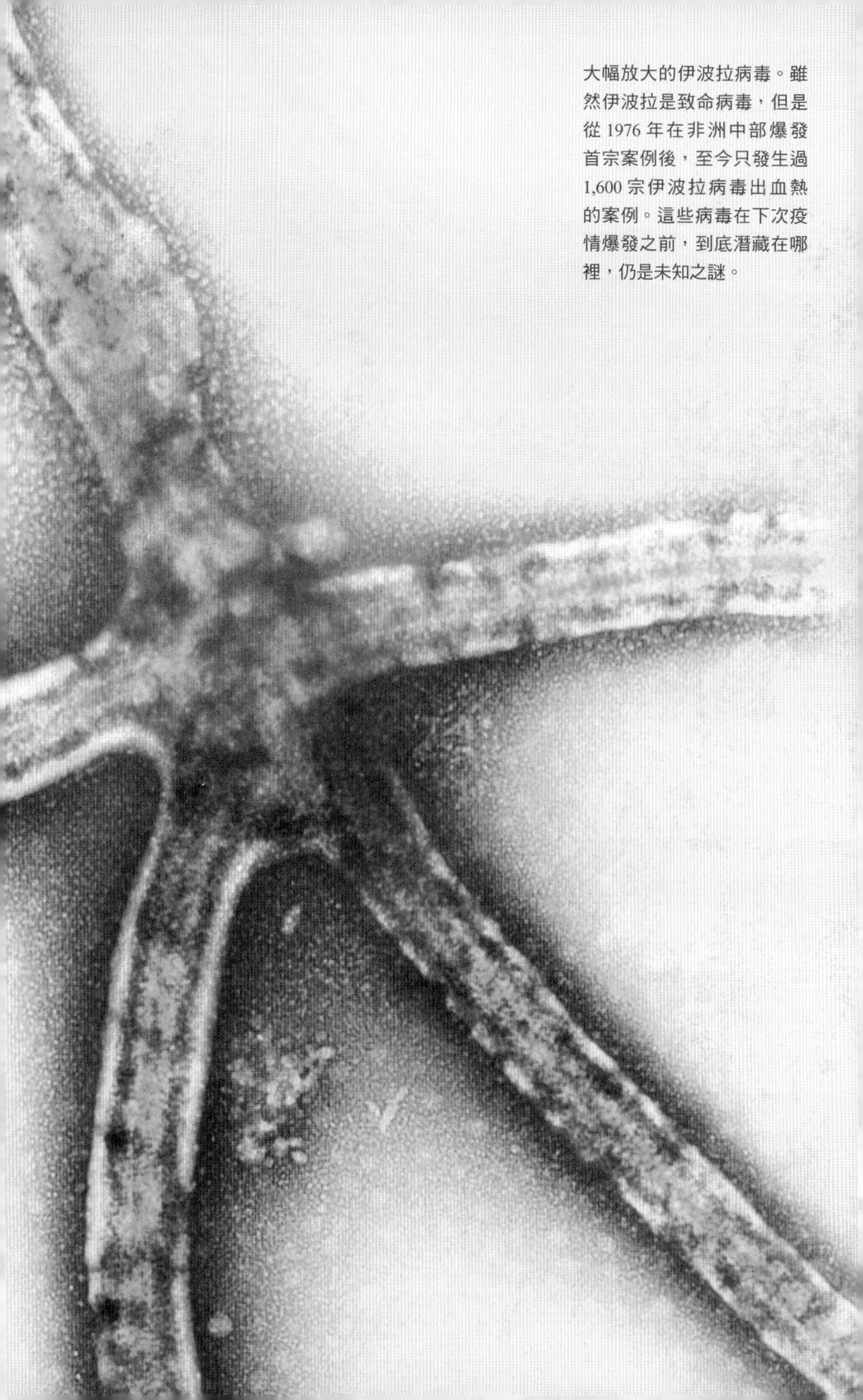

大幅放大的伊波拉病毒。雖然伊波拉是致命病毒，但是從 1976 年在非洲中部爆發首宗案例後，至今只發生過 1,600 宗伊波拉病毒出血熱的案例。這些病毒在下次疫情爆發之前，到底潛藏在哪裡，仍是未知之謎。

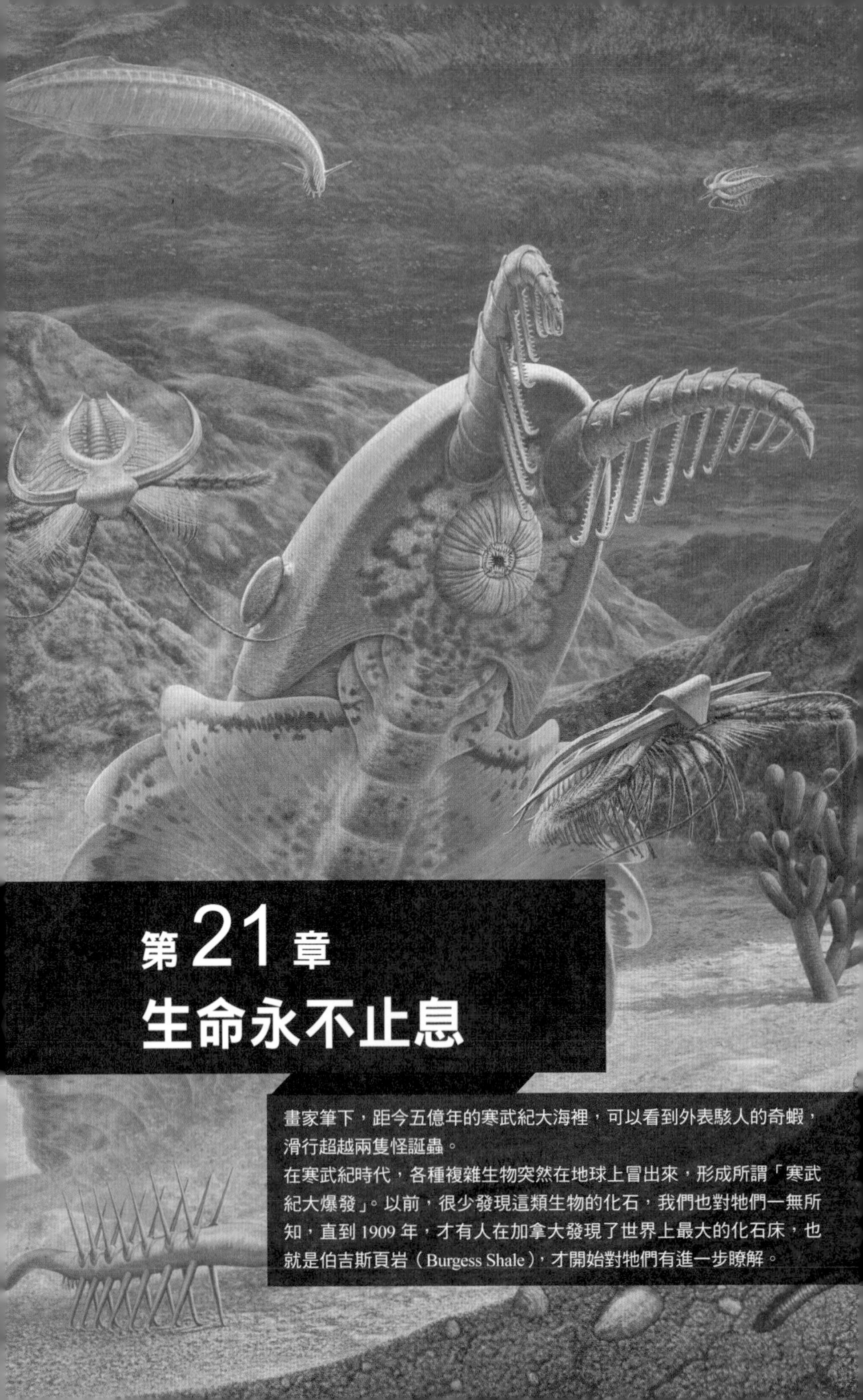

第 21 章 生命永不止息

畫家筆下，距今五億年的寒武紀大海裡，可以看到外表駭人的奇蝦，滑行超越兩隻怪誕蟲。
在寒武紀時代，各種複雜生物突然在地球上冒出來，形成所謂「寒武紀大爆發」。以前，很少發現這類生物的化石，我們也對牠們一無所知，直到 1909 年，才有人在加拿大發現了世界上最大的化石床，也就是伯吉斯頁岩（Burgess Shale），才開始對牠們有進一步瞭解。

要變成化石還真不是容易的事。過去幾乎所有的生物（超過總數的 99.9%），在死後都成了堆肥，經分解而消失無蹤。當你的生命火花不再迸發，你身上的每個分子都會一點一滴的流失，然後納入其他系統而重新派上用場。這是自然的例行宿命，沒啥好計較的。

即使你碰巧掉進那例外中的例外，也就是那少於 0.1% 的部分，在死後有幸沒馬上給其他生物吃掉，最後能變成化石的機會，還是非常微小。

生物死後要變成化石，必須發生幾件事才有希望。第一，死亡發生的地點必須正確，由於能夠保存化石的岩石，大約只占全部的 15%，所以生物倒地嚥氣的地點若將來變成花崗岩，化石夢就鐵定無法成真。

而在實際操作條件上，這死掉的生物必須在最短時間內以粉狀的沉澱物掩埋，像樹葉掉進泥漿那樣，如此才能留下細緻逼真的印子，避免遺骸在氧氣中分解，使這死去生物的骨頭跟其他堅硬部分（偶爾柔軟部分也包含在內）的分子，能有足夠時間，逐漸遭溶解在泥漿中的礦物質取代，製造出惟妙惟肖的石化拷貝。

然後，裹住化石的沉澱物在長時間的地殼運動中，即使受到粗率的擠壓、摺疊、推來推去，也不致於讓化石變形到無法辨識的地步。最後，也是最關鍵的一點，在化石遭掩埋、隱藏了數千萬年甚或數億年之後，它還必須由識貨的人發現並且珍藏起來。

有人曾估計，每十億根骨頭大約只有一根會機緣巧合的變成化石。如果這項估計跟事實相符，那麼目前活在世上的全部美國人身上的骨頭中（總共有 2 億 7 千萬人，每人各有 206 根骨頭），將來可能變成化石的只有五十來根，約四分之一副骨骸而已。然而到時候會不會有人發現它們，可真是個大問題。

你先想想，這四分之一副骨骸可能會埋在全美國境內的任何一個地點，而美國可不是一個小地方，總面積超過九百三十萬平方公里（譯注：台灣的面積是三萬六千平方公里，只有美國的兩百六十分之一），絕大部分的土地從沒人去翻動過，過去如此，將來亦然，不可能會有人去全面仔細檢查，所以化石真要在千萬年以後的哪天被人發現，非得有奇蹟出現不可。

化石不管從任何角度去看，都是鳳毛麟角般的稀罕。絕大多數曾經生活在地球上的東西，都像是船過水無痕，完全不會、也的確沒留下任何紀錄。據推測，過去出現過的生物中，每一萬種生物裡可能僅有不到一種，會陰錯陽差的留下化石紀錄，換句話說，生物成功變成化石的機率小於萬分之一。

不過話說回來，如果你接受一般公認的估計，認為地球在此之前已經孕育過 300 億種生物，那麼理查．李基（Richard Leakey, 1944-）與魯文（Roger Lewin）在他們合著的《第六次滅絕》（*The Sixth Extinction*）一書中所宣稱：化石紀錄中包含了 25 萬個不同的物種，則又把這項機率從萬分之一縮小到了十二萬分之一。無論哪一個數字比較接近事實，這兩個估計的數目都顯示，我們從化石紀錄中可以看到的物種歷史，實在是太過有限了。

除此之外，我們手上有的化石紀錄還極其偏頗。你可以想像得出來，大部分的陸上動物當然難得有機會死在細粉狀的沉積物中，牠們多半是在曠野中嚥氣後被吃掉、或棄置腐爛、或遭風吹雨打到消失無蹤。因而化石紀錄幾乎全為海洋生物，95% 的生物化石，生前都是住在水面下，且多在淺海裡。

以上我嘮叨一大堆，是要解釋我為什麼在 2003 年 2 月間一個灰濛濛的日子裡，跑到倫敦的自然史博物館去會見笑口常開、不太修邊幅、卻讓人很有好感的古生物學家福提（Richard Fortey）。

福提是各方面知識都非常淵博的學者，他寫過一些詼諧、絕妙的好書，其中一本名為《生命：未經認可的自傳》（*Life: An Unauthorized Biography*），描述的是動物的全面發展史。

不過，福提的最愛還是一種叫做三葉蟲的海生動物，這種動物早在奧陶紀（Ordovician，為地質學古生代中，約五億五百萬年前到四億三千八百萬年前這段時間）即曾充斥海洋，後來絕了種，有很長的一段時間就只有化石存在。

這類動物的身體結構可以明顯劃分為三個部分，或是稱為三葉，分別是頭、胸、尾，所以稱做三葉蟲。福提在孩提時代曾跑到威爾斯的聖戴維灣（St. David's Bay）附近攀岩，在那兒看到了三葉蟲化石，從此就跟它結了一輩子的緣。

那天福提帶我到博物館的一間展示迴廊，裡面排列著高大的金屬儲藏櫃子，櫃子裡全是些淺的抽屜，而每個抽屜裡都放滿了三葉蟲的化石，總共有兩萬個化石標本。

福提說：「這房間裡的三葉蟲標本看起來滿多的，但它們代表著生活在遠古海洋裡，數目多到以億萬計，而存活時代前後長達數億年的生物，所以兩萬個標本其實不算多。況且這些標本大

這是一個保存完好的三葉蟲標本。三葉蟲曾經稱霸海中世界三億年，比恐龍統治世界的時間還長一倍。

多只是殘缺的部分蟲體，即使到了現在，發現一隻完整的三葉蟲化石，仍然是每位古生物學家夢寐以求的事。」

三葉蟲的出現似乎完全沒有經過演化步驟，沒人知道牠們究竟是打哪兒來的，因為牠一現身就是這副模樣。牠們最早出現在大約五億四千萬年前，也就是地質學上著稱的「寒武紀大爆發」（Cambrian explosion）開始後不久，這起大爆發指的是地球上多細胞複雜生物的突然大量興起。

而在此之後，經過了幾乎三億年，到距今大約兩億五千萬年前，發生了一個神祕的二疊紀大滅絕（Permian extinction）事件，三葉蟲隨著當時地球上絕大部分的生物一起消失。

三葉蟲挑戰達爾文

因為「適者生存」這個觀念作祟，一提到滅絕這個字眼，就會讓人很自然的以為，消失者必然是不適合生存。但這樣的邏輯完全不適用於三葉蟲，因為三葉蟲是曾經在地球上活得最成功的生物，牠們統治了地球三億年，時間是恐龍時代的兩倍長，而恐龍是公認地球歷史上少有的堅強生存者。至於人類歷史，福提指出，到目前為止，時間長度只有恐龍時代的 1.5% 而已。

由於三葉蟲前後生活了三億年之久，牠們繁殖出來的數量著實驚人，也產生了許多分化的結果。大部分的三葉蟲一直維持著很小的體型，跟現代甲蟲的個頭差不多，但是也有一些長得跟餐桌上的盤子一樣大。總共加起來，牠們至少可分成五千個屬（genus），以及六萬個不同的種（species），而這兩個數字現在仍然因為不斷有新的發現而持續增加中。

福提在此之前不久曾到南美去參加一個學術會議，其間有一位在阿根廷的省立大學服務的學者前來拜訪他。福提告訴我：「她給我看一個盒子，裡面裝滿了有趣的東西，那是幾種在南美地區從未有人發現過的三葉蟲，這些三葉蟲跟世界其他地區發現的有很大的不同。她的服務單位沒有任何儀器設備可供她對這些化石做進一步研究，也沒有經費讓她繼續發掘更多的三葉蟲化石。由此例可見，大部分的世界都還沒有被人探勘過。」

「你是指探勘三葉蟲的化石？」我問。

「哦不！我指的是每樣東西。」

在整個十九世紀，三葉蟲幾乎是人們所知唯一遠古複雜生物的形式，因此人們竭盡所能的蒐集、研究三葉蟲。三葉蟲最大的謎，是牠們出現得很突然。即使到了現在，這個謎也沒解開。

福提告訴我，如果找對了岩層，從最底層（最早的時期）向上挖掘，開始時可能一片空白，完全沒有看得見的生物，然後突然間，「一些有螃蟹那麼大的原法羅特蟲屬（*Profallotaspis*），或是小油櫛蟲屬（*Olenellus*）就出現在手邊。」

這些動物有腳、鰓、神經系統、探測用觸角，以及福提所謂的「具有某種腦功能的部位」，還有我們所見過最最奇特的眼睛。牠們的眼睛是質地為方解石的桿狀物，那是我們所知的最早期視覺系統。

更離譜的是，最早出現的三葉蟲不是只有一個創始種，而是似乎同時有數打不同的種出現，而且牠們開始出現的地方，也不是只有一處或兩處，而是到處都是。許多十九世紀的思想家把這個現象看成是上帝造物的證據，或是達爾文演化論的反證。他們問達爾文，如果所有生物都是慢慢演化而來，那麼他如何解釋，結構這麼複雜、完整的三葉蟲怎麼會突然出現？事實上，達爾文也真的無從解釋。

看樣子，演化論的確遭遇到了可能永遠說不清的空前危機。直到 1909 年的某一天，就在達爾文的《物種原始論》發表屆滿五十週年之前的三個月，事情開始出現轉機。原來是一位名叫沃克特（Charles Doolittle Walcott, 1850-1927）的美國古生物學家，跑到加拿大的落磯山脈而有了一個極不尋常的發現。

沃克特在他那有歷史性的發現地前留影。沃克特從這個伯吉斯頁岩上，找到了數以萬計的化石。

沃克特出生於 1850 年，在美國紐約州猶地卡鎮（Utica）附近長大，他的家境本不富裕，襁褓中更因父親突然去世而生活益形艱困。他從小就發現了尋找化石的竅門，特別是三葉蟲，以致於沒幾年就蒐集了一大堆各式各樣的化石。後來還因為這批收藏發了一筆小財，以約合今日幣值 7 萬美元的代價，賣給了博物學家阿格西（Louis Agassiz），做為後者在哈佛大學成立博物館的一部分展出品。

雖然沃克特所受的學校教育不多，勉強只有高中程度，然而他在科學方面純靠自修，後來變成了首屈一指的三葉蟲專家，並且率先鑑定、確立三葉蟲為節肢動物的一種。其他的節肢動物包含了近代的昆蟲以及甲殼類動物。

1879 年間，沃克特在剛成立的美國地質調查所謀得了一個田野調查員的職務。由於他工作表現優異而頻頻晉升，在十五年內就成為該所所長。1907 年，沃克特受命成為世界知名的史密森協會（Smithsonian Institution）的主任，而且一做就是二十年，直到 1927 年去世時才卸任。

沃克特在長年擔任行政主管期間，仍然抽空進行田野調查，並且勤於著述。福提指出：「他寫的書可以擺滿一整層書架。」附帶一提，沃克特還是美國國家航空諮詢委員會的發起董事，這個機構就是後來美國航空暨太空總署（NASA）的前身。因此，他應該受尊稱為太空時代的祖父級人物。

不過，在我們目前的議題上，沃克特的貢獻是 1909 年夏季即將結束之際，意外在加拿大卑詩省很北邊的費爾德（Field）小鎮附近，完成的機敏且幸運的發現。

他這段故事依照一般民間的說法是：沃克特跟老婆兩人，在伯吉斯山脊（Burgess Ridge）的下方，沿山中小徑騎馬觀賞風景。突然間，他老婆的座騎踩到一些鬆動的石塊而受到驚嚇，沃克特趕緊跳下馬去幫老婆的忙，結果赫然發現，在給馬踩得翻過來的一塊頁岩上，出現一些硬殼水生動物的化石。

由於他是箇中專家，一眼就看出這些化石的年代極其古老且異常少見。不過由於當時天空已經開始飄雪（加拿大落磯山區的冬天來得特別早），於是他們夫妻不敢久留，便匆匆打道回府。

一等到次年開春回暖，沃克特就兼程回到原處，並且勘查地形，追蹤鬆動石塊在假想的山崩後滾落的路徑，然後他循該路徑向上攀爬了兩百多公尺，在距離山頂不遠，海拔約 2,438 公尺的地方，發現一片頁岩的外露處，長度相當於城市中的一個街區，裡面果然包含無與倫比的整排大批化石，而這些化石的入土時間，剛好緊接在多細胞複雜生物的大量興起（也就是寒武紀大爆發）之後。

因此，沃克特的這項發現簡直有如古生物學的聖杯。這片頁岩外露處，後來稱作伯吉斯頁岩，根據已故哈佛大學演化生物學家古爾德的名著《奇妙的生命》（*Wonderful Life*）中記述，其後有很長一段時期，伯吉斯頁岩是「唯一能提供我們現代生命崛起的最詳實資料的實際場景。」

古爾德是很細心的人，為了查證沃克特發現伯吉斯頁岩傳說的正確性，他竟然找到了沃克特的日記，結果發現上述的故事有經人加油添醋之嫌，在日記上並沒有提到踩滑的馬跟下雪等細節。不過，任何人都同意，沃克特那次發現的確非比尋常。

寒武紀大爆發

對於活在地球上壽命不過倏忽數十年的我們，幾乎無法瞭解寒武紀大爆發事件在時間上距離我們已經有多麼遙遠。如果我們能讓時光倒轉，且以每秒鐘一年的速率「飛」回去，飛上半個小時左右，就會遇到耶穌基督在世的時代；再繼續飛上三個星期多一點，即可看到人類在地球上開始出現的情形。至於要到達寒武紀的開端，我們得飛二十年才能遇到。換句話說，那是極其久遠的年代，也是一個非常不同的世界。

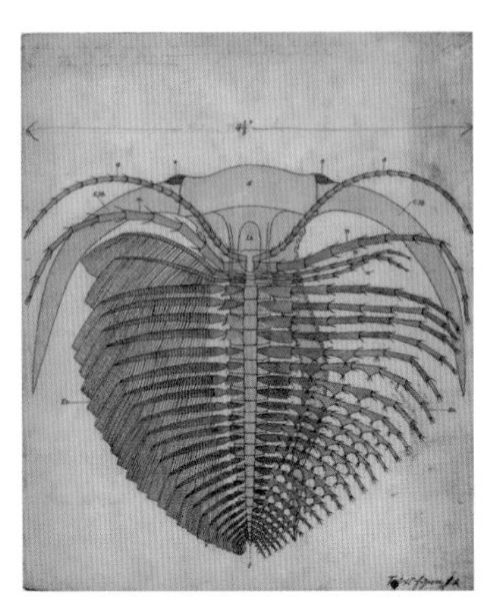

沃克特共發現了一百多種前所未見的新物種，這個瑪瑞拉蟲（Marrella）也是沃克特發現的新物種之一。

譬如說，五億多年前當伯吉斯頁岩形成時，它的位置不是在山頂上，而是在山腳下。更正確一些的說法應該是：位於陡峭懸崖腳下的淺海盆地裡。那時候各處海洋裡都充滿生物，但是那些海生動物通常不會留下任何紀錄，原因是牠們多半是軟體動物，死亡後馬上就腐爛掉了。但是伯吉斯這兒的懸崖突然發生崩塌，土石流當場把山腳下淺海中的海生動物全活埋了起來。這情況有些像我們把鮮花夾在書本裡，讓花的外表特徵奇蹟似的保存了下來。

從 1910 年到 1925 年前後十六年間（最後一年時，沃克特已經高齡七十五歲），沃克特每年夏天都跑回同一個地點去挖掘，他帶回美國華盛頓去做進一步研究的標本，總數高達數萬件（古爾德說共有 8 萬件左右，不過向來以事實查證無瑕疵著稱的《國家地理》雜誌則宣稱為 6 萬件）。無論誰的說法比較正確，沃克特的這項蒐集在數量跟多樣性兩方面都是空前絕後的。

有些伯吉斯化石為有殼動物，但其他大部分都無殼。其中有些動物有眼睛、看得見東西，有些則是盲目的。這些生物的差異非常巨大，有人估算後認為共有 140 個種。關於這一點，古爾德寫道：「這個伯吉斯頁岩中所包含的不同生物構造、設計之多樣，任何其他化石群都難以望其項背，即使是今日全世界的海洋動物加起來都比不上。」

古爾德也指出，可惜沃克特並不瞭解這項偉大發現的重要性；古爾德在他的另一本著作《八隻小豬》(*Eight Little Piggies*)中這麼寫道：「他居然功敗垂成、讓煮熟的鴨子飛啦！沃克特不但把這些了不起的化石證據解釋錯誤，而且還錯得離譜。」

沃克特把這些化石動物跟現有的近代動物混為一談，以現有的動物外形來替化石動物分類，而認為它們分別是目前的蠕蟲、水母、及其他種種海生動物的祖先，因而模糊了這些化石動物之間的巨大差異。古爾德很感慨的說：「在他的詮釋方式下，生命遭誤認為是注定要從最原始的單純，變得愈來愈多樣、愈來愈優秀。」

沃克特於 1927 年去世，他一走，世人很快就遺忘了伯吉斯化石。接下來幾乎有半個世紀，它們被鎖在華盛頓的美國自然史博物館的抽屜裡，乏人問津。

直到 1973 年，一位名叫康威 · 莫瑞斯（Simon Conway Morris）的英國劍橋大學研究生，專程越洋來看這些化石，他一看之下大吃一驚，因為他發現這些化石在多樣性跟精緻程度上，遠甚於沃克特用文字所描述的。

在生物分類學上，用來分別不同基本身體結構的層次是門（phylum），而就這個層次來說，康威 · 莫瑞斯的結論是，這批長期遭忽略的化石收藏中，結構差異大到分屬不同門的例子，比比皆是。沃克特在當初發現它們時，竟然對這麼多且這麼明顯的差異視若無睹！

康威 · 莫瑞斯找來他的指導教授惠廷頓（Harry Whittington），

及同學布里格斯（Derek Briggs），花費了數年工夫，合力把這批化石收藏重新做了一次徹底、有系統的檢視工作。其間他們每遇有新的發現，就即刻寫成文字向世人報告，幾年下來，出版了一大疊論文。

他們發現這些化石中，許多動物的身體結構與在牠們之前或之後出現的，壓根兒不同，而且簡直不同得離奇。比方說，有一種名為奧帕賓蟲（*Opabinia*）的海蠍狀動物，頭上長著五隻眼睛，有一個水管噴嘴似的鼻子，鼻子尖端還長著硬爪。

另一種原被沃克特劃分為水母類，且取名培脫亞（*Peytoia*）的圓碟形生物，看起來非常滑稽，活像一片切好的鳳梨。還有一種生物，身上有幾排高蹺似的腳，想必漫步時必然搖搖晃晃的，因為牠的外形看起來極其古怪，所以取名為「怪誕蟲」（Hallucigenia）。

這批化石中，沃克特沒注意到、記述下來的新奇玩意兒還真多，多到據說他們每次打開一個新的抽屜，就會聽到康威·莫瑞斯開始喃喃自語：「哎呀，真該死！又是另一門嘛。」

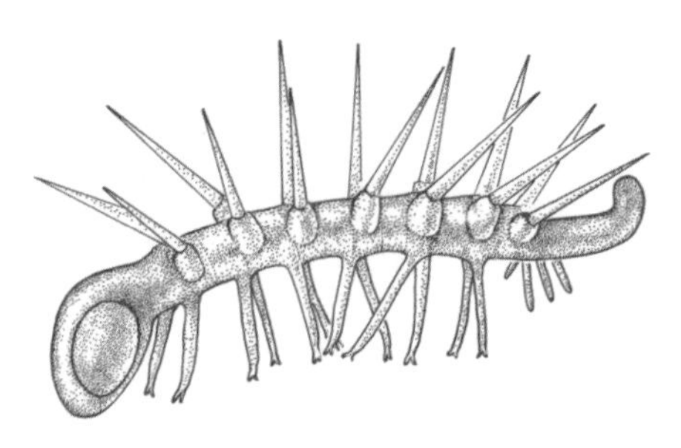

在加拿大伯吉斯頁岩發現的眾多怪異化石動物中，
怪誕蟲是最怪異的了。

這個英國團隊複查伯吉斯化石的結果顯示，寒武紀大爆發是一個空前絕後的時代，生物在身體結構設計上，大肆進行創新跟實驗。在這之前，生命閒蕩了幾乎達四十億年之久，其間絲毫沒有呈現朝向複雜化前進的企圖心。但是到了寒武紀，突然之間，在前後只有五百萬年到一千萬年的短短時期內，大自然一股腦兒的創造出形形色色、不同設計的生物身體結構，包括所有今天仍存在的種種構造。

我們可以隨便舉出任何一個現代動物的名字，從線蟲（nematode）到金髮美女卡麥蓉狄亞（Cameron Diaz），他們的身體結構都可以上溯到寒武紀的那次群英會時期。

然而最讓人吃驚的是，其中有許多身體設計顯然成了絕響，如今已無後代。根據古爾德的估計，在這批伯吉斯化石中，總共有至少 15 種，或多達 20 種動物，不屬於目前動物分類學上的任何一門。（此數字在其後不久就在一些通俗報導中，給誇大到了一百，這遠比那三位劍橋科學家實際上曾經發表過的件數還要多。）

古爾德寫道：「生命歷史在那次大鳴大放之後，曾經過一場大規模的淘汰，然後少數沒遭淘汰的倖存者再分化成現有的種。而不是像傳統學界認為的：過去生物在品質、複雜程度、跟多樣性三方面，都一直持續不斷循序漸進。」換句話說，在生物演化過程中，不見得都是優勝劣敗，而更像中樂透似的要靠運氣。

這批化石動物中，有幸通過大淘汰而存活者裡，有一種體型不大的蠕蟲動物，名為「卓越匹卡亞蟲」（*Pikaia gracilens*）。由於牠是這批化石動物中，唯一在身上有一根原始脊柱的，因而成為我們所知的脊椎動物（包括了我們人類）的最早祖先。不過在伯吉斯化石中，匹卡亞蟲的數量並不多，所以天知道，當時牠逃過滅絕的過程有多驚險。

古爾德留下一段名言，毫無疑問的表明了他認為我們的祖先能存活下來，全靠狗屎運。他說：「如果我們有可能把生命發展的帶子倒回到伯吉斯頁岩時期，然後讓它在同樣的環境下重走一遭，人類智慧這樣的生命特質，能倖存的機率幾乎是零。」

寒武紀的口水戰

古爾德這本《奇妙的生命》在 1989 年出版，廣受讀者好評且極為暢銷。但是一般大眾不知道的是，許多科學家完全不同意古爾德書中的各種結論，而且這些爭執很快就演變到極醜陋的地步。寒武紀的「大爆發」不再只是指遠古生理事實，也成了現代人為此事各執己見、互不相讓的寫照。

我們現在知道，事實上複雜生物在寒武紀到來之前，已經在地球上存活了至少一億年。其實我們早該知道此事，就在沃克特於加拿大發現伯吉斯頁岩之後不到四十年，在地球另一邊的澳洲，有一位名叫史普里格（Reginald Sprigg, 1919-1994）的年輕地質學家，發現了一些更古老的東西。故事雖然不同，但同樣叫人難以置信。

1946 年，史普里格還只是替南澳州政府工作的地質學研究助理，他奉派前往夫林德嶺（Flinders Range）的艾迪卡拉

（Ediacaran）丘陵地區，去調查廢棄礦坑。這地方位於阿得雷德北方約五百公里，是酷熱的偏僻內陸。史普里格的任務是去考察當地的舊礦坑，考量在可以利用較新科技時，哪些仍然值得重新開採。所以他根本不是要去研究地表的石頭，更甭提化石啦。

南澳的地質學家史普里格在 1946 年發現了最早的複雜生物遺跡，但是各方專家卻一再駁回他的發現，讓他心灰意冷，最後改行去探勘石油了。

然而有一天，當他在野外吃中飯時，大概是職業習慣使然吧，他突然手癢，停下來把面前一大塊砂岩翻過來，結果驚奇的發現這塊石頭的底面，布滿了很細緻的化石，樣子活像是樹葉落在軟泥巴上印出來的圖案那樣。後來他發現，這些砂岩的生成年代比寒武紀大爆發還更早了許多，所以他那天瞪目以對的，才真正是可見生命的「破曉時分」。

史普里格把這個發現寫成了一篇論文，想投到《自然》期刊去發表，結果遭退稿。他退而求其次，跑到澳紐科學促進協會上去宣讀他這篇論文，結果也沒有獲得該協會主席的青睞，他認為艾迪卡拉印記不過只是一些「偶然的無機記號」，是由風、雨、潮汐等非生物造成的模式。

但史普里格仍不死心，他飄洋過海趕到英國倫敦，參加 1948 年在倫敦盛大舉行的世界地質學大會，並在會中發表他的發現，結果仍然沒有引起別人的注意跟興趣。最後他唯一找到願意全文刊登這篇論文的，只有他家鄉的《南澳皇家學會會刊》（*Transactions of the Royal Society of South Australia*）。之後他也許是失望之至，不久就辭掉了政府公職，改行從事石油勘探去了。

九年之後的 1957 年間，有一名叫做梅森（Roger Mason）的學童，在走過英國米德蘭區（English Midlands）的查恩伍德森林時，撿到一塊含有奇怪化石的石頭。這化石看起來頗似現代的海鰓（sea pen），而跟史普里格所發現且一直想要告知別人的標本完全相同。

這位學童把他發現的石頭送給鄰近的萊斯特大學的一位古生物學家，後者馬上就鑑定出它是屬於前寒武紀（Precambrian）的東西。小梅森照片不久就上了報紙，讓媒體吹捧成少年英雄。他的名字也給許多人寫進書裡，他撿到的那塊石頭上的生物也命名為梅森氏查恩尼蟲（*Charnia masoni*，譯注：就是發現地點加上發現人名）。

如今，一些當初由史普里格發現的化石標本，加上後來其他人在夫林德嶺各處陸續發現的，一共約有一千五百個標本，都收藏在一個大玻璃櫃子裡，這口櫃子擺在阿得雷德市，那座又大又美麗的南澳博物館樓上的一間展示室內。

只是有注意去看它們的人沒幾個，原因可能是砂岩上的蝕刻相當輕淡，很難吸引未受專業訓練的眼睛。這些化石標本大多是個頭很小的圓碟狀，偶爾也呈現拖拖拉拉的帶子狀。福提形容它們是「軟體怪物」。

至於這些化石動物究竟是什麼、活著時如何生活，專家的意見都不相同，少有一致的定論。不過從依稀可辨識的部分看，這些動物既無口器也沒有肛門，而且看不出有任何可以處理、消化食物的內部器官。福提認為：「在活著的時候，牠們之中絕大部分很可能只是躺在沙質沉積物的表面，像是柔軟無骨、沒有架構、完全不能動彈的比目魚。」即使是牠們之中最活躍的種類，身體構造也不會比水母更複雜。

從澳洲艾迪卡拉動物群中發現的帽森擬水母（*Mawsonite spriggi*），顯示有複雜結構的生物在寒武紀之前就已經出現了。

艾迪卡拉生物都是屬於所謂「二胚層的」（diploblastic）動物，意思是說它們是由兩層組織建構起來。今日所有動物除了水母之外，全部都是三胚層的（triploblastic）。

有些專家甚至認為它們根本不是動物，而比較像植物或真菌。植物跟動物的分野一直就不是很清楚，到現在仍舊如此。譬如現代的海綿，一輩子生活在一個固定點上，既無眼睛、腦子，也沒有跳動的心臟，卻給認為屬於動物界。福提說：「當我們追溯到前寒武紀時代，動、植物的劃分界線也許更為模糊；大自然本來就沒有規定，要生物表明自己究竟是動物還是植物。」

還有一個大家意見不一致的重點是：那些艾迪卡拉生物是否就是今天存活在地球上任何生物的祖先（也許水母是例外）。許多權威專家認為，牠們可能是大自然一次早期失敗的實驗紀錄、一次沒有成功的複雜化嘗試，那些動作遲緩（或完全不動）的艾迪卡拉生物也許被寒武紀時代崛起的、比較柔軟且複雜的動物吃光或打敗而消失。

福提在他的著作中指出：「今日存活的生物中，沒有跟牠們很相似的東西。我們找不到牠們跟任何後起生物有足夠的相似處，可以解釋牠們是後者的祖先。」

感覺上艾迪卡拉生物讓人認為，牠們在地球的生命發展史上不很重要。許多權威專家相信，在前寒武紀時，曾發生過一次大規模的滅絕事件，也就是所謂的「寒武紀界線」（Cambrian boundary），使得在此之前存活的所有艾迪卡拉生物（水母可能是例外）都給這條界線擋了下來，沒有延續下去。換言之，實質上的複雜化過程，還是得等到寒武紀大爆發後才真正開始，至少古爾德的看法是這樣。

至於古爾德對伯吉斯頁岩化石的修正看法，幾乎從一開始人們就很有意見，尤其是古爾德對別人所做解釋的詮釋。福提在《生命》這本書中寫道：「一開始就有科學家對古爾德的說法存疑，雖然他們都很豔羨古爾德高人一等的表達方式。」福提講得極為含蓄。

英國牛津學者道金斯（Richard Dawkins）當年評論古爾德新書《奇妙的生命》的文章中〔刊登在倫敦《週日電訊報》（*Sunday Telegraph*）〕，開頭的第一行居然就毫不客氣的叫囂：「如果古爾德的思想能像他的筆觸一樣清晰的話⋯⋯」

雖然道金斯在該篇文章中承認，這本書「叫人無法釋手」，是「有力的著作」，但同時也嚴厲指控古爾德，說書中表示「伯吉斯修正論述」曾震驚過古生物學界，是「誇大其詞且近乎虛偽」的錯誤詮釋。道金斯怒氣沖沖的指出：「古爾德在書中大肆攻擊一個看法，但這種看法在五十年前，就已不再為學界同仁相信了。這個看法是，生物演化是冷酷無情的朝向一個峰頂（譬如人類），奮力攻過去。」

哈佛大學的古生物學家古爾德，天生能挑起爭端，他對伯吉斯頁岩所做的一些受普通讀者歡迎的詮釋，惹惱了部分科學界。

而道金斯不是唯一這麼評斷的人，大多數寫書評的專家都站在道金斯那邊。其中一位替《紐約時報書評》（*New York Times Book Review*）撰稿的先生很幽默的指出：古爾德這本書出版問世以來，已使科學家「拋棄掉一些已經好幾代都沒去研究的先入之見。不管是迫不得已、還是滿心歡喜，他們都一致接受了古爾德的矛盾想法，那就是人類既是自然界一項不期而然的巧合，同時也是按部就班、有條理程序下發展出來的產品！」

但是他們對古爾德的說法最不爽跟反對得最火爆的地方，是他們認為古爾德的許多結論不是根本搞錯就是不當的誇大了。道金斯在《演化》（*Evolution*）期刊上寫文章攻擊古爾德武斷主張「寒武紀時代的生物演化方式跟今天的不同」。

道金斯表示對古爾德在書中一再重申「寒武紀是個演化的『實驗』時期、是演化的『嘗試修正期』、演化的『虛假開始』

……它是大自然發明一切偉大的『基本身體藍圖』的百花齊放多產時期，而如今的演化只是在既有的身體藍圖上做些修補工作而已。因此，分類學上的各個門與綱，都是在寒武紀時期出現的，如今我們只有新的種而已……」他對這類論調非常厭煩。

道金斯還解釋了為何常有人會誤以為，如今沒有新的身體藍圖產生：「就好像園丁望著大橡樹，搖晃著腦袋不解的驚嘆：『真奇怪咧！過去好幾年來，這棵樹怎麼都沒有長出新的大枝幹來？我觀察它的這些日子裡，似乎所有的成長，全局限在末端小枝椏的層次嘛！』」

福提則說：「寒武紀對我們是個很陌生的時代。特別是我們要揣摩的是發生在五億年前的事，當時的時空環境跟現在的大不相同，想像空間非常大，似乎是天馬行空，因而每個人在表達時都很興奮，很容易堅持己見。我在一本書裡開玩笑的說，在下筆寫寒武紀故事時，我覺得應該先戴上一頂頭盔以策安全。事實上，我當時心裡的確有些這樣的感覺。」

最最奇怪的事，莫過於古爾德《奇妙的生命》書中一位英雄的反應。康威．莫瑞斯也出了一本名叫《創世的熔爐》（*The Crucible of Creation*）的書，讓許多古生物學界人士大感震驚的是，這本書也提到了古爾德，依據福提的說法，那段文字對古爾德表示了「藐視甚至嫌惡」之意。

福提後來還在文章中寫道：「我在專業人士所寫的書上，還從未見過這麼大的怒氣。《創世的熔爐》的一般讀者由於不知道他們兩人之間的歷史，一定無法聯想，該書作者過去的看法跟古爾德的主張，即便沒有完全相同，也算甚為接近。」

當我就此事問福提的意見，他的回答是：「不錯，這事非常奇怪，的確讓我嚇了一跳。因為古爾德在書中吹捧康威．莫瑞斯簡直不遺餘力，卻落得了如此回報，未免太扯了一點。我只能假設，後者覺得十分擔當不起，以此表態拒絕對方的阿諛。你知道，科學隨時在變，而著書則是永遠的紀錄。我在想，康威．莫瑞斯現在應該很後悔，如此毫無轉圜餘地的去處理自己一些過去的看法。這就跟他當初口不擇言，使得他的口頭禪『哎呀，該死！又是另一門嘛。』在同儕中傳了開來一事，如出一轍。我相信他對那句難登大雅之堂的話，也同樣相當懊悔。」

瞎子摸象的過程

實際上發生的是，早期寒武紀化石又開始受到另一波嚴酷的考驗。福提跟布里格斯（古爾德書中的另一位主角，也是康威．莫瑞斯的同學）採用了一種叫做支序分類學（cladistics）的方法，來比較各種伯吉斯化石。

支序分類學又是什麼玩意兒呢？簡單的說，它是根據生物共有的特點來做分類。福提為此特地舉了把尖鼠跟象進行比較的例子：如果你考慮到的是象的龐大身軀跟形狀特殊的鼻子，也許你會下結論說，牠跟個頭很小且到處嗅來嗅去的鼠輩根本沒啥共通處。但是如果你把牠們兩個同時跟一隻蜥蜴來做比較，你就不難看出，象跟鼠在身體的結構規劃上其實類似得多。

福提要表達的主要意思是，古爾德把象跟鼠看成了截然不同的兩種動物，但福提跟布里格斯瞭解，牠們事實上同屬於哺乳類。而他們相信，伯吉斯動物並非像最初發現者所認為的那麼奇怪、多樣。福提目前的說法是：「一般說來，牠們並不比三葉蟲怪到哪裡去，只是我們在發現這些化石以前，已經花費了約一個世紀的時間去研究三葉蟲。你知道，任何奇怪的東西在看久了之後，都會讓人習以為常。」

我應該指出，這樣修來改去兜圈子的原因，並不是由草率或疏忽所造成。根據往往已經變了形、或只剩下一小部分的極有限證據去做揣測，並解釋遠古動物的外貌跟相互關係，原本就顯然是極端困難的工作。

《繽紛的生命》（*The Diversity of Life*）作者威爾森（Edward O. Wilson, 1929-）指出，如果你選取一些現代昆蟲的化石，故意魚目混珠的把它們攙雜在伯吉斯化石樣品中，沒有人能夠猜想得到，這些身體結構非常不同的「冒充」化石，原來同屬一個「門」。

在這些修正過程中，一些很有用的幫助是來自另外兩處寒武紀初期生物化石的出土，一處在格陵蘭，另一處在中國，再加上其他地區的一些零星發現，讓我們對該時期生物的瞭解逐漸完善了許多。

如此逐漸修正下來的結果是，伯吉斯化石並不像人們當初以為的那麼怪異。比方前面提到的，長得有一列高蹺似的腳的「怪誕蟲」，應該要上下顛倒來看，原先以為是腳的那排突出物，其實是長在它背上的肉刺，就像今天的海參那樣。

變成化石的奇蝦，章名頁的圖，畫的也是牠。由於伯吉斯頁岩中發現的生物在變成化石時，多半只剩遭扭曲的片段軀殼，所以各方在進行詮釋時，掀起無數的爭議。

那個形狀像一片鳳梨，取名為培脫亞的圓碟形生物，後來發現並非一「整個」獨特的生物，而是一種叫做「奇蝦」（*Anomalocaris*）的動物的一部分。如今許多伯吉斯化石標本都已分別歸類到現有的生物「門」內，就像最初沃克特所做的那樣。

怪誕蟲跟另一些化石生物給認為與「有爪動物門」（*Onychophora*）相關，那是一類外形長得像毛毛蟲的動物；另一些則重新劃定為現代環節動物（annelids）的祖先。

事實上，福提在他的《生命》一書中指出：「寒武紀的生物身體設計，全新的並不多，經過仔細研究發現，大多數都只是我們熟知的設計款式的有趣延伸而已。沒有任何一種比現代藤壺類（barnacle，黏附在船底或石頭下的甲殼動物）更奇怪，或是像白蟻蟻后那麼醜陋可笑的設計。」

所以說，伯吉斯頁岩保存下來的遠古物種，原來也沒那麼了不起，不過依照福提的說法：「牠們依然有趣、古怪，只是我們解釋得比較清楚了。」牠們那些令人驚異的身體結構，不過只是一種強烈誇張的年輕生命力，就像是一個人在青少年時期所愛的刺蝟髮型，還有舌環一樣，只是短暫的過渡現象，等到成年，外表形象自然就會趨向沉穩，安定下來啦。

不過，這些發現還是沒有解開一個長久以來的謎，那就是這些動物究竟是打哪兒來的，怎麼就突然之間從無變有的出現在地球上呢？

有人終於研究出來，答案是：以前人們想像中的寒武紀大爆

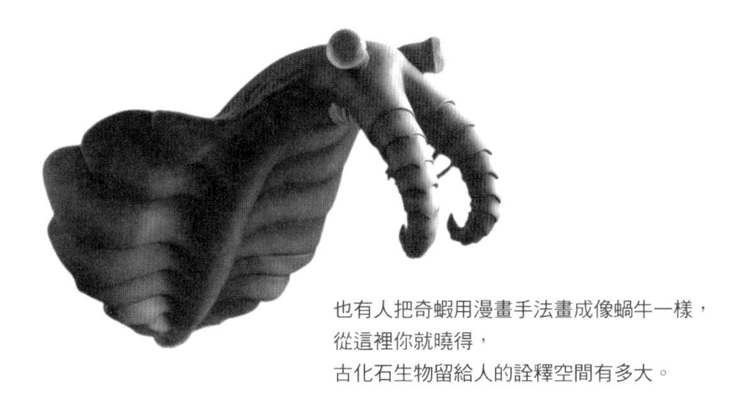

也有人把奇蝦用漫畫手法畫成像蝸牛一樣，
從這裡你就曉得，
古化石生物留給人的詮釋空間有多大。

發，也許實際上一點也不「大」！怎麼說呢？我們現在認為，那些寒武紀動物或許在寒武紀之前，老早就一直存在，只是從前牠們的個頭長得太小了一點，咱們的眼睛看不見而已。這也是三葉蟲提供的線索，因為我們在世界各處，幾乎到處都發現了不同種類，卻約略同時期出現的三葉蟲蹤跡。從前認為這麼多種類的動物在全球各處同時出現，簡直是不可思議的奇蹟，但經過這樣的合理解釋，這個謎便昭然若揭啦。

表面上看來，許多發展成熟、花樣繁多的生物，同一個時期在全球各處突然出現，似乎加強了寒武紀動物的神祕性質，但事實上剛好相反。如果我們只在地球的某一定點，單獨發現一個發展齊全的生物物種，那才真是一個神奇的開端。

然而我們實際發現的，是許多彼此明顯不同、卻又顯然是親戚的三葉蟲，出現在全球各地幾乎同時期的化石紀錄中，而且牠們的分布範圍可以大到從中國到紐約。這無異明確的告訴我們，我們錯過了這些物種的一大段先前歷史；牠們在某個更早時期就開始繁衍，才有可能陸續發展出遍布各處的眾多不同物種。

然而為什麼我們沒有發現那些更早期的物種呢？如今我們推想，原因在於牠們的個頭太小而沒有保存下來。

福提指出：「要成為運作完美的複雜生物，大個子並非必要條件。譬如今天在海裡過著超大群體生活的各種節肢動物，就從未留下過化石紀錄。」他特別點名提到小個子的橈足類動物（copepod，亦即蝦類）做為例子，今天這些群聚在淺海中的小蝦米，每群的數目動輒高達數兆隻，常使巨大面積的海域整個變成黑色。然而我們對牠們祖先的瞭解，卻僅限於從一種遠古魚類化石上所發現的一個種而已。

福提說：「寒武紀大爆發中的爆發一詞，也許指的是當時有許多既有物種的身體尺寸陡然暴增，而不是大批新的身體形式突然出現。體型變大比無中生有要容易、合理得多，且有可能在短時期內迅速發生，從這個角度看來，我認為這的確也算是一種爆發。」

這個想法其實並不獨特，因為另一個類似的例子是在恐龍時期，幾乎完全沒有哺乳動物的化石留下來，但那並不表示當時一定沒有哺乳動物。如今我們推想，事實上哺乳動物也許跟恐龍並存了長約一億年的時間，並且一直潛伏著等待良機，直到世界上的恐龍大致上全部滅絕之後，才似乎突然在全球各地，不約而同的大量出現各種哺乳動物。

寒武紀大爆發也一樣，也許在此之前，各種節肢動物跟其他三胚層動物以半微生物的形態潛伏等待，讓當時統治世界的艾迪卡拉生物享受其輝煌的日子。福提說了：「我們知道在恐龍滅絕之後，哺乳動物的身體尺寸曾戲劇化的一度暴增，當然我說的暴增並不是一夜之間發生的變化，以地質學的標準而言，即使是暴增，前後也得長達數百萬年。」

附帶一提，那位最初遭學界冷處理的史普里格，後來終於獲得了一些公道。人們將一個早期主要的生物屬命名為史普里格屬蠕蟲（*Spriggina*），並把他的姓氏加到好幾個種的學名上，用以推崇他的貢獻，而所有出土的類似化石也都統稱為艾迪卡拉動物群（Ediacaran fauna），艾迪卡拉是他當年發現、尋訪化石的丘陵地名。

當然，這一切都是在他給同行氣走之後很多年，才姍姍來遲的榮耀。當時史普里格心灰意冷的離開了地質學研究工作後，創辦了一家經營很成功的石油公司，退休後隱居在他所喜愛的夫林德嶺中一座大莊園內，而他把該處闢建成野生動物保護區。1994年去世時，史普里格已是個腰纏萬貫的大富翁了。

第22章 再會了，各位

這裡顯示一隻霸王龍發現即將襲來的致命隕石時，對同伴發出了警告。隕石撞擊導致了恐龍的滅絕，這張圖很戲劇化的表現出隕石到來的前一刻，但實際情況並不是這樣的。往地球飛來的隕石速度比子彈還快，地球上的生物根本來不及察覺，更別說要發出警告了。

當你從人類的觀點去研究生命，生命是頂奇怪的東西。最初它迫不及待的匆忙開始，但是一旦開始之後，卻又拖泥帶水，似乎很不願意繼續向前推進。

咱們瞧瞧地衣吧，地衣幾乎是地球上最能吃苦耐勞的可見生物，但也是最沒有雄心壯志的。

它們固然會在有陽光的教堂院子裡快樂的生長，但是在其他生物駐足不前的環境裡，卻也特別繁茂，譬如終年颳大風的山頂，還有北極地區種啥都不長的荒漠；因為在那種地方除了石頭、雨水、寒冷之外，什麼都沒有，也幾乎完全沒有競爭。在南極洲除了地衣之外，你看不到任何其他植物，只有地衣到處都在（它們有四百款形式）、堅毅不拔的黏附在每一塊經年被風施虐的石塊上。

過去有很長一段時期，人們無法瞭解地衣怎麼有這等本事。因為它們長在光禿禿的石塊表面，顯然獲取不了什麼養分，也不見它們生產種子，因而有許多人（而且是受過教育的知識份子）居然相信，地衣是石頭變成植物過程中的一段過場。1819年，有位洪舒克（Hornschuch）醫生在經過觀察研究之後，很高興的對人宣稱:「自然而然的，沒有生命的石頭變成了活的植物呢！」

看得更仔細一些後，你會發現地衣就像魔術般有趣。它們實際上是真菌跟藻類共生的合作團隊，真菌會分泌些許酸類，使石頭的表面溶解並釋出一些礦物質，藻類則把這些礦物質轉變成食物，也就足夠維持彼此的存活。這種討生活的方式沒有多刺激，但是卻相當成功，世界上的地衣種類超過了兩萬種。

就像大部分在惡劣環境中繁殖的東西，地衣生長得非常緩慢。襯衫鈕釦般大小的地衣，也許已經活了超過半個世紀，作家亞騰波若（David Attenborough, 1926-）這麼寫道：「一片餐盤大小的地衣也許年紀已達數百歲，或甚至數千歲。」

想像中，這世界上大概沒有任何東西活得比它們更欠缺意義了。亞騰波若還補充說：「它們除了氣息尚存之外，其他一切簡直啥都談不上。但這也證明了一樁感人的事實，那就是生命在最最簡陋的情況下仍然會發生，而且目的無他，顯然只是為了要求自己存活。」

假如地球誕生至今是一天……

生命就是要存活的這種想法很容易遭忽視，身為人類的我們，總是覺得生命一定有著某種了不起的目的，因而對未來生涯有各種規劃、夢想、及欲望。我們得天獨厚，生存內涵多采多姿，難怪要想盡辦法去不斷加以利用。但是生命對地衣來說又是什麼呢？雖然目的是如此低微，但它們求生的毅力卻一點也不輸我們，也許比我們都還要旺盛。

如果我是那小小一丁點植物，知道自己此後數十年內哪兒都去不了，只能乖乖待在樹林深處一塊石頭表面，默默的生長，我相信我會失去活下去的意志力。然而地衣不會，它們跟世間絕大多數的活物一樣，為了能多活片刻，不惜承受困苦、忍受侮辱。生命，一言以蔽之，求生而已，而有趣的地方在於，它沒有太多野心。

也許這事有點古怪，因為生命曾有過漫長的歲月，可以發展出各種野心。如果你把地球的四十五億多年歷史長河壓縮起來，並且把它想像成地球上一個尋常日子的長度，那麼生命其實發生得很早。

假設地球誕生在午夜零時，那麼清晨 4 點鐘，第一顆簡單的單細胞生物就出現了。但是這顆單細胞生物的後代卻很不長進，世代交替的繁衍了十六個多小時卻依然故我，到了晚上 8 點半之前，地球表面始終還維持著一層活躍的微生物。等到這天的六分之五已然消逝，才終於出現了第一株海生植物，在接下來大約二十分鐘之後，第一隻水母，以及史普里格首先在澳洲發現的那些艾迪卡拉動物陸續誕生。到了晚間 9 點 04 分，三葉蟲在海洋中登場，而那些外形誇張的伯吉斯頁岩動物也緊接著出現。就在晚間 10 點鐘之前不久，陸地上開始生長出各種植物。而到了 10 點左右，這一天只剩下兩小時，陸地上的動物才首次露面。

約在晚間 10 點 24 分之前，有個十來分鐘的時期內，由於地球上的氣候超乎尋常的溫和，使得整個地球籠罩在巨大繁茂的石炭紀森林之中，這些森林裡的樹木物化之後的殘餘物，就形成了現今所有的煤礦。同樣在這個時段裡，證據告訴我們，世界上開始有了長著翅膀的昆蟲。就在時鐘的時針指向 11 點之前，各種恐龍陸續登場。在這天剩下的最後一個小時之內，前面的三分之二個小時是由牠們統治著地球。

在午夜前的第 21 分鐘左右，恐龍消失而哺乳動物時代登場。那麼人類呢？最早的人類大概是在午夜前 1 分 17 秒才出現。以這個超濃縮的時間尺度來衡量，人類有文字紀錄的全部歷史，前後不超過數秒鐘，而人的一生，長度僅是電光一閃罷了。

在這個超快速的一天時光裡，我們可以想像得到，地球上的大塊陸地快速而危險的到處滑動、相互碰撞，山岳升起後又消蝕，海洋盆地出現後又移走，地球表面上的覆冰面積增長又消退。而在這一整天裡，平均每一分鐘有三次，地球的某處會發生

消逝時代的遺跡。美國亞利桑納州石林國家公園（Petrified Forest National Park）中，可以看到很多這種石化了的原木。

一道強烈閃光，這代表著一次規模在曼森級或以上的隕石碰撞地球事件。在這樣連續遭受轟擊重創的不安定環境中，任何東西能夠存活下來，都是出乎意料的奇蹟。事實上，也真的沒有很多東西能在地球上長久生存下去。

也許另一個方式可以更有效的讓我們瞭解，在這四十五億年的地球歷史上，人類的資歷是多麼淺薄。這方法就是你把雙臂跟手掌各向兩旁伸開打直，然後想像從左手中指尖到右手中指尖的長度，就是地球的全部歷史。

在這個尺度上，依據作家米克菲（John McPhee）在《盆地與山脈》（*Basin and Range*）一書中的說法，從左手指尖到右手的手腕，全屬寒武紀之前的時期。也就是說，地球上開始有了複雜的生命形態，不過只是右手一個巴掌的長度而已。而人類的歷史，則位於右手中指指甲最尖端的一丁點，它有多小呢？「只要用一把一般粗細的修指甲銼子，在那指甲尖端上輕輕的銼它一下，就能把人類的整個歷史給磨滅掉了！」

幸運的是，這個時刻尚未發生，但未來發生的機率可不小。我並不希望在這個節骨眼處落井下石，故意提醒大家更多的壞消息，但是事實上，地球上的生命另有一項擺脫不了的特質，那就是會滅絕。

相當常見的現實是，無論當初花費了多少心血跟工夫去營建跟保養自己，許多物種到頭來都因故突然倒地不起，就此從地球表面消失，簡直就像是預先安排好的例行公事。並且，愈是複雜的物種，愈是會迅速絕種；也許這就是地球上絕大部分生物不太有進取野心的一個原因吧。

所以當生命偶爾做出了某項有勇氣的事情，就會是大事一樁，而地球生命歷程中少有的重大轟動事件之一，就是生命跳脫出海洋的羈絆。

從海洋到陸地

陸地曾經是非常可怕的地方：既熱又乾、暴露在強烈的紫外線之下，並且因為缺乏水的浮力，使動物行動起來遠不如在水中那麼輕鬆愜意。為了要遷往並且住在陸地上，生物必須重新全盤修改身體結構。

譬如說，當我們抓起一條魚的頭跟尾，牠的中間部分就會自然下垂，原因是牠的背脊骨太過軟弱，無法挺直支撐自己。海洋生物一旦來到陸地上，需要在支撐重量的結構方面做些更新，才能繼續生存發展，而這可不是一夜之間可以達成的。

另外還有一點最重要也最明白的要求是，陸上生物必須發展出一套新方法，直接從空氣中獲取氧氣，以取代以往在水中時，從水中濾取氧氣的老套。

以上所舉都不是容易解決的小問題，不過從另一個方向看，離開海水而居也有許多極其強大的誘因在：第一，住在水裡變得愈來愈危險，那時候地球上的大塊陸地正在慢慢彼此合併形成盤古大陸，影響所及，海岸線的長度在逐漸縮短，沿岸的海生動物棲息範圍愈來愈小，間接造成生物間的競爭不斷上升加劇。

此外，當時還出現了一種葷素不忌、讓人神經緊張的新式掠食者，牠們在攻擊性能上的設計可說幾近完美，以致於牠們在出現之後，長期以來，外形上極少改變，牠們就是鯊魚。自從鯊魚現身之後，生物離開海水另尋發展的意願便大幅上升了。

大約在四億五千萬年前，植物率先登上陸地，同時出於實際需要，它們挾帶了一些我們肉眼不大看得見、小蜘蛛之類的微小動物一起上岸，由後者去收拾、回收死掉的有機物。稍大型的動物則晚一些，大概在四億年前才開始登陸。

一般說明這段早期歷史的圖解資料，都鼓勵我們把最早登陸的動物想像成一種有野心的魚（有些像現代的彈塗魚那樣），在乾旱的環境下能夠從一攤淺水跳到另一攤裡，又或者甚至是某種完全成形的兩棲動物。然而事實上，乾燥陸地上最早出現的可各處移動的居民，很可能是有如現代的潮蟲（woodlice，亦稱 pillbug 或 sow bug）——當我們在野外翻開地上的岩石或木塊時，經常會看到隱藏在它們下方的這類甲蟲。

對於那些上岸之後才學習從空氣中吸取氧氣的生物，時機上相當湊巧，因為陸地上的生物首度開始大量繁殖的泥盆紀跟石炭紀時期，空氣中的氧氣成分高達 35%（如今也只有 20% 左右），使得當時的動物個頭特別高大，也生長得特別快速。

你看到這兒也許會很納悶，心裡在想科學家怎麼會知道數十億年前，空氣中的氧氣成分如何呢？答案是來自一門不太為外人所知、卻很具創意的學問，也就是所謂的同位素地球化學。

在遠古的石炭紀跟泥盆紀時期，海洋裡密密麻麻的生長著大量的微小浮游生物，而這些生物的外面包裹著一層硬殼，牠們得從大氣裡獲取氧氣，然後與其他元素（特別是碳）結合成堅固耐久的化合物（例如碳酸鈣），製造牠的這層保護殼。這是由生命推動的碳循環中，一小段化學反應過程。這過程說起來沒什麼了不起，但是對地球演變成適合生物居住的環境，卻是非常重要。

這段過程的最後結局是，這些浮游生物死亡後沉到海底，在那兒慢慢的給壓縮成了石灰石。這些浮游生物的微小原子組成進了墳墓，其中有兩個非常安定的同位素：氧十六跟氧十八。（如果你一時記不得同位素是什麼，沒關係，這兒順便提醒你一下，同位素就是中子數目不尋常的原子。）

這兒就是地球化學可以做文章的地方，因為這些同位素的累積速度，受到化合物生成時空氣中氧氣跟二氧化碳濃度的決定性影響。地球化學家比較古老石灰石樣品中同位素的比例，就可以得知古老世界的各種環境條件，包括空氣中氧的含量、空氣跟海水的溫度、冰河期的長度與發生時間，以及其他各種訊息。

當時應有的全盤景色雖然從未有人看過，但是科學家以從同位素數據得到的資料，再加上其他化石殘留物證（像是花粉量等等），就是能夠相當有信心的描繪出來。

當時大氣中的氧氣成分之所以累積到那樣高，主要的原因是早期的陸地上長滿了茂密高大的羊齒植物，其下則是一望無垠的沼澤。沼澤會阻礙碳元素的正常循環過程，當樹葉及其他死亡植物落進沼澤後，並不會完全腐化消失，而是在沼澤的水面下累積成肥沃潮濕的沉積物，爾後經過地殼變動遭埋藏在地下，最後給擠壓成巨大的煤礦礦床。直到今天，這些遠古植物仍然對人類的

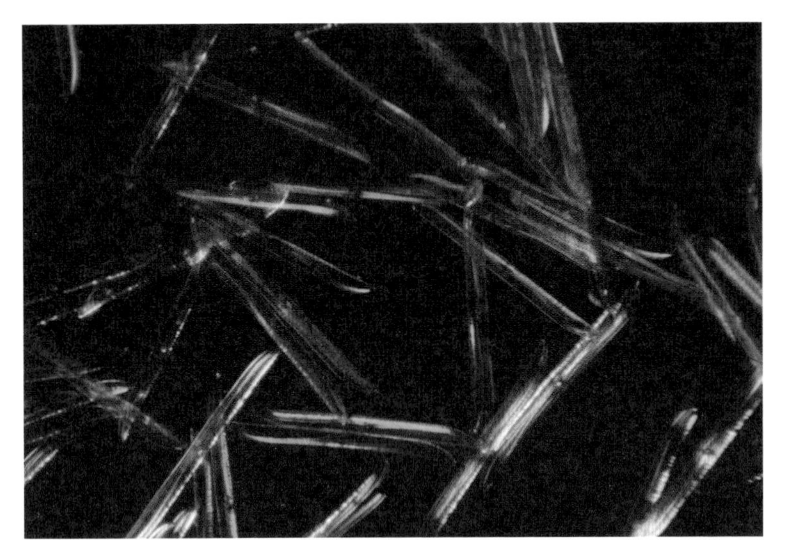

我們要感謝圖中矽藻這類海中浮游生物。它們從大氣中擷取氧氣，使得地球化學家可以估計出史前時代地球上的氧氣濃度。

經濟活動有巨大貢獻。

空氣中的高氧氣含量顯然能促進生物體型的增長。目前人們發現的最古老地面動物遺跡，是在蘇格蘭境內一塊岩石顯現出類似馬陸的動物，在三億五千萬年前所留下的足跡。那隻馬陸的身長大約有一公尺多，而在那個時代結束之前，有些馬陸的身長顯然超過了那隻的兩倍。

由於地面上到處有這樣的動物徘徊覓食，難怪當時的昆蟲為了維護自身安全，演化出會飛的本事。有些昆蟲在學會了飛行之餘，還很快的把這項新移動方式的技巧發展得淋漓盡致，之後就一成不變的一直傳承下來。當時出現的蜻蜓，能耐就跟今天的一樣：不但巡航的速度最高可達每小時 50 公里，並且能在空中表演立即煞車、停留、倒退、突然上揚等飛行特技，任何人造飛行器具的靈巧度都無法與之相比。

有一位評論家寫道：「美國空軍曾把蜻蜓放進風洞裡，想研究牠們的飛行祕訣，結果什麼都沒發現。」那時代的蜻蜓也因為吸飽了高氧空氣而長得異常巨大，石炭紀的蜻蜓長得跟現在的烏鴉一般大小。當時的樹木跟其他植物也同樣高大得不得了，木賊門（horsetails）與樹蕨高達 15 公尺，石松則長到 40 公尺。

尋找脊椎動物的祖先

最早在陸地上出現的脊椎動物（也就是我們人類在陸地上的最早祖先）是什麼，到目前仍然是個謎。其中一部分原因是缺乏相關的化石證據，另一部分則是受到瑞典人賈維克（Erik Jarvik）個人心理特質的影響：賈維克的一些奇怪解釋跟鬼鬼祟祟的態度，使這個問題在原地踏步了幾乎半個世紀。

賈維克參加了一個由斯堪地那維亞學者組成的考察團，該團在 1930 與 1940 年代曾數度前往格陵蘭尋找魚的化石，特別是一種大鰭魚（lobe-finned fish），因為這種魚被認為是我們跟其他所謂四足類動物的祖先。

大部分的動物屬於四足類，而一切現存的四足動物有個共通點：四肢的末端都是五根手指頭或腳趾頭。各種恐龍、鯨魚、鳥、人類、甚至魚，全都屬於四足類動物，這個事實明顯的告訴我們，牠們全都來自同一個祖先。專家認為，這個單一祖先是什

魚螈的畫像。傳統上我們都認為，魚螈是率先從水裡爬上岸的動物之一，但牠到底是怎麼在陸地上存活下來，仍是個謎。陸地上的生物雖然有較多的機會，但是也面臨了許多嚴酷的挑戰。

麼，應該可以從距今四億年前的泥盆紀化石堆中尋訪到。因為在那個時代以前，陸地上還沒有動物行走過的跡象，而泥盆紀之後，則已經發現了許多各式各樣的四足動物化石。

賈維克參加的考察團運氣不錯，居然發現了一個滿合乎理想的動物化石，牠的身長約一公尺，命名為魚螈（*Ichthyostega*）。考察回來之後，大夥兒把分析這件化石的工作交給了賈維克，他老兄從 1948 年開始，一連做了四十八年的研究。

非常不幸的是，賈維克拒絕讓別人幫忙研究「他的」四足動物，全世界的古生物學者只有乾瞪眼的份。而在這麼多年裡面，賈維克只發表了兩篇簡短的臨時論文，其中賈維克指出這個動物有四肢，且每一肢體末端都有五根指頭，因而確立了牠成為祖先的地位。

賈維克最後在 1998 年去世。他死後，其他古生物學者迫不及待的去檢驗那具魚螈標本，結果發現賈維克居然在數指頭跟趾頭時發生了嚴重失誤。實際上在這隻魚螈的四肢，每肢末端各有八根趾頭，而且賈維克也沒有觀察出來，這條魚生前根本不可能走路，原因是牠的魚鰭結構太過單薄，顯然無法支撐住牠的體重。

不用說，這具化石的發現，對我們尋找陸地上動物祖先的進展毫無助益。截至目前為止，我們已經另外發現了三種早期四足動物的化石，只是都不是五根指頭。簡單的說，我們還是不知道我們打哪兒來。

但這不怎麼重要，好歹我們登陸了，不是嗎？值得注意的是我們在登陸後的發展過程，包括人類最後到達目前卓越的地位，當然不是順順利利一氣呵成的。自從陸地上的生命開始之後，至今一共經歷了四次有巨大王朝（megadynasty）之稱的時期。

第一次是由一些原始且行動緩慢、但有時卻相當壯碩的兩棲動物跟爬蟲類當道。這段時期裡，最著名的動物叫做長棘龍（Dimetrodon），牠是一種長著極大背鰭的怪物，經常給誤以為是恐龍〔我還注意到，連知名天文學家薩根所寫的《彗星》

（*Comet*）中，有一張插圖的說明也犯了同樣的錯誤〕，但其實牠是一種叫做單弓類（synapsid）的動物。

咱們的老祖先也曾一度是單弓類，單弓類是最早期爬蟲類動物的四個主要分支之一，其他三個分支分別叫做缺弓類（anapsid）、闊弓類（euryapsid）、與雙弓類（diapsid）。

這些名稱的意義其實並不玄奧，只是告訴我們在這些動物頭骨的兩側，一些小孔的數目跟位置而已。單弓類是指在頭骨太陽穴的下方有一孔洞，雙弓類則有兩孔，而闊弓類雖也只有一孔，但是位置高了些。

過了一段時期，每一個主分支又進一步分出一些次分支來。

長棘龍屬於單弓類，是早期陸上動物中的一種。我們人類跟其他哺乳動物都是由單弓類演化來的。

這些次分支各自的命運不同，有的發達昌盛，有的敗亡消失。缺弓類繁衍成各種龜鱉，牠們有一陣子曾是這顆行星上最先進且最致命的物種（也許有那麼點誇張吧），正準備統治地球，但後來卻遇到一個演化上的困境，使牠們放棄了統治地球，選擇了耐久的特性。

單弓類後來分成了四條支流，但越過了二疊紀後，只有一支存活下來。我們真是好運氣，恰巧屬於這僅存的分支。接著，牠們演化成一種叫做獸孔類（therapsid）的原型哺乳動物（proto-mammal），牠們主導、形成了第二個巨大王朝。

對獸孔類說來很不幸的一件事是，牠們的表兄弟雙弓類也一直隨獸孔類同步積極演化，而成了各種恐龍（還有一些其他物種）。恐龍出現後，獸孔類發現自己根本不是恐龍這號狠角色的對手，在無法正面與恐龍競爭的情況下，大部分獸孔類都逐漸在有機會留下化石紀錄之前就消失殆盡，只有極少數演化成為個子小巧、全身長毛、會挖洞藏身的物種，才能夠勉強存活下來。

這些小個子哺乳動物靠著躲藏苟且偷生，靜待時機重起爐灶。其中最大隻的不比現在的家貓大，而大多數則比現在的小老鼠還小，這樣的身材不但當時躲過恐龍的追殺，最後還幫助牠們躲過了讓恐龍絕種的天災。但是當重生機會終於來臨時，牠們已經等待了一億五千萬年的漫長歲月。一直到第三巨大王朝，也就是恐龍時代突然結束之後，這些原先躲藏在地洞裡的小哺乳動物才回到地面，創建了第四巨大王朝，也就是屬於我們的哺乳動物時代。

很矛盾的是，每回這種大規模改朝換代，以及其間許多規模較小的時代變遷，主要的推動因素是依靠物種滅絕。奇怪的是，物種滅絕在地球上的確具有左右生命發展方向的積極意義。沒有人確知自從地球上有生命以來，究竟有多少種生物曾經存活過，一般估算認為總數約在 300 億上下，但是也有人認為高達 4 兆。

然而無論哪個數字比較確實，都意味著曾到地球上報到的物種，有超過 99.99% 都已離我們而去，如今不再存活在世上。為此，芝加哥大學的勞浦（David Raup, 1933-2015）喜歡向人戲稱：「由於剩下的部分不及萬分之一，近似值為零，所以可以說所有的物種都已滅絕！」單以複雜生物而論，各物種在地球上繁衍的平均期限約為四百萬年，差不多正好跟人類到如今累積的歷史長度相若。

五次大滅絕

物種滅絕對受害者而言，當然永遠是個壞消息，但是對一個活力充沛的行星來說，卻似乎是件好事。在美國自然史博物館任職的泰特薩（Ian Tattersall）說：「滅絕的相對選擇就是停滯，而停滯在任何領域裡都不是好事。」（我也許應該在這兒指出，這裡所說的物種滅絕是自然、長期的過程，跟近代因人類不當行為造成的短期內物種滅絕，完全是兩碼子事。）

地球歷史告訴我們，每逢危機之後，總是會跟著發生戲劇性的大躍進。譬如前述的艾迪卡拉動物群沒落之後，接著發生了創造力濃厚的寒武紀大爆發。

而四億四千萬年前發生的奧陶紀大滅絕事件（Ordovician extinction），把海洋中原有的大批固定型過濾性攝食者清除掉了，為快速游動的魚及巨型水生爬蟲類創造了有利的生存環境。這項轉變造成了一個理想的形勢，使接下來在泥盆紀後期發生了另一次盛大摧毀事件，再度給生命一次扎實的震撼後，就順勢把殖民者送上陸地。

地球歷史上類似的轉折，隔沒多久就會發生一次，每次對生命的發展方向都有重要影響。如果這些事件當時沒發生、或發生的時刻不同，今天的生命世界可能會完全不一樣，而我們人類幾乎就不會存在。

地球歷史上有五次主要的物種滅絕事件，這些事件以發生的年代為名，按先後次序分別有奧陶紀、泥盆紀、二疊紀、三疊紀、白堊紀，另外還有許多較小規模的事件。

最早在奧陶紀（約四億四千萬年前）與泥盆紀（約三億六千五百萬年前）發生的兩次，分別毀滅了當時全部物種的大約 80% 到 85%。三疊紀（約兩億一千萬年前）跟白堊紀（約六千五百萬年前）的破壞力似乎小一些，摧毀了當時所有物種的 70% 到 75%。

而有史以來最大規模的一次，是發生在兩億四千五百萬年前的二疊紀（也就是導致長久恐龍時代揭幕的那次），我們從化石紀錄上看到，二疊紀的前後至少有 95% 的動物從地面上永遠消失，甚至連昆蟲的種類也大約少了三分之一；這是牠們遭受重大損失的唯一一次，也是整個地球生物界最接近全軍覆沒的一次。

福提說：「那的確是一次大滅絕事件，損失之重，堪稱空前。」二疊紀事件的破壞力量對海生動物尤其嚴重，三葉蟲完全消失，蛤蚌類跟海膽類近乎滅絕，幾乎所有其他的海洋生物也都奄奄一息、搖搖欲墜。

有人估計，若把海洋中、陸地上的生物全部加在一起，地球在這次事件中，總共喪失了全部科的 52%，科是生物分類學上，位於目以下、在屬之上的層次（這是第 23 章的主題）；或者，也許地球上有高達 96% 種生物在二疊紀事件中消失。要恢復原有的物種數目，顯然需要非常長久的時間，有人估計為八千萬年。

說到這兒，有兩點需要記住，首先，以上這些數字全都只是根據資料所做的推測而已。譬如說到事件結束後的二疊紀末期，地球上還剩下多少物種，大家就各執一詞，有的專家估計只有 4 萬 5 千種，但有人卻認為還有 24 萬種。

如果我們連當時究竟還有多少物種存活下來都不很確定，那麼對於根據這個數字所計算出來的滅絕比例，就很難有把握了。另外，我們所講的滅絕，重點在於物種的消失，而非個體的死亡。如果以個體數目來計算，死亡率可是要高得多；物種的滅絕當然是指該物種的個體全數罹難，沒有任何個體活了下來、繼續傳宗接代的意思。

不過，那些存活的物種在當時的情況大概也好不到哪兒去，很可能僅有極少數僥倖逃過劫難。它們甚至落得遍體傷殘，只是幸而沒有傷及要害，經過一段時日的生聚養息，該物種又存活了下來。

美國芝加哥費爾德自然史博物館所重建的奧陶紀景況。跟許多史前時代一樣，奧陶紀也是結束於不明原因的物種滅絕，所謂「奧陶紀大滅絕」發生在四億四千萬年以前，大約有 80% 到 85% 的物種遭到滅絕。

在這五個殺傷力巨大的主要物種滅絕事件之外，歷史上還有許多規模較小、不太為人所知的滅絕事件。像是亥姆菲爾階（Hemphillian）事件、泥盆紀內的弗拉斯尼（Frasnian）事件、泥盆紀內的發門那（Famennian）事件、最近的蘭喬拉布爾階（Rancholabrean，約三十萬年前到一萬多年前）事件，還有其他約一打左右的事件。這些小規模滅絕雖然對生物整體的破壞力不是很大，但對某些物種卻造成嚴重打擊。

比方說，約五百萬年前的亥姆菲爾階滅絕事件中，包括馬類在內的食草動物幾乎全部被消滅。原來種類眾多的馬只剩下了一個種，而這劫後餘生的馬在之後一段很長時期的化石紀錄上，出現的機率非常低，顯示在那段時期內，馬在絕種的邊緣徘徊。如果牠們在當時不幸滅絕，至少對人類而言是非常嚴重的影響，試想如果沒有了馬、沒有吃草的家畜，人類的歷史會是什麼樣子？

對於每一次滅絕事件的發生，無論規模大小，我們都會想辦法找出一些叫人頭昏的原因來。即使把一些比較瘋狂的想法剔除，關於肇事原因的理論仍然多過事件的總數。人們至少指出了兩打直接的肇因或主要的間接因素，其中包括全球暖化、全球溫度下降、海面上升或下降、海水中缺氧、瘟疫流行、巨量甲烷氣體從海底滲漏、隕石或彗星撞地球、破壞力迅速增強的所謂超颶風（hypercane）、劇烈的火山爆發，以及災難級的日焰（solar flare）。

上述嫌疑者中的最後一個可說是特別有趣，沒人知道日焰（又稱太陽閃光）究竟能強大到什麼地步，原因是我們從太空時

像圖中這樣的日焰，會規律的發射出大量的高能量粒子。有一個理論說，太陽可能會不時有不尋常的大爆發，把地球的防線粉碎，導致地球上的生物蒙受大災難。

代開始後才對日焰進行觀測，而觀測的時日還太短。

太陽是一個遠超過我們想像的巨大引擎，在它上頭發生的風暴也同樣大到不可思議。每一次典型的日焰（我們在地球上根本察覺不出來）所釋放出來的能量，相當於 10 億顆氫彈同時引爆，因而向外太空發射出約 1 千億噸致命的高能量粒子。幸而在地球上空的磁層與大氣層，通常會合力把這些高能量粒子反射出去，或安全的引導到地球兩極地區的上空（因而製造出漂亮的極光來）。

但是有人認為，太陽上不平凡的大爆炸，譬如說有上述典型日焰的一百倍，很有可能粉碎我們天空中的重重防線。當它發生時，無疑會是一場光彩奪目的景象，但是也可能會遽然殺死絕大部分當時暴露在陽光下的生物。此外，更讓人背脊發涼的是，任職美國航太總署噴射推進實驗室的楚盧塔尼（Bruce Tsurutani）指出：這種事件來去無蹤，即使以往真的發生過，「它在歷史上也不會留下任何痕跡。」

有位研究人員指出，這些各式各樣的想法，使得我們面對著「太多的臆測跟太少的證據。」一般認為溫度的下降，至少與奧陶紀、泥盆紀跟二疊紀的三次大滅絕事件有關。但是除此之外，其他原因則各有不同的說法，尚無大家都滿意的定論，就連事件發生的過程究竟是快速抑或緩慢，也無定論。

比方說，發生在泥盆紀後期的那次滅絕事件（接著脊椎動物從海洋中移民到陸地上）的過程，科學家的意見嚴重分歧，有人認為歷時數百萬年，有人認為是數千年，也有人認為只有一天而已。

倖存者之謎

要對滅絕事件提出叫人信服的解釋非常不容易，一個原因是大規模消滅生物事實上非常困難。就像我們先前討論過的曼森撞擊事件（見第 13 章）顯示，地球在遭受到猛烈的一擊後，仍能全面展開恢復行動，雖然過程中難免會遇到些跛腳情況。

所以問題是：為什麼在地球歷史上數以千計的隕石撞擊事件中，獨獨只有在白堊紀與第三紀界限上發生的那件（簡稱 KT 事件）會那麼嚴重，連恐龍都難逃滅亡？

這個嘛，首先它的規模的確龐大，撞擊力量高達 100 萬億噸。那樣的爆炸實在難以想像，但是根據鮑威爾（James Lawrence Powell）所指出，如果你為現在世界上的每個人，引爆一顆廣島級的原子彈，那麼總共還要再加十億顆廣島原子彈，才足以跟 KT 事件的撞擊力量相比。但是即使是那樣大的力道，也許還不足以一舉毀滅掉地球上包括恐龍在內 70% 的生命。

那顆 KT 隕石還有一項優點（對哺乳動物來說），那就是它的著陸點是個水深只有十公尺的淺海，也許是因為它進入的角度恰好，而那時空氣裡的氧氣含量比現在高了 10%，以致於整個世界都比較容易著火燃燒；最重要的一點，是著陸點海底岩石的含硫量很高，撞擊使得一塊面積跟比利時差不多的海底岩石全部轉變成了硫酸煙塵，因而在接下來的數月，地球上各處降下的雨水，酸度足以燒傷皮膚。

整個地球上的菊石類都消失了，但是次頁圖中的這種鸚鵡貝類與菊石類在相同的海域生活，卻彷彿沒受到干擾般，無恙的活了下來。

在某種意義上，有個問題比到底是什麼使得當時世界上 70% 的物種滅絕更重要；那就是大難不死的 30% 物種，究竟是如何熬過來的？為什麼這次事件對每一種恐龍的毀滅力量，都毫無轉圜餘地，然而其他爬蟲類，像是蛇跟鱷魚，卻毫無障礙的通過了這次考驗？

根據我們手上的一切證據顯示，北美洲的蟾蜍、蠑螈、真螈

在滅絕事件發生後，為什麼有些物種會滅絕，有些會存活，仍然是個未解之謎。

（salamander，也叫火蜥蜴）、或其他兩棲類動物，都沒有遭到滅絕的命運。南澳大利亞博物館館長弗蘭納瑞（Tim Flannery），在他所寫有關美洲史前史的《永恆領域》（*Eternal Frontier*）一書中問道：「為什麼這些纖弱的動物在如此空前絕後的巨大災難中，沒有受到傷害？」

海洋中的情形也跟陸地上很類似，所有的菊石類在大難之後全不見了，但是生活習慣跟牠們相似的表親鸚鵡貝類卻存活下來。在浮游生物方面，某些種一個不剩的全數滅絕，像是有孔蟲類消失了 92%，而其他生物如矽藻類，它們跟有孔蟲類的身體結構近似，也生活在一起，相較之下卻沒受到大傷害。

這些都是難以解釋的矛盾現象。福提說：「光說存活者是靠運氣好，實在很難讓人滿意。」假如真發生了極為可能的情形，也就是事件之後緊跟著有數月的黑暗與叫人窒息的濃煙，那麼許多存活下來的昆蟲就難以解釋。福提指出：「某些如甲蟲類的昆蟲也許可以藏身在木頭或其他散布的碎片裡面。但蜜蜂又是怎樣逃過的呢？牠們依賴陽光導航飛行且少不了花粉。要解釋牠們怎能過關，看來很不容易。」

最不可思議的莫過於珊瑚類，珊瑚的生存得依賴海藻，海藻的存活得依賴陽光，而珊瑚與海藻都需要穩定的最低溫度。過去幾年來媒體常報導，說許多珊瑚因為海水溫度改變了一度左右而瀕臨死亡。如果這些駭人聽聞的報導不是無的放矢，珊瑚真是對微小溫差那麼敏感的話，那麼牠們當初又是如何度過隕石撞擊後的冬天呢？

另外，還有許多地區上的不同也很難解釋。物種滅絕在南半球似乎遠不如北半球的嚴重。紐西蘭在這許多次歷史上的全球性大災難中，似乎特別能全身而退，雖然那兒幾乎完全沒有穴居動物，甚至連植物也絕大部分幸免於難。但是除了紐西蘭，其他地區受災的程度，在在顯示那些大災難的破壞是全球性的。簡而言之，這裡頭我們不知道的真相還多著咧。

有些動物可說是因禍得福，包括了讓人有點意外的龜屬動物，牠們再度繁盛了起來。正如弗蘭納瑞指出的，緊跟在恐龍滅絕之後，可稱之為龜屬時代。北美洲存活下來的龜屬共有十六個種，並且在不久之後又增加了三種。

顯然住在水裡對存活很有幫助，因為那次 KT 撞擊事件摧毀了幾乎 90% 的陸上物種，而住在淡水中的遭殃者只有 10%。水顯然提供了生物對熱及火焰的有效防護，而且可以推想得到，在接下來的貧瘠時段裡，水環境提供了較多的食物。

所有住在陸地上而存活下來的動物都有一種習慣，那就是遇到危險時，會撤退到較安全的地方，例如躲進水裡或地下，這兩項辦法都能有效降低受災難蹂躪的程度。此外，那些利用廢物生活的動物也占了優勢，像蜥蜴類動物在當時（現在仍然是）不但不怕腐爛屍體上的細菌，而且還趨之若鶩。在大災難之後，必然

這是一幅想像圖，描繪了六千五百萬年前，當隕石撞擊墨西哥後不久，剛生成的希克蘇魯伯（Chicxulub）隕石坑。這個隕石坑約有 200 公里寬，而這次由小行星或彗星造成的撞擊，滅絕了地球上 70% 的生命種類，也影響了之後數千年的氣候。

會有很長一段時間，到處都是發臭的屍體。

常有人認為只有體型小的動物才能逃過 KT 事件的傷害，其實這個認知並不是完全正確。事實上，存活的動物中包括了鱷魚類，牠們不只是大隻，而且比現在的鱷魚還大上了三倍。

但是整體而言，認為小型動物才能存活的認知也不算錯，絕大部分存活下來的動物都是小隻跟鬼鬼祟祟的。當然啦！當整個世界既黑暗又不友善的時候，個子最好不要長得太大，且要當溫血動物、在夜間活動、對食物不挑剔，而且生性多疑、行動謹慎，而所有這些有利的特點，都剛好符合那時候我們的哺乳類祖先。如果當時的哺乳類稍微往前演化多一點，我們很可能就淘汰出局。由於有這樣的巧合，在當時大難不死的哺乳類成為最能適應災後世界的一支動物。

我們對於恐龍其實並不瞭解

雖然如此，這並不意味著哺乳類動物立即蜂擁向前，迅速填補了所有空檔。古生物學家史坦利（Steven M. Stanley）寫道：「演化過程也許厭惡真空，但是填滿真空通常需要很長時間。」所以哺乳類動物雖然在條件上占了上風，牠們還是不敢大意，在其後大約一千萬年內，仍舊維持著小個子體型。在三疊紀的早期，如果你的個子有今天的山貓大小，就可以當王啦！

但是在後來順境確定之後，哺乳類動物的體型開始大肆擴張，有時甚至到了可笑的地步。譬如有個時期，天竺鼠的個子大到跟今天的犀牛一樣，而當時的犀牛則有兩層樓房的大小。凡是

在掠奪鏈（predatory chain，亦即食物鏈）上出現了空缺，哺乳類動物就會「起來」填補。譬如早期有浣熊科的成員移民來到了南美洲，發現空缺，於是演化成跟熊相若的身材與兇殘個性。

鳥類也趁機不成比例的繁盛了起來，在為期長達數百萬年裡，北美洲曾有一種叫做泰坦尼斯（Titanis）的龐大巨鳥，牠是不會飛的肉食動物，大概是北美洲當時最兇殘的動物，也絕對是古今所有鳥類中最嚇人的一種。這種鳥站著有 3 公尺高，體重超過了 350 公斤，而且有一副強而有力的喙，任何讓牠感覺不爽的動物，牠幾乎都能把這些動物的腦袋撕扯下來。

這一科鳥類以所向無敵的姿態，前後存活了五千萬年，然而直到 1963 年人們在佛羅里達州發現牠的一具骨骸之前，我們根本不知道有這麼一號動物曾在地球上待過。

這件事帶給了我們另一個對生物滅絕無法解釋的原因：化石紀錄的價值是如此微不足道。我們在先前已經稍微提到過，不是任何屍骨都有機會變成化石，而化石紀錄實際上比你所想像的要糟糕得多。以恐龍為例，世界各地的博物館給我們一個印象，好像全球各地充滿了恐龍化石，然而事實上，絕大多數博物館的展出標本都是人造的。

譬如矗立在倫敦自然史博物館入口大廳裡，做為主題的一副巨大梁龍（Diplodocus）骨骼架子，迄今在那兒寓教於樂的迎送了數個世代的訪客，但那只是一座石膏模型，是 1903 年由美國鋼鐵大王卡內基（Andrew Carnegie, 1835-1919）出資在匹茲堡塑造，然後贈送給該博物館。

在紐約的美國自然史博物館，入口大廳的主題則是一幅更雄偉的場景：一副大巴洛龍（Barosaurus，亦稱重型龍）的骨骼架子，牠為了保護身旁的小恐龍，勇敢的面對一隻衝了過來、滿口大牙的異特龍（Allosaurus，也有人譯為躍龍）。這真是一幅叫人印象深刻的畫面，那隻巴洛龍站立起來約有九公尺高，但它們也全部都是假東西，那隻恐龍身上的數百塊骨頭，每一塊都是由人鑄造出來的模型。

當你到世界各地去拜訪當地的大型自然史博物館，包括巴黎、維也納、法蘭克福、布宜諾斯艾利斯、墨西哥市，在那兒迎接你的，幾乎全是古董級的模型，而非真正來自遠古的骨頭。

事實是，我們對恐龍真的知道得不多。對於長達一億五千萬年的恐龍時代，目前有化石證明的物種總數尚不滿一千（而且其中幾乎有一半，是僅根據單一化石標本推想出來的）。這個總數大約只有現在活在世界上、哺乳類物種總數目的四分之一，但我們必須知道，恐龍統治世界的時間，大概相當於哺乳類動物當道以來的三倍長。所以，要不是當年恐龍發展物種數目的速度特別遲緩，就是我們從化石中看到的恐龍不過是九牛一毛罷了。

在整個漫長的恐龍時代裡，有許多長達數百萬年的時間段落，至今尚未發現過任何一塊屬於這些時期的恐龍骨頭。甚至在白堊紀晚期（由於長久以來，人們一直對恐龍與物種滅絕的議題興趣不減，因而研究得最多的一段史前時期就是白堊紀），當時所有活著的生物裡，很可能仍有四分之三的物種未被發現。

那時候也許另有比梁龍更龐大、比霸王龍更險惡的動物，牠們曾經成千上萬的在地球上到處遊蕩，而我們卻永遠都不會知道。直到最近，有關這段史前時期的一切恐龍知識，都還只是依據僅僅代表 16 個種、一共三百件左右的化石標本。這些紀錄的稀少，使得人們廣泛的相信，在 KT 隕石撞擊事件發生之前，恐龍早已經走在滅絕的路途上。

1980 年代末期，一位在美國威斯康辛州密爾瓦基市立博物館任職的古生物學家希恩（Peter Sheehan）決定要做一個實驗，他召集了兩百位志工去做一件仔細且辛勞的調查，對象是蒙大拿州境內著名的地獄溪（Hell Creek）地層，那是一處範圍明確、精選過的區域。

這些志工一絲不苟的用篩子蒐集該處剩下的每一顆牙齒、脊椎、骨頭碎片，也就是所有從前的發掘者所忽視、遺漏了的東西。這件工程費時三年，當調查終於宣告結束時，他們發現已經把全球蒐集到的白堊紀晚期的恐龍化石總數，增加到了原先的三倍多。這次調查幫助澄清了一個疑點，那就是一直到 KT 隕石撞擊事件發生前，恐龍仍然是數目繁多。

矗立在美國紐約自然史博物館大廳的恐龍標本，就像世界各地博物館所展示的恐龍標本一樣，都是假的。大部分的恐龍骨頭都是複製品，因為真的恐龍化石實在太稀少了。

希恩在報告中指出：「我們沒有理由相信，恐龍在白堊紀的最後三百萬年裡漸漸敗亡。」由於我們很習於認為人類無可避免的就是統治世界的物種，因而很難瞭解我們之所以有今天，只是因為適時從天外飛來的一些巨大災難、跟其他隨機的歪打正著所幫的忙。我們與四周所有活著的生物有個共同點，那就是在過去將近四十億年的演化過程中，每逢發生大變動的關鍵時刻，我們的祖先都能夠僥倖的溜過正在關閉的門。

古爾德有一句言簡意賅的名言：「人類今天在此，是因為我們這根生命線從未折斷過。這條線上的過去有十億個關鍵點，可以把我們從歷史抹去，幸而我們全部安然通過。」

本章從開始以來就圍著三個重點打轉：生命要存在，生命要的不多，以及生命有時會滅絕。在這章結束前，我們可以加上第四個重點：繼續活下去，生命經常是以讓人傻眼的各種方式繼續下去，各位且拭目以待吧！

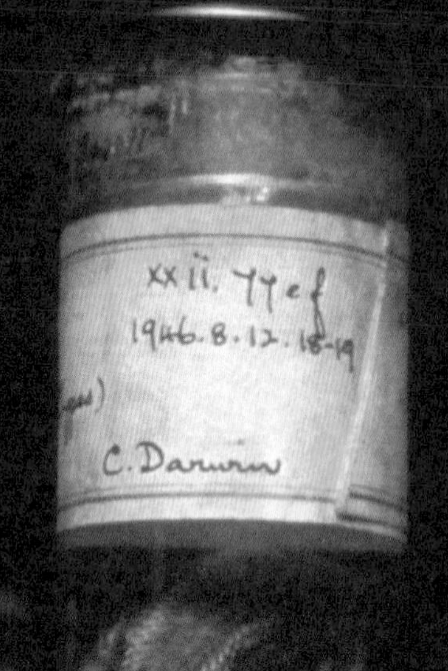

第 23 章
驚奇生命數不盡

這是保存在倫敦自然史博物館「達爾文中心」的 2,200 萬件動物標本的其中兩件。照片中泡在酒精裡保存的動物，是達爾文在 1831 到 1836 年間，搭乘小獵犬號遠航時蒐集得來的。

走進倫敦自然史博物館，在昏暗燈光下、走道拐彎的角落裡，或是在展示著各種礦石跟鴕鳥蛋，以及一世紀左右以來陸續累積、有些亂七八糟收藏品的玻璃櫃子之間，你可以看到一些通往他處的神祕門戶；說它們神祕，至少是意味著它們外觀平凡，完全不會引起一般參觀大眾的注意。

偶爾你可能意外的看到一位一頭亂髮、心不在焉、學者模樣的人，突然打開一扇門走出來，然後沿著走道快步離去，或是走了幾步後又閃進另一扇門內。但是這種情形不常發生，一天大部分時間裡，這些門都是緊閉著，似乎是不想讓人看出來，門後存在著另一個自然史博物館的分身。這個分身跟大眾所熟悉、所愛戴的本尊比起來同樣廣闊，但在許多方面更叫人驚奇讚嘆。

這座自然史博物館的收藏物品，如今總共高達七千萬件之多，分別來自生活上的每一領域跟地球的每個角落，並且還在繼續增加，每年約十萬件左右。

但是你得走進門後的儲藏室，才能真正領略到它是多麼偉大的一座寶庫。在擺設了許多碗櫥、櫃子、跟擁擠儲物架的長形房間中，保存著數萬瓶泡在液體中的動物標本，數以百萬計的昆蟲被人用針釘在方形厚紙板上，各式各樣抽屜裡裝著閃亮的（貝殼類）軟體動物、恐龍骨頭化石、早期人類頭骨。

另有數不清的紙夾，其中整整齊齊的壓著各種植物標本。瀏覽著這一切，有點像是在達爾文的腦子裡漫步。你瞧瞧這兒，光是一間酒精室裡面，就架設了全長二十多公里的儲物架，上面擺著無數罐泡在含甲醇的酒精中的動物標本。

這邊角落裡存放的分別是班克斯（Sir Joseph Banks）從澳洲、洪堡（Alexander von Humboldt, 1769-1859）從亞馬遜河流域、達爾文搭乘小獵犬號遠航時，以及其他種種由特殊歷史人物採集得來的標本，它們要不非常稀罕，要不就是深具歷史意義，或者是既稀罕又具有重大歷史意義。當然，很多人都夢想有一天能夠親手把玩這些可見不可及的寶物，但是只有極少數人曾經有過這種緣分。

1954 年，有人捐贈該博物館一批很特別的鳥類學收藏品，這是一位名叫梅納茨哈根（Richard Meinertzhagen, 1878-1967）的收藏家一生的心血，他曾發表過一些相關的學術性著作，包括《阿拉伯鳥類》一書。

梅納茨哈根生前是該博物館的忠實顧客，幾乎每天都來報到，為撰寫專書與論文蒐集資料。話說當盛裝著這批捐贈品的木條箱來到博物館，館裡的高級職員非常興奮的拿起短鐵橇來把箱子撬開，急於看看裡頭究竟是些什麼東西時，赫然發現有非常多的標本上面居然蓋有博物館的戳記。原來這位梅納茨哈根先生許多年來，經常把該博物館的館藏擅自帶回家。這正好說明了他生前的一項怪癖，那就是無論天氣多熱，他老兄永遠都穿著一件長大衣。

數年之後，另有一位長相很討人喜歡、長年光顧貝殼部門的先生（告訴我這事的人說他是「一位非常氣宇軒昂的紳士」），在趁人不注意時，把珍貴的館藏貝殼塞進他使用的齊默助行架的中空支架內，而且當場被逮了個正著。

福提（Richard Fortey）帶領我來到這個博物館門後的花花世界，做了一番巡禮。他當時對我說了一句拐彎抹角的話：「我不認為這兒會有任何東西，是沒有人會垂涎三尺、想據為己有的。」

我們漫步穿過了一些不知名的部門，各處都有人坐在大桌子旁邊，專心一志的在審視研究，對象有節肢動物、棕櫚葉片，跟一盒盒泛黃的骨頭。到處都籠罩在一種不慌不忙的氣氛下，讓人直覺得他們正在從事一些永遠不會完成、而絕不能夠催促的偉大任務。

我記得以前曾在哪兒讀到過，1967 年間，這家博物館終於發表了有關印度洋的莫瑞探險旅行（John Murray Expedition）的調查報告，而那次的探險活動在四十年前即已結束。所以，這是個每件事情都有它自己步調的世界，包括一具小巧的電梯，福提與我跟一位學者模樣的老人一起搭乘它上樓，一路上福提與老人愉快親切的交談，我卻覺得電梯上升的速度跟沉積岩的形成快慢差不多。

這位老先生跟我們要去的樓層不同，他先走出電梯，分道揚鑣之後，福提才告訴我：「剛才那位先生是個非常和善的好人，名叫諾曼，他已經花了四十二個年頭，專門研究一個叫聖約翰草（St. John's wort）的植物。雖然他已經在 1989 年退休，但現在仍然每個星期都來看看。」

我聽了大惑不解：「要怎麼做，才能在同一種生物上耗掉四十二年時間呢？」

福提顯然跟我有同感，只是人比我厚道：「這真是有點不可思議，不是嗎？」他想了想接著說：「這表示他做事特別仔細過人吧。」這時電梯門開了，不過卻是一堵磚牆擋在外面。福提現出一副困惑模樣，他說：「真奇怪，這層樓以前不就是植物部門嘛！」於是他又按了另一層樓的按鈕。折騰了一陣子後，我們經由後面的樓梯間，終於輾轉來到了想去的植物部門，中間又數度小心翼翼的穿過一些工作重地，看到了那些工作人員愉快但辛勤的研究各種曾經一度活過的東西。

青苔之亂

在植物部門，我認識了艾利斯（Len Ellis）跟苔蘚類（俗稱青苔）的寂靜世界。

當愛默生（R. W. Emerson）在他的詩中指出，青苔喜歡長在樹木面北的一邊（"The moss upon the forest bark, was pole-star when the night was dark"「森林中樹皮上的青苔呀，跟夜間北極星光相輝映」)，他所說的青苔其實是指地衣。在十九世紀，青苔跟地衣是不分的。真正的青苔對在哪兒生長並不挑剔，所以它們並不是理想的自然指南針，不僅如此，事實上，青苔幾乎是什麼用途都沒有。

康納德（Henry S. Conard, 1874-1971）在《如何知道蘚類與苔類》一書中，有點莫可奈何的寫道：「也許沒有其他大群的植物團體，在商業上或經濟上比苔蘚類更無用的了。」這本書早在1956年就出版了，但是如今在許多圖書館的書架上還可以找到，原因是這本書幾乎是把此議題介紹給一般人的僅有管道。

不管怎麼說，苔蘚類是多產植物。即使不把地衣算在內，苔蘚類也是一個很忙碌的領域。它包括七百多個屬，下面共有超過一萬個種。那本由史密斯（A. J. E. Smith）所著的洋洋大觀專書《不列顛與愛爾蘭的青苔植被》厚達七百頁，而不列顛與愛爾蘭並不是青苔特別繁盛的地區。

專家艾利斯是一位話不多、身材清瘦的人，他在倫敦自然史博物館的資歷已長達二十七年，而從 1990 年以來即是該部門的主管。他告訴我：「熱帶才是青苔種類繁多的地區。譬如你跑到馬來西亞的雨林中，你就能相當容易的發現新物種。不久之前我自己就去過，隨便往地上一瞧，就看到了一個從未有人記載過的新種！」

「所以我們並不知道尚未發現的苔蘚還有多少種？」

「不錯，誰都不清楚。」

你也許會認為，這世界上不會有很多人準備把一生時光奉獻出來，去研究這麼一類怎麼看都不很精緻的玩意兒。然而事實上，研究青苔的專家是數以百計，而且對他們的研究對象感情還非常深厚且執著。艾利斯告訴我：「的確，大家聚在一起開會時，有時還相當熱鬧甚至火爆呢！」

我請他舉一個起爭議的例子。

他微笑著回答說：「瞧，這兒就有個現成的，而且還是拜一位你的國人所賜呢！」說著這話的同時，他翻開一本滿是各種青苔圖片的厚重參考書。只是這些圖片在未經指點的我們眼中，最明顯的特點就是它們都長得非常神似。艾利斯指著其中一張青苔

圖說：「這類青苔以前只是單個叫做鐮刀蘚（*Drepanocladus*）的屬，如今已經重新劃分成為三個屬，除了鐮刀蘚屬之外，還有 *Warnstorfia* 與 *Hamatacoulis*。」

「難道你們就為了這點事吵翻天？」也許我的語氣裡透露出有那麼一點唯恐天下不亂的興奮。

「不錯。而且這件事絕對有它造成爭議的道理，因為影響面實在不小。許多收藏品必須重新加以分類，而且也使得這個領域裡的專書，一時也都變得過時而需要修正。嫌麻煩的人當然是老大不情願啦。」

艾利斯還告訴我，苔蘚學裡有些難以解釋的議題，其中有個很著名的例子（至少是在苔蘚學界很知名），牽涉到一種叫做史丹福濕地蘚（*Hyophila stanfordensis*）的羞怯型青苔，之所以有此學名是因為它最早是出現在美國加州史丹福大學的校園裡。

後來有人在英格蘭西南海岸附近的康沃爾郡（Cornwall）境內一條小徑上，也發現有同樣的植物生長，但是在這兩地之間的任何地點，卻從未有人巧遇過它。為什麼它會出現在相隔如此遙遠的兩個地方呢？對於這一點，每個人都有不同的看法。艾利斯說：「它如今的名稱叫做史丹福棕色藓（*Hennediella stanfordensis*），這可又是一項修改耶。」

我們若有所思的相互點了點頭。

每當一種新的青苔被發現，發現者必須拿它去跟所有已知的青苔作比較，以確認是否尚未有人發現、記錄下來過。等到身分確定後，發現者必須撰寫一篇正式的文字描述，外加照些相片或畫些圖解，然後發表在有分量的學術期刊上。這整個過程，很少有人能在六個月內完成。二十世紀並不是青苔分類學上成績最輝煌的時期，因為這段時間大部分的工作，都是在替十九世紀學者所遺留下來的混淆跟重複，做釐清與校正。

不過，十九世紀倒是青苔蒐集的黃金時期〔你也許還記得地質學巨擘萊伊爾（Charles Lyell），他的父親就是一位偉大的青苔專家〕。有位「名實相符」的英國人亨特（George Hunt，該姓氏字面是打獵的意思），曾努力不懈的大肆搜獵英國青苔，無意中很有可能對某些青苔的滅絕消失助了一臂之力。

但也正因為這些人的努力，才使得今天在艾利斯管轄下的這部分館藏博大精深，在世界上首屈一指。亨特蒐集的標本總數高達 78 萬件，全都壓在用厚重紙張疊成的大紙夾內，有些紙夾年代已經很久遠，上面布滿蜘蛛絲般的維多利亞時代的注釋。

據我們所知，其中有一部分很可能是維多利亞時代的偉大植物學家布朗（Robert Brown）的筆跡。他是布朗運動跟細胞核的發現者，也是該博物館植物部門的創辦人與第一任主管，直到

蘇格蘭植物學家布朗的肖像。這一幅畫大約是在 1845 年所繪，他當時是倫敦自然史博物館的植物部門主管。

1858 年去世為止，布朗經營了該部門三十一年。如今，所有的標本都保存在亮麗且古老的桃花心木櫃子裡，這些櫃子手工之精良，叫我不能不讚嘆一番。

艾利斯很平淡的回應道：「你說的是這些櫃子嗎？它們原屬於班克斯爵士，是從他在蘇活廣場的家裡搬過來的。」聽起來似乎這些櫃子是他剛從平價家具店「宜家家居」（Ikea）買回來那樣，沒什麼了不起。「他特地請人替他打造了這些木櫃，目的是要保存他在奮勇號（Endeavour）航行途中所蒐集到的標本。」他停下來仔細端詳了櫃子一會兒，像是很久以來第一次那麼做似的，接下來他說：「我記不得這些櫃子是怎麼跑到我們苔蘚部門來的。」

蒐集新植物的熱潮

這倒是一項驚人的爆料呢！班克斯是全英格蘭最偉大的植物學家，而那次的奮勇號航行，也正是先前我們提到過，庫克船長湊巧測繪了 1769 年的金星凌日事件，並宣布把澳洲收歸大英帝國版圖、以及完成許多其他成就的同一次航行（見第 4 章），這是歷史上最偉大的一次植物學探勘之旅。

班克斯當時付給了船家一萬英鎊，價值約合今天的一百萬美金，為他自己還有同行的另外九個人（包括一位自然學者、一位祕書、三位藝術家、及四名僕役），買下了搭乘該船的鋪位，以三年的時間冒險環遊世界。

然而天曉得那位性喜虛張聲勢、好大喜功的庫克船長，在這麼長的一段時間裡，會如何對待這群手無縛雞之力、養尊處優的肥羊呢？但意外的是庫克船長似乎很喜歡班克斯，並且對後者在植物學方面的天分傾倒有加，而且程度不下於後來子孫對班克斯的景仰。

他們這趟航行下來，蒐集成果之豐碩，在歷史上空前絕後，原因之一是他們所到之處，許多是全無人跡或少有人知的地方，像是南美洲南端的火地島、大溪地、紐西蘭、澳洲、新幾內亞等；但最重要的是，因為班克斯是非常機敏且極富創意的收藏家。甚至在他們途經巴西里約熱內盧的時候，因為檢疫問題而無法上岸，在無事可做的情況下，班克斯注意到有人送來餵船上牲口的一捆飼料，他靈機一動，拿來仔細篩選，居然也讓他發現了一些新的植物種。

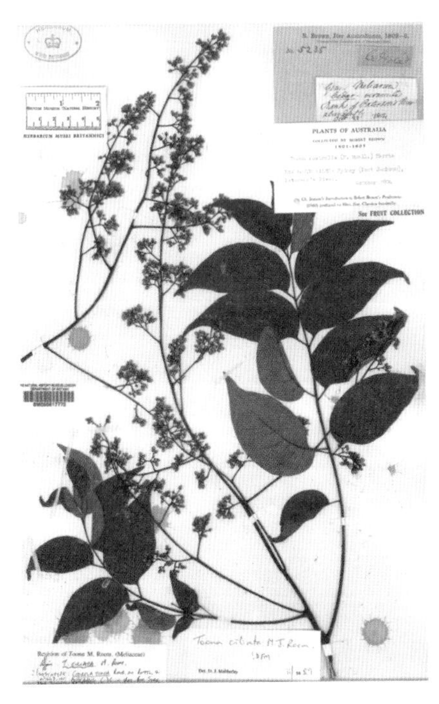

紅椿（*Toona ciliata*）植物標本，這種植物屬於紅柏的一種，是由布朗於 1804 年的環遊世界航行途中，在澳洲所採集的。

這滿滿一抽屜的貝殼，是十八世紀英國最偉大的植物學家班克斯的收藏；其中有一部分也來自奮勇號在1768年到1771年間的遠航中，庫克船長的收藏。

這幅班克斯的畫像，是由十八世紀的名畫家雷諾茲爵士（Sir Joshua Reynolds）所繪，當時的班克斯剛完成了歷時3年的奮勇號遠航，那是歷史上最偉大的一次植物學探勘之旅。

班克斯一路上巨細靡遺的搜尋，似乎沒有東西能夠逃過他的慧眼。最後，班克斯帶回英國的植物總共有3萬種，其中包括了西方學界以往從未見過的1,400種，這個數量足以把西方當時所知道的植物物種總數，頓時增加了四分之一。

但是班克斯的傲人收藏，和他那個幾近荒謬的貪婪時代裡，西方人從世界各地掠奪、搬運回家的大批物資相比，實在算不了什麼。

十九世紀間，西方國家許多人士競相蒐集植物的風氣，幾乎已到達瘋狂的地步。由於名譽與財富都在等待著能發現新物種的人，使得植物學家跟冒險家無所不用其極，想要去滿足西方世界對園藝上求新求變的渴望。還記得納托爾（Thomas Nuttall）嗎？他就是當初把紫藤命名為魏斯塔（wistaria）的那位植物學家（見第 6 章）。

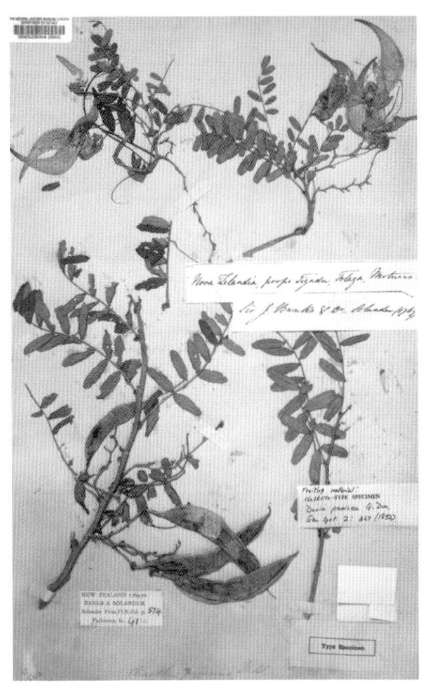

榴紅耀光豆（*Clianthus puniceus*）又名鸚嘴豆（parrot's bill）標本，產自紐西蘭，是班克斯與他的助手所蒐集到的三萬種植物之一。

納托爾在移民到美洲時只是一名未受過教育的印刷工人，但是他發現了心中對植物的熱愛，因而徒步來回跨越了半個美國，為植物學界蒐集了數百種名不見經傳的植物。

另一位受到後人以他的姓氏來命名「福來賽氏冷杉」的植物學家福來賽（John Fraser），最先是受到俄國凱薩琳女皇的任命與差遣，也跑到新世界野外，一待許多年，蒐集當地的各種植物。等到他的工作告一段落、從蠻荒叢林裡走了出來時，才發現俄國已經有了新的沙皇，而這位沙皇認為福來賽是個瘋子，不承認前任沙皇凱薩琳跟他訂過的合約。

於是福來賽把他蒐集得來的成果全部搬到卻爾西（Chelsea，倫敦文化地區名，位於倫敦市西南角上、泰晤士河的北岸），開了一家苗圃，專門養殖、販賣杜鵑花、木蘭花、美國藤、紫菀，以及其他種種從殖民地遷移過來的花卉；為之驚豔的英國上流社會土包子爭相搶購，使得福來賽從此過著富裕的日子。

福來賽的美好生活際遇其實不算什麼，當時只要發現到「對」的東西，或許就能換來大把鈔票。例如一位業餘植物學家萊昂（John Lyon），他專門到危險地區蒐集標本然後轉賣。兩年下來，他換得了相當於今天幣值約二十萬美元的報酬。不過這種例子並不多，許多人的目的仍然只是為了愛好植物罷了。譬如納托爾就把他所發現、蒐集到的植物，大部分運回英國、贈送給了老家利物浦的植物園。

不過，納托爾最後出任哈佛大學植物園的主管，並成為百科全書性質的《北美植物各屬總彙》（*Genera of North American Plants*）一書的作者（他不但撰寫了該部巨著，而且該書付梓過程中的排版工作，大部分還是由他親自動手的呢）。

以上說到的只是植物部分，另外還有整個的新世界動物群，包括袋鼠、奇異鳥（kiwi）、浣熊、山貓、蚊子，以及各種想像不到的珍禽異獸。作家史威夫特（Jonathan Swift, 1667-1745）用以下的名句，描寫地球上物種之多，看起來簡直是沒完沒了：

> 於是自然學者觀察到跳蚤身上，
> 有著更小的跳蚤正在吸牠的血。
> 這些更小的跳蚤們也不能豁免，
> 如此繼續下去，似乎永無止境。

所有這些新發現物種的相關資訊，都必須據實填寫妥當、按照次序排列，然後逐一與已知者比較。為了要有條裡的做好這些事情，這世界亟需一套實用的分類系統。幸好當時有位瑞典人適時出現，提供了這套系統。

林奈系統稱霸

他的大名叫作林奈（1707-1778，原名 Carl Linné，後來他曾奉准把自己的姓氏改成比較貴族化的 von Linné。然而他的名字在現代人們的記憶中，卻是拉丁化的 Carolus Linnaeus），出生在瑞典南部、一個叫拉許爾特（Råshult）的村莊。林奈的父親是一位很貧窮、但很有志氣的路德教派助理牧師。

林奈在學生時代一度非常不上進、成績很爛，他父親一怒之下，把他送去一位補鞋師傅那裡做學徒（另有一說，是差點把他送去）。由於害怕將來一輩子敲釘子替人補鞋，年少的林奈央求父親再給他一次機會。他父親答應了，而林奈也就從此用功，一直保持名列前茅。林奈後來在瑞典與荷蘭攻讀醫學，然而他的最愛卻是自然世界。

1730 年代初期，他還只有二十幾歲，就開始應用他自己設計的一套系統，去製作一些世界上動物跟植物的目錄。之後，他的知名度與日俱增。

很少有人比林奈對自己的盛名更能甘之如飴。他利用很多閒暇時間、坐下來長篇大論的描述自己，而且極盡自我恭維之能事，宣稱自己是有史以來「最偉大的植物學家或動物學家」，而他的生物分類系統是「科學領域中最偉大的成就」。他「謙虛」的建議，將來在他的墓碑上，應該用拉丁文刻上「植物學王子」

（Princeps Botanicorum）。

當時的人若是夠聰明的話，就千萬別去質問他，幹嘛要對自己那麼捧場、往臉上貼金，因為事實證明，那些不識相的人不久就會發現，自己的姓氏變成了某種雜草的學名。

林奈還有一項叫人吃驚的特質，那就是對「性」的持久愛好（甚至可稱之為狂熱）。他特別注意到某些雙殼貝類的結構，跟女子陰部之間的相似處，因而把那種貝類的各個身體部位，分別命名為 vulva（女陰；陰唇）、labia（陰唇）、pubes（陰毛）、anus（肛門）、與 hymen（處女膜）。此外，他還利用植物不同的生殖特性，做為替它們分門別類的依據，然後賦予它們讓人怵目驚心的人格化情欲名稱。他對各種花朵及其行為的描述，充斥著諸如「雜亂交媾」、「不育小老婆」、跟「新婚床笫」等措辭。

春天時，林奈寫了一段膾炙人口、常被人引述的小品散文，現摘錄如下：

> 愛情甚至降臨到各種植物身上。男男女女……各自舉行它們的婚禮……且亮出生殖器官來表明性別。造物者已然精心安排，讓花兒的葉片權充新婚之夜的床笫。床上裝飾著高貴的床幃，洋溢著諸多輕柔的香氣，以備新郎與新娘在莊嚴氣氛中，慶祝它們的婚禮。當洞房一切已經就緒，就是擁抱著新娘的新郎將自己交給對方的時刻。

林奈以植物的生殖特性，做為他訂定分類系統的依據，而這幅於 1805 年完成的版畫「熱帶叢林裡，邱比特賦予植物愛情」，呼應了林奈的理論。

來自瑞典的林奈雖然性情古怪，但對後世的影響相當深遠，他窮畢生之力，要為所有生物建立一套簡單明瞭的分類系統。

他還以 Clitoria（陰蒂）這個字，當作植物中的豆科蝶豆屬的屬名，無怪乎許多人都認為他實在有夠古怪。但是他的分類系統的確是所向披靡、無人能夠抗拒。在林奈之前，植物的名稱可以又臭又長，例如一般的地櫻桃〔ground cherry，此乃毛酸漿（*Physalis pubescens*）之俗稱〕曾被稱做 *Physalis amno ramosissime ramis angulosis glabris foliis dentoserratis*。林奈把它回歸為 *Physalis angulata*，而此名稱一直沿用到今日。

當時除了名稱臭長之外，植物世界還深受取名欠缺一致性所混淆。僅僅只看名稱，植物學家並無法確定，一種叫做 *Rosa sylvestris alba cum rubore, folio glabro* 的植物，是否跟另一種叫做 *Rosa sylvestris inodora seu canina* 的，是同一樣東西。林奈把它們簡化成 *Rosa canina*，問題也就迎刃而解啦。但是要讓這樣的刪除簡化，變得有用且能獲得大家的一致認同，並不簡單，不是光有決心就可以辦到，這需要具有一種本能、一種過人的天賦，能一舉指出某個物種的醒目特質。

如今林奈系統已經發展到了一個無可取代的境界。在林奈出道之前，生物的分類經常是基於高度幻想。譬如說，區分動物的標準也許是以牠們經過馴化與否、生活在陸地上或是水中、體型是大是小，甚至牠們是否長得夠漂亮、夠高貴等來做分野。法國博物學者布方伯爵（Georges-Louis Leclerc, Comte de Buffon）則是以對人有無用途，來做為動物分類的主要標準，而解剖學上的考量幾乎完全忽略。

林奈決定在他有生之年，以改正此一重大缺憾為己任，他的理想是朝著純以身體的各種特性，做為所有生物的分類依據。自此分類學的發展方向既定，再也沒有回頭。

當然，系統的建立並非一朝一夕可以完成。林奈在 1735 年首次完成偉大的《自然系統》（*Systema Naturae*）一書之初版，前後只有十四頁。之後這本書逐漸擴充加長，到了第十二版（這是林奈生前親自看過的最後一版）時，已成為三大冊、總共 2,300 頁的巨著了。

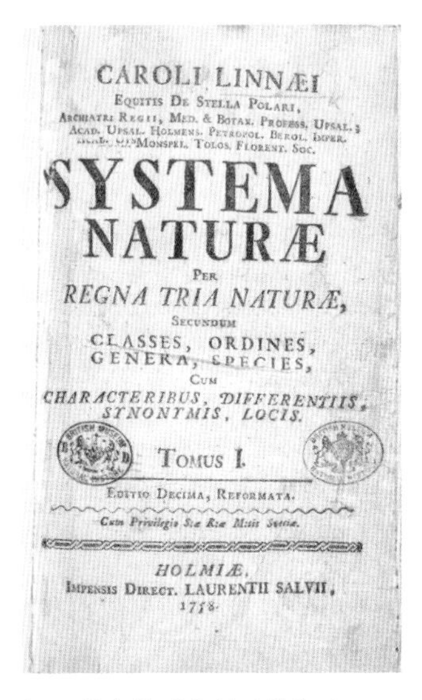

CAROLI LINNÆI
EQUITIS DE STELLA POLARI,
ARCHIATRI REGII, MED. & BOTAN. PROFESS. UPSAL.
ACAD. UPSAL. HOLMIENS. PETROPOL. BEROL. IMPER.
MONSPEL. TOLOS. FLORENT. SOC.
SYSTEMA
NATURÆ
PER
REGNA TRIA NATURÆ,
SECUNDUM
CLASSES, ORDINES,
GENERA, SPECIES,
CUM
CHARACTERIBUS, DIFFERENTIIS,
SYNONYMIS, LOCIS.
TOMUS I.
EDITIO DECIMA, REFORMATA.
Cum Privilegio S:æ R:æ M:tis Sveciæ.
HOLMIÆ,
IMPENSIS DIRECT. LAURENTII SALVII,
1758.

這是林奈的《自然系統》在 1758 年印行的第十版書名頁。這書自 1735 年首次出版後，內容不斷擴充，從只有十四頁的初版，到最後成為 2,300 頁的巨著。

最後清查下來，經由林奈命名或記錄的動植物種，總數達 1 萬 3 千左右。雖然這個數字並不驚人，比起其他同類著作只能算是「小巫」；譬如比他早了一個世代、一位英國植物學家雷伊（John Ray, 1627-1705）所著的三巨冊《植物歷史總覽》（*Historia Generalis Plantarum*），其中所述植物就不下 18,625 種；但是令他人望塵莫及的，是林奈系統獨有的前後一致、有條不紊、簡單明瞭、跟適時出現。

為什麼說適時出現呢？原來他的新系統雖然早在 1730 年代即已成形，但是得等一個世代之後的 1760 年代，才在英國開始廣為人知，當時林奈已經將近六十歲，正好成為英國年輕自然學者的父親形象人物，因而他的這套系統頓時在英國受到最熱烈的歡迎（這也是為什麼林奈學會的總部設在倫敦，而不是林奈的老家斯德哥爾摩）。

那些叫做「屁股」的植物

不過，林奈也並不是毫無瑕疵。因為聽信水手跟其他想像力豐富旅人的信口開河，他在生物分類系統中預留了空間，給神祕怪獸及各種「怪人」（monstrous humans）。

譬如怪人中有一種野人叫做「愚人」（*Homo ferus*），走路得手腳並用，而且不會說話，另外還有一種叫「有尾人」（*Homo caudatus*）。但是話得說回來，我們不要忘記，那是一個很容易受騙的時代，甚至連具有慧眼的偉大人物班克斯在十八世紀末期，也聽信謠言，認為真的有人在蘇格蘭沿岸一帶看到了美人魚。

不過整體說來，林奈的一些無心小過失，無損於他那健全且才氣縱橫的分類系統。在他的諸多成就之中，最奇妙的一件就是他居然看了出來，鯨魚跟牛、老鼠、以及其他一般的陸地上動物相同，都屬於「四足類」（Quadrupedia）這個目〔後來改稱為哺乳類目（Mammalia）〕。在他之前，沒有任何人有過類似的想法。

剛開始，林奈原本打算給每一種植物一個屬名、外加上一個數字，譬如旋花粉屬 1 號（*Convolvulus 1*）、旋花粉屬 2 號等等。但他很快就發覺不夠理想，才想到屬名加種名的雙名安排，結果成了這個系統的核心重點，傳承到如今。在發覺二名法的好用之後，林奈一度有意把它推廣、應用到世間自然界的每一件物品上，包括各種岩石、礦物、疾病、風等等。但並不是每個人都像他那麼熱中，許多人一想到這有可能帶來雙重不雅的名稱，就坐立難安。

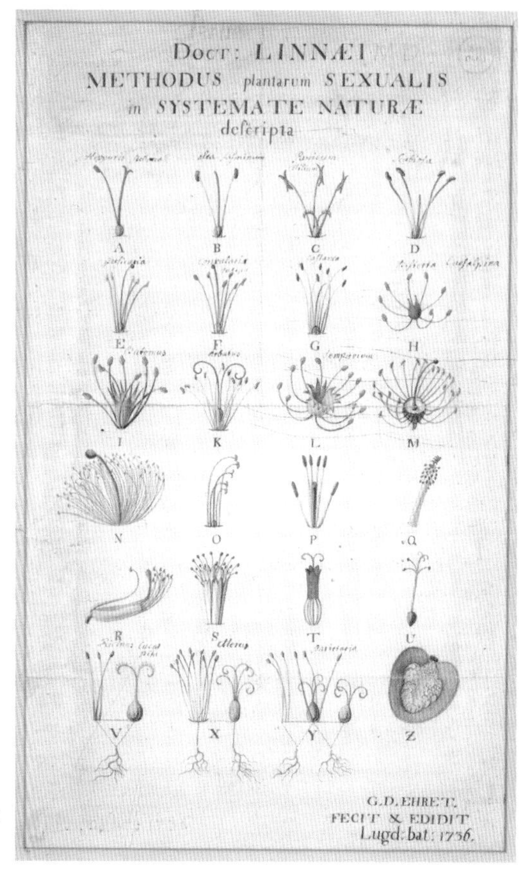

林奈所著《自然系統》書中的一幅水彩畫，這幅畫充分反映了林奈對於「性」的關注。

有些諷刺的是，在林奈之前，許多動植物的俗名都取得非常粗鄙。例如蒲公英很久以來，許多人都稱之為「尿床」（pissabed），原因是據說它有利尿的功效。當時常使用的其他不雅名稱還包括「母馬屁」（mare's fart）、「光身子的女士」（naked ladies，可指任何一種在開花時沒有長葉子的植物）、「抽搐的睪丸」（twitch-ballock）、「獵犬尿」（hound's piss）、「敞開的屁股蛋」（open arse）、「屁股毛巾」（bum-towel）等等。

這些粗俗的稱呼有一兩個到現在還存在。例如一種俗名為少女毛髮青苔（maidenhair moss）的植物，名稱裡的毛髮指的可不是頭髮。不管怎麼說，內行人之間早有個共同期望，想藉著重新命名的機會，把自然科學整頓一番，弄得莊重一些。所以當大家發現這位自封為植物學王子的林奈，在他應該正經八百的學術文字中，竟然散布著一些諸如陰蒂屬、通姦屬（*Fornicata*）、陰唇屬等名稱時，難免會相當不爽。

多年下來，自然科學朝著更專業的方向成長，因各種需要而引進改革的同時，許多林奈所取的這類不雅名稱都悄悄的取消掉了〔但也不是全部；例如那個常見的履螺（slipper limpet），如今在正式場合裡仍然稱為通姦螺（*Crepidula fornicata*）〕。

此外，由於該系統逐漸加進了更高階的分類層次，因而受到學界更大的支持。最低層次的屬（genus，複數為 genera）跟種（單複數都是 species）早在林奈出道之前，自然學者已經使用超過百年。它們之上的綱（class）、目（order）、科（family）都是在 1750 年代跟 1760 年代之間，陸續運用在生物學上。至於門

（phylum，複數為 phyla）這個字，則要再等一個世紀，到了 1876 年才由德國生物學家海克爾（Ernst Haeckel）創造出來。

科跟目一直都認為是可互換的對等層次，直到二十世紀初才劃分開來。有一段時期，凡是動物學家採用科的地方，植物學家都堅持要用目，因而使得所有人都幾乎有偶爾搞不清楚的時候 *。

林奈曾一度把動物世界劃分為六大類：哺乳類、爬蟲類、鳥類、魚類、昆蟲類、以及蠕蟲類（vermes 或 worm）。什麼是蠕蟲類呢？林奈的構想就是凡遇到會動的生物，而無法歸類到前五類的，就丟到這一類裡面。但是從一開始大家就發現，把龍蝦跟小蝦米都歸在蠕蟲類下，顯然不太能讓人滿意，於是新的類別諸如軟體動物門（Mollusca）跟甲殼綱（Crustacea）就應運而生了。

然而不幸的是，對這些新產生類別的取捨，各國各行其是而未取得共識。為了重建國際共通秩序，英國人在 1842 年頒布了一套新的規則，名為「史翠克蘭汀法則」（Stricklandian Code，也叫做英國學會法則）。法國人認為此舉相當蠻橫，於是法國動物學會也自行發布另外一套，且故意訂得跟英國法則格格不入。

* 舉個例子來說，人類在生物分類學上的位置，從最高層次往下依序是：真核生物領域（domain eucarya）、動物界（kingdom animalia）、脊索動物門（phylum chordata）、脊椎動物亞門（subphylum vertebrata）、哺乳綱（class mammalia）、靈長目（order primates）、人科（family hominidae）、人屬（genus *Homo*）、智人種（species *sapiens*）。（專家告訴我，英文的屬名與種名依慣例必須用斜體字，但其他較高層次的名稱則否。）有些分類學家還另外加上一些更細膩的劃分：例如族（tribe）、亞目（suborder）、下目（infraorder）、小目（parvorder，或輔助目），及其他等等。

同時，美國的鳥類學學會為了某些不明原因，決定要採用1758年版的《自然系統》，做為該學會一切命名的規範，然而當時除了美國之外，各國用的卻是較新的1766年版，結果是許多十九世紀的美國鳥兒，跟牠們在歐洲上空飛翔的表哥、表姊，被分發在不同的屬下。就這樣吵吵鬧鬧了一百多年之後，直到1902年，在一次國際動物學大會的會前會上，各國的自然學者終於捐棄成見，願意妥協和解，共同採用了一套統一的命名法則。

分類是戰場

有時人們將分類學當成一種講邏輯的科學，有時也認為這是門藝術，但事實上這是一個戰場。甚至在今日此刻，該系統內不遵循條理、法則的東西仍然比比皆是，出乎大部分人的意料。

咱們就瞧瞧「門」這個層次吧，它本是用來描述、分辨各種生物基本身體設計的層次。有些門是大家所熟悉的，像是軟體動物門（蛤蚌類與蝸牛類屬於這裡）、節肢動物門（昆蟲類跟甲殼類）、脊索動物門〔就是咱們跟所有其他具有一根脊骨或原型脊骨（proto-backbone）的動物〕。但是在這幾門以外，大家就多半不甚瞭解啦，比方說顎口動物門（Gnathostomulida，是一些海生蠕蟲類動物）、刺絲胞動物門（Cnidaria，其中包括了水母類、海葵、珊瑚類）、以及相當精緻小巧的鰓曳動物門（Priapulida，又稱「陰莖蠕蟲類」（penis worms）〕。

無論我們熟悉與否，它們都是基本類別，然而讓人驚異的是，大家對現有多少門或應該有多少門的意見都不相同；大多數生物學家認為，總數應在三十個左右，有些人則覺得只有二十出頭，而《繽紛的生命》的作者威爾森（Edward O. Wilson）卻把總數擴充到讓人極其意外的八十九。

為什麼會差這麼多呢？原因在於你決定要怎樣去切割罷了，正如同生物學家常喜歡說的：這得看你是個「撮合者」（lumper）、還是個「分割者」（splitter）而定啦。

對於那些比較普通的生物，大夥兒意見相左的機會就更大了。譬如某一種山羊屬（*Aegilops*）的草究竟應該叫做 *Aegilops incurva*、*Aegilops incurvata*，抑或是 *Aegilops ovata* ？這對不是學植物學的人來說其實都差不多，沒什麼要緊。但是如果遇到對的場合，討論的人可能因此吵翻天。問題是出在草有五千個不同的種，其中許多長得非常相像，即使是多年與草為伍的專家，也不容易分辨出來。

結果是有些種類重複的發現、命名至少二十次，而且幾乎沒有一個種，不曾由不同的人鑑定、命名過至少兩次。那部厚達兩巨冊的《美國草手冊》，居然就用掉了密密麻麻、印滿文字的兩百頁篇幅，去整理出該手冊中所有的同義辭，就像一般生物學的書本常會加上的勘誤表那樣，用來指出難以避免的重複。而這麼多的重複，竟只牽涉到一個國家的各種草而已。

為了便於處理分類學的全球不同調問題，學界成立了一個叫做國際植物分類協會（International Association for Plant Taxonomy）的機構，在遇到發生爭議的狀況時，提供仲裁服務。每隔一段時間，協會就公告一些裁決結果，例如宣布加州吊鐘花

（*Zauschneria californica*，為假山庭園中常見的一種栽培植物），此後正式改名為 *Epilobium canum*。或者是某種麗絲藻屬的植物（*Aglaothamnion tenuissimum*）如今認定跟 *Aglaothamnion byssoides* 為同種，而與 *Aglaothamnion pseudobyssoides* 是不同種。

通常這些公告涉及的，都是一些芝麻綠豆大、整修彌補的事務，很少引起人們注意。但是偶爾當它們觸及到大夥兒喜愛的園藝植物時，就會無可避免的激起眾怒，掀起軒然大波。其中一例是在 1980 年代後期，該協會根據明顯的科學原理，裁定普通菊花（common chrysanthemum）不該歸於同名的菊屬（*Chrysanthemum*）下，而將其放逐到較為乏味、不得人緣的另一種菊屬（*Dendranthema*）中。

種植菊花的人往往有菊花的高傲性格（而且還為數不少），他們不願意嚥下這股鳥氣，於是群起向該協會的種子植物委員會抗議。其他類似的委員會還有蕨類植物、苔蘚植物，跟真菌等等，全隸屬在一位頭銜為「總報告人」的主管轄下。

幸好有這樣的申訴管道。雖然專有名詞的規矩訂得極其嚴格，絕不容許任意更動，但是植物學家也不能全然漠視情感因素。於是到了 1995 年，感情終於獲勝，科學讓步，該協會收回成命，菊花再度回歸到原來的菊屬，愛菊人皆大歡喜。

而這個菊花抗爭可不是單一事件，類似的裁決還把矮牽牛類（petunia）、衛矛類（euonymus），跟一種非常多人喜愛的孤挺花（amaryllis），也從降格的命運中拯救了回來。但是許多原先都稱做老鸛草（geraniums，通常此字中譯就是天竺葵）的植物卻失敗了，幾年前在一片群情激憤的抗議聲中，最後還是給轉移到天竺葵屬（*Pelargonium*）之下。這些有趣的鬥爭歷史，可以在艾略特（Charles Elliott）寫的《種花室文獻》（*The Potting-Shed Papers*）一書中讀到。

猜猜有多少物種

基本上，類似的抗爭與更改成命事件，幾乎在所有生物學界的各領域都發生過，影響之餘，使得要去統計某個領域中究竟有多少個物種，實在不是外人可以想像的那樣單純。而更讓人難以相信的事實是，我們對地球上現有物種總數根本沒什麼概念；我引用《繽紛的生命》作者威爾森的話：咱們連總數該是幾位數字都搞不清楚。一般的估計範圍是在三百萬到兩億個物種間。更難以想像的是，根據《經濟學人》上的一篇報導，世界上有高達 97% 的動植物尚不為人知，有待發現。

至於那些我們認為已知的生物，其實每 100 種裡面超過了 99 種，我們所知道的只是一個大概輪廓而已，威爾森形容咱們對這 99 個物種的知識深度僅僅是：給它取了一個科學名稱（也就是學名）、在某個博物館裡展出少數幾個它的標本，以及在科學期刊裡發表了幾篇有關它的簡單特寫，如此而已。

威爾森在他的《繽紛的生命》一書中，估計把所有已知物種加起來（包括各種植物、昆蟲、微生物、海藻……每樣東西），總數大概是 140 萬左右，然後強調說這只是他的猜測。其他專家的說法則比威爾森的稍微高了些，大多是在 150 萬到 180 萬種之間。只是由於普天之下，沒有中央物種註冊處這樣的機構存在，所以我們也就無從去追蹤查證，究竟誰的估計比較接近事實。簡單的說，我們竟然不知道我們到底瞭解些什麼。

理論上事情不應該這麼糟糕，因為整個生物界已經有許多專業領域，而你應該可以到每個領域去請教幾位專家，詢問他們對自己領域中物種數量的意見。等你拜訪完每個領域後，把這些專家給你的數字加起來平均，必然會比僅靠你一個人坐下來胡思亂想、瞎猜所得的結果要高明些。事實上，許多人都有這個聰明的「科學」想法，也都去身體力行過，但問題是即使在同一個領域的專家，他們給你的數字不但不同，連相近都談不上。

譬如說，你去拜訪一位真菌專家，他告訴你已知的真菌有 7 萬種，而另一位則告訴你是 10 萬種，後者比前者多出將近一半。同樣的，你若去問蚯蚓專家，一位會信心十足的告訴你：已知蚯蚓的物種數目是 4 千，但是下一位卻會同樣信心十足的告訴你，已知蚯蚓物種數目高達 1 萬 2 千，兩者相差了三倍。

至於昆蟲方面，詢問的結果大概都在 75 萬到 95 萬之間，但你得瞭解，這是已知物種的數目，而不是全部物種的估計。植物方面，一般大家能接受的數字是 24 萬 8 千到 26 萬 5 千，這兩個數字差的百分比似乎不是很大，但是實際的相差數字 1 萬 7 千，可是整個北美洲所有開花植物總數的二十倍呢。

在現實情況下，要把既有的資料去蕪存菁的做一番整理，可不是一件簡單輕鬆的工作。

1960 年代起頭那幾年，澳洲國家大學的教授葛羅夫斯（Colin

Groves）著手對已知的 250 多種靈長類動物，進行一項有系統的調查工作。其間他經常發現，同一種動物往往由不同的「發現者」不只一次的發現、描述（有的甚至一連好多次），而這些發現者卻完全不知道，他們所遇到的新奇動物早已經過別人發現，且有正式的紀錄在案。

結果葛羅夫斯前後花費了四十寒暑，才把所有資料整理清楚。要知道，他所面對的僅僅是一群為數不多、彼此之間容易辨識、一般說來沒什麼爭議的動物而已。如果有人要進行類似的調查工作，但是所選的對象是全球估計已知有 2 萬種的地衣，或是 5 萬種的軟體動物、或是高達 40 萬種的甲蟲，天知道出來的結果會是如何。

有件我們確知的事實是：世界上仍有著非常多的物種有待我們去發現。這個數字究竟有多少呢？我們得根據外推法去估算，有時取樣距離不得不非常遙遠。1980 年代有個著名的例子，當時美國史密森協會的爾文（Terry Erwin）跑到中美洲巴拿馬的熱帶雨林，選了一處共有十九棵樹的樹叢，在樹下的地上鋪好細網後，用噴霧器把這叢樹以某種殺蟲劑水溶液徹底灌飽，讓樹上的蟲蟲掉落到網裡，好方便他蒐集檢查，得知有哪些昆蟲在樹上生活。他重複了這個實驗多次之後（因為在不同的季節裡重複，可以把隨著季節遷移的種類也包含進來），發現光是甲蟲類就高達 1,200 種形態。

有了這個實驗數據之後，爾文設計出一個具有一長串變數的合理公式，除了代入這個實驗值外，並根據其他各處的甲蟲分布

這是各種甲蟲的標本。甲蟲可說是昆蟲世界裡數量最龐大、種類也最多的生物，目前已有紀錄的甲蟲約 25 萬種。除了在海洋、極地之外，幾乎在地球各處都能發現甲蟲的蹤跡。

美國昆蟲學家爾文在熱帶雨林中用殺蟲劑噴灑樹叢。他以在雨林中的昆蟲調查結果，估計地球上所有的昆蟲約有 3 千萬種。

情形、該實驗雨林裡其他樹種的數目、世界上森林的總數、其他甲蟲形態的數目……等等，最後他估算出全球共有 3 千萬種不同的昆蟲。然而稍後他又宣稱，3 千萬還過於保守。

有其他人借用爾文的實驗數據，套入他們各自認為「更為合理」的公式，結果分別得到全球昆蟲種類總數為 1,300 萬、8 千萬、甚至 1 億。由此例子我們可以得到一個結論，那就是無論怎樣合乎科學原理的小心行事，你都無法完全剔除估算值中的臆測部分。

根據《華爾街日報》的報導，這世界上有「大約一萬名活躍的生物分類學家」，而當你想到有那麼多東西在等著他們處理的時候，你就覺得這個人數實在不能算多。但是該報導又說，由於研究成本（每一種約需兩千美元）跟費時的文書工作，每年能夠完成注記手續的新物種，總共僅約 1 萬 5 千左右。

在肯亞首都奈洛比的肯亞國家博物館擔任脊椎動物部門主管，出生於比利時的梅斯（Koen Maes）大聲吼道：「這不是生物多樣化危機，這是一個生物分類學家危機！」2002 年秋天，我曾到該國作短暫訪問，見到梅斯。他告訴我，目前整個非洲找不到一位專業生物分類學家，「以前在象牙海岸曾有一位，但是我想他現在已經退休了。」

養成一位生物分類學家需要八年到十年的時間，但如今短期內會在非洲出現的，可是連一個都沒有。梅斯接著說：「他們真的要成為化石了。」他提到自己到年底時也將捲鋪蓋走人，他來肯亞工作七年之後，合約沒有更新，原因是雇主缺乏經費。

英國的演化生物學家戈德費（Charles Godfray），於 2002 年在《自然》期刊上發表了一篇文章指出：全球各地的分類學家都「缺乏應該得到的尊敬跟資源」。因而「如今他們在一些零散的出版刊物上所發表的許多新物種，不但論述水準很差，也不企圖去把新的分類單位＊跟既有的物種與分類方式做個分析比較」。更糟糕的是，分類學家的大部分工作時間並不是用在描述新物種，而是在整理、挑選舊有物種。

＊　分類單位（taxon）是用在動物學上，表示諸如門或屬等類別的一個正式名詞，英文的複數形式為taxa。

根據此篇文章，許多人「浪費他們的大部分事業，去解釋十九世紀系統學家的論文：分析他們發表過但經常是不夠充分、不夠適當的敘述，或是跑到世界各地的博物館去搜尋典型標本，而那些標本的狀況通常都非常殘破。」戈德費還特別強調，大家都忽略了網際網路可以用在系統化方面的潛力。

事實上大體說來，滿有意思的是，生物分類學仍然離不開論文。為了要把古典的生物分類學現代化，2001 年《連線》（*Wired*）雜誌的一位共同創辦人凱利（Kevin Kelly）開始了一項龐大計畫，名為泛物種基金會（All Species Foundation），目標是要找出世界上的每一個物種，並且把它們逐一記錄在一個物種資料庫內。

這件大工程的所有費用據估計應在二十億到五百億美元之間，不過在次年（2002 年）春季，該基金會可動用的專款只有一百二十萬美元，而雇用的全職員工僅四人而已。如果以上討論的數字不至於太過離譜，我們大概還有一億種昆蟲等待人們發現，而又假設我們將來發現的速度維持目前這樣的步伐，那麼我們今後還得等上一萬五千多年，才能得知昆蟲的確切種數，而動物界的其他生物類別，也許還需等得更久。

為什麼目前我們知道得這麼少呢？這個問題的原因多得可以跟尚未點到名的物種數目一樣（因為每一種可能都有還沒發現的原因嘛，不是嗎？）。由於篇幅有限，在這裡只舉出其中比較重要的幾個：

大多數生物的個頭很小，容易被我們忽略。

在現實環境裡，這一點理由倒不見得一定是件壞事。何以這麼說呢？如果你曉得了你的床墊裡面，住著兩百萬隻要用顯微鏡才看得見的蟎類，你對生活的滿意度一定會大打折扣。牠們會在大清早跑出來，趁你熟睡時潛行到你身上，吸取你的皮脂油，且大啖你在睡夢中脫落下來的香脆皮屑。光是你的枕頭裡面也許就藏有四萬隻這種小蟲。（對牠們來說，你的腦袋瓜只是一個美味

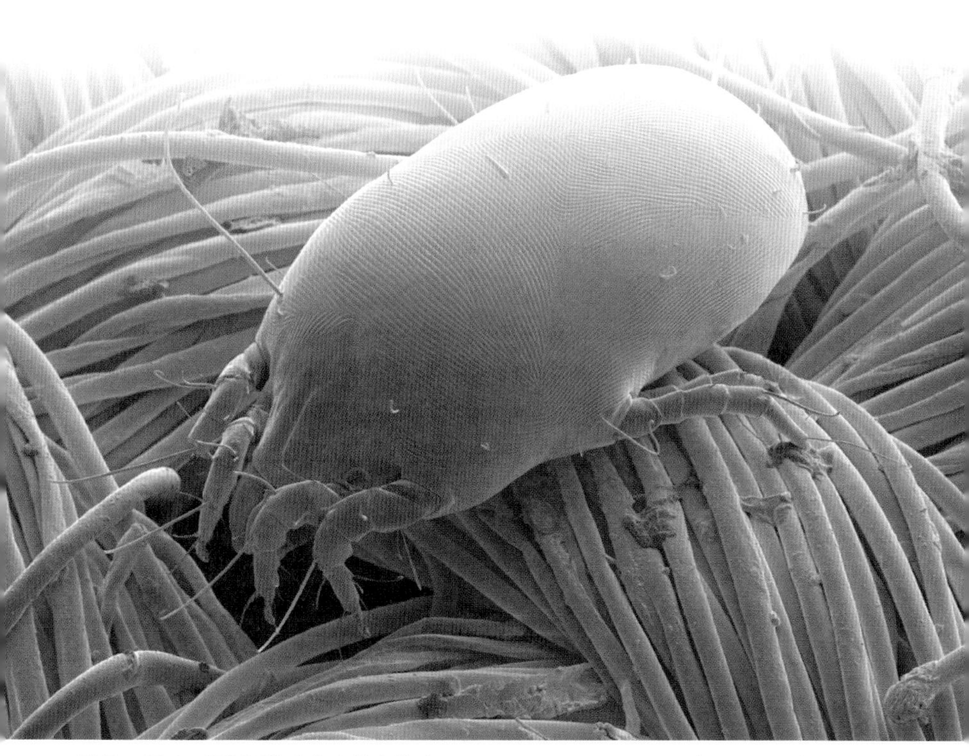

這是一張以顯微攝影技術放大的塵蟎（*Dermatophagoides pteronyssinus*）照片，一般家庭中的塵蟎以人的皮屑維生，一個枕頭上平均約有四萬隻這種微小動物。

的巨大油脂棒棒糖）。你不要以為經常換上乾淨的枕頭套就能改變這一切，事實上完全不可能。因為以床蟎的尺寸來說，最緻密的人造織物上的經緯細線，看起來都像是海船上最粗大的繩索一般，壓根兒攔不住牠們。

沒錯，如果你的枕頭已經有六年「新」（六年差不多剛好就是一般枕頭的平均壽命），你可知道，那枕頭就有一成的重量，是由「你蛻下來的碎皮屑、活著的蟎類、死掉的蟎類、以及蟎類的糞便」所構成。

上述引號裡的這段文字可不是我瞎掰的，它們是來自英國醫學昆蟲中心的蒙德（John Maunder）醫師的一份正式報告，而蒙德就是研究、分析枕頭重量的那位先生。（你枕頭裡的蟎類至少是你自己的身體養的。以後當你要爬上汽車旅館的床，想想那些即將跟你同床共枕的蟎類跟皮屑吧！）＊這些蟎類跟人類的交情顯然極為深厚，但是什麼時候開始締交的已不可考，雖然如此，我們一直到了 1965 年，才發現牠們的存在。

如果跟人類關係這麼親近的床蟎，都得等到彩色電視時代才有人注意到，那就無怪乎我們對微小世界裡、其他大部分生物的瞭解都極其有限。你可以走到郊外樹林裡（任何樹林都一樣），彎腰隨意從地上抓起一把泥土，這把泥土內就含有多到一百億隻的細菌，而其中絕大部分的種類在科學上仍屬未知。

＊ 在一些個人衛生清潔事務上，我們實際上是在節節退步。蒙德醫師認為，使用低溫洗衣機清潔劑的趨勢，無異於鼓勵這些蝨子的繁殖跟氾濫。他說：「如果你選用低溫清洗髒（lousy）衣物，得到的只是比較乾淨的蝨子（lice，louse 的複數）。」

除了細菌之外，這把泥土裡還可能有一百萬隻體型豐滿的酵母菌、二十萬隻左右我們稱做黴菌的長毛小真菌、一萬來隻原生動物（其中我們最熟悉的類型就是阿米巴原蟲），再加上一些各式各樣的輪蟲（rotifer）、扁蟲（flatworm）、蛔蟲（roundworm），以及統稱為前寒武紀動物的微生物。這些非細菌的微小生物跟細菌一樣，大部分仍然是未知。

目前內容包羅得最廣的一本微生物手冊，叫做《柏吉氏系統細菌學手冊》（*Bergey's Manual of Systematic Bacteriology*），其中收錄了大約 4 千種細菌，這的確相當了不起。

不過在 1980 年代，有兩位挪威科學家，戈克沙爾（Jostein Goksøyr）與托斯維克（Vigdis Torsvik），就在他們位於卑爾根（Bergen，挪威西南角上一港市）的實驗室附近、一個山毛櫸樹林裡，隨意從地上採來一公克的泥土，拿回實驗室後仔細分析其中的細菌。結果他們發現就在這麼一丁點的樣本中，居然包含了 4 千到 5 千種不同的細菌，比上述的《柏吉氏手冊》裡的總數還多了些。之後，他們又跑到數公里外一個靠海的地點，同樣採集了一公克的表土來作分析，結果發現其中包含著「另外的」4 千種到 5 千種不同的細菌！

博物學家威爾森論及此事時認為：「如果從同在挪威而相距不遠的兩地、採集來的兩撮泥土中，包含超過 9 千種細菌看來，你可以想想，世界上那麼多環境條件截然不同的地區，總共會有多少種細菌有待發現呢？」有人據此估計，說這個總數可能高達 4 億。

以往我們尋找的地方不對。

在《繽紛的生命》這本大作裡，作者威爾森描寫一位植物學家跑到婆羅洲去觀光，在當地一處叢林裡徒步旅行數天，其實他走過的範圍也不過十公頃大小，結果就發現了 1 千種他不知道的開花植物，這比起整個北美洲已知的總數還多了些。要發現植物並不困難，問題是在那位植物學家去之前，還沒有其他西方植物學家去過那兒罷了。

肯亞國家博物館的梅斯告訴我，有回他跑到一處「雲林」（cloud forest，雲林是肯亞人對山頂森林的特有稱呼），他在那兒僅僅待了半個小時，「也沒有很仔細的去尋找」，居然就發現了四種新的節肢動物，其中的三種還各自代表一個新的屬，另外還有一個新的樹種。「好大一棵樹咧！」說時他把雙臂伸開，高興得似乎要跟一位無形巨人跳舞的樣子。雲林位於高山的平頂上，有時會跟外界隔絕長達數百萬年之久。梅斯說：「雲林提供了一種很理想的生物環境，卻幾乎從來沒有人去研究過。」

總計起來，熱帶雨林的面積只占了地球總面積的 6% 左右，但是卻蘊藏著超過半數的動物種類，以及大約三分之二的開花植物。而這些雨林中的動植物大多仍不為人知，原因就是到雨林裡去做研究的科學家太少。一點也不意外的，這種研究可能很有價值，因為至少有 99% 的開花植物，從未有人去測試過它們的化學成分與醫療功效。

由於植物不能移動，無法用脫逃的辦法去避免被其他生物吃掉，因而必須設計出一些化學防禦方法，使它們富含一些有趣的化學物質。即使是今日，在所有處方藥中就幾乎有四分之一，是從僅僅四十種植物中提煉出來的，而另有 16% 則是來自動物或微生物。所以當我們砍伐森林時，每失去一公頃的樹木，都加深我們喪失重要醫藥的可能危機。

如今化學家可以利用一種新的所謂組合化學（combinatorial chemistry），在實驗室裡一次製造出四萬種化合物來，但是這些製成品是漫無目標的隨著化學反應而來，很可能在現實環境中毫無用途。然而任何自然分子必然有它的功用，因為它已經通過了《經濟學人》所說的，「跟長達三十五億年的生物演化史同步的一套終極篩選程式的考驗」。

尋找陌生的物種也不是一定要旅行到遙遠、偏僻的地方去。在《生命：未經認可的自傳》一書中，作者福提舉出了一個例外：有人在一家鄉村酒店的一面牆上發現了某種古老細菌，原來「數個世代以來，人們一直對著這面牆小便」；不過，這個發現似乎牽涉到發現者不尋常的好運與對研究的專注，以及他也許具有不便說出來的特殊性格。

專家人數不足。

有待發現、檢驗、跟記錄下來的未知物種實在太多，完全不是現有的科學家人力可以負荷得了。這兒我舉個例子，有一類能吃苦耐勞、卻鮮為人知的生物，叫做蛭形輪蟲（bdelloid rotifer），牠們是一般人必須在顯微鏡下才看得見的動物，幾乎能在任何逆境中生存。當環境條件變惡劣時，牠們會將身體捲曲緊

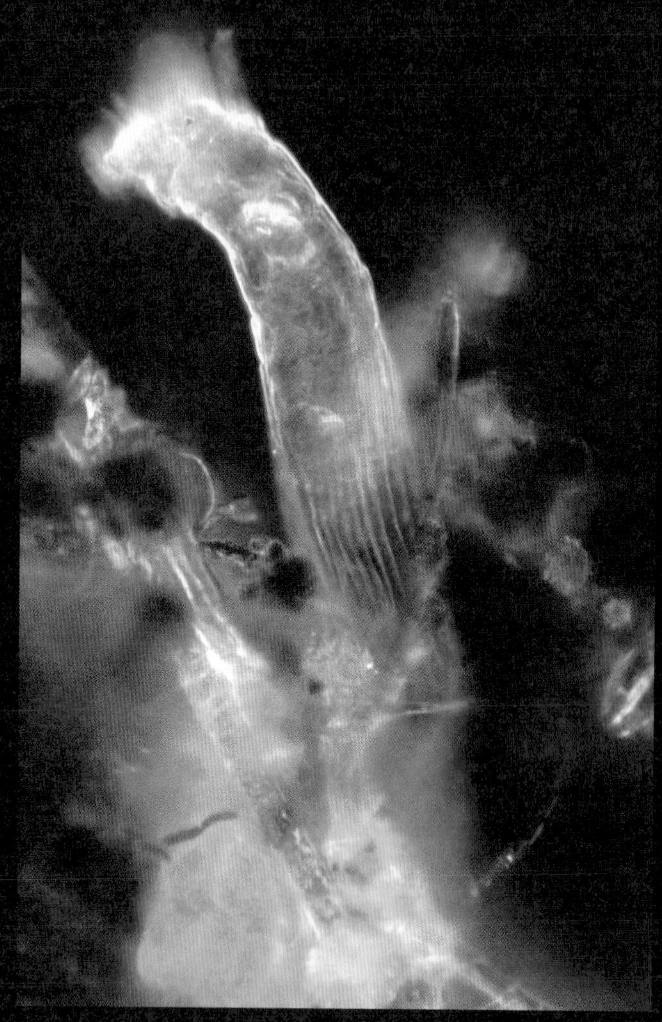

這是放大三百七十倍的蛭形輪蟲。由於研究牠們的專家非常少，因此沒有人能夠確切的知道，世界上到底有多少種這類輪蟲。

縮起來，關閉體內的代謝作用，靜待較佳的時刻到來。在這個階段，你可以把牠們丟進沸騰的水裡，或把牠們冷凍到接近絕對零度（若到達絕對零度時，連原子們都得投降）。然而在經過了如此嚴重的折磨後，若是接下來環境轉佳，牠們依然會舒展開來，重新生活、繁殖，好像那些折磨從未發生過。

到目前為止，經過驗證的這類輪蟲約有 500 種（有其他消息來源說只有 360 種），但是沒有任何人能夠確切的說，這世界上究竟總共有多少種蛭形輪蟲。長久以來，我們對牠們的知識，幾乎完全來自一位非常投入這項研究工作的業餘專家。他是生活在倫敦的辦公室小職員，名叫布萊斯（David Bryce），他只利用工作餘暇進行這方面的研究。這類輪蟲其實相當普遍，蹤跡遍布全球，但是如果你打算邀請全世界的蛭形輪蟲專家一起到你家吃頓晚飯，你絕對用不著去向隔壁鄰居借餐盤。

就算連重要性跟普遍性有如真菌者（真菌可真是既重要又普遍），吸引到的注意依然非常有限。真菌可真是無所不在，而且各種形態琳琅滿目，像是各種蕈菇、黴菌、酵母、馬勃菌等等，而且它們的數量之大，幾乎是有目共睹。若是我們把一公頃草地上生長的真菌全部採來堆在一起，總重量會有 2,800 公斤。

它們可不是些無足掛齒的生物，要是沒有真菌，就不會有馬鈴薯晚疫病（potato blight，在歷史上曾造成歐洲大饑荒，使得愛爾蘭人大批移民海外）、荷蘭榆樹病（Dutch elm disease，名列當今「生物殺手」前十名）、胯下頑癬、香港腳，而且也不會有優酪乳、啤酒、乳酪可以享用了。到目前為止，經過人們驗證過的真菌種類全部加起來，大約有 7 萬個，但是大家認為，真菌的實際種類總數可能高達 180 萬。

許多真菌學家受雇於工業界，研發乳酪、優酪乳等產品，所以很難說有多少這方面的專家在積極做研究，但是保險的說法是，未知的真菌種類數目絕對比找尋它們的人多。

這世界真的很大。

由於航空旅行跟其他形式傳播交流的便捷，讓我們印象中覺得世界並沒有那麼大，但是從必須腳踏實地的研究人員的實務經驗看來，地球的確大得驚人，大到處處充滿了驚奇。

我們現在知道，長頸鹿的一種近親霍加㹢（okapi，跟長頸鹿外形頗類似，但體型較小些），在中非洲薩伊的雨林中存有相當的數量（總數據估計達三萬頭）；然而在二十世紀到來之前，西方人完全不知道有這麼一號動物。

紐西蘭地區有一種不會飛的大鳥，叫短翅水雞（takahe，也有人稱之為南秧雞或無翼鳥），過去大家以為牠在兩百年前絕了種，結果近來有人在紐西蘭南島崎嶇不平的地方，發現牠仍然活著。

1995 年有一個由英法科學家組成的團隊跑到西藏去探險，在一處偏遠的山谷中碰到大風雪而迷失了方向，卻意外的遇到一種叫做類烏齊（Riwoche）的馬。西方人從前只在史前洞穴壁畫上見過這種馬，因此視之為了不起的大發現，但是當該山谷的居民聽到全球別地方的人都從未見過這種他們「常見」的馬，卻驚訝得說不出話來。

短翅水雞生長在紐西蘭，是一種不會飛的鳥類，以往大家認為牠們已在兩百年前絕種，但經過歐倍爾（Geoffrey Orbell）鍥而不捨的尋找，終於在 1948 年，於地處偏遠的紐西蘭莫契森山區找到約 250 隻短翅水雞的蹤跡。雖然如此，目前牠們仍是非常稀有的瀕危物種。

有人認為，也許更大的意外還在後頭。1995 年《經濟學人》有篇文章提到 :「一位頂尖的英國人種生物學家（ethno-biologist）認為，有一種叫大獺獸（megatherium 或 giant ground sloth）的生物，站起來跟長頸鹿一般高……牠們也許潛伏在南美亞馬遜河盆地、一些外人很難進入的地方。」

也許很重要的是，這篇文章沒把那位人種生物學家的姓名透露出來；也許更重要的是，這故事似乎斷了線，後來我們沒有再聽到這位專家跟他的大獺獸如何如何。雖然如此，卻沒有人能夠站出來說，絕對沒有這樣的生物，除非他曾到過當地，逐一檢查過叢林中的每一塊空地而毫無發現。但我們不知要到哪年哪月，才能做到這一點。

但是即使我們訓練出數以千計的田野調查人員，分別派遣他們到世界上最遙遠的角落，或任何可能有生命的地方去進行實地調查，效果依然會非常有限。為什麼呢？要知道生命世界不尋常的豐沛跟多產實在叫人吃驚，甚至叫人很滿意，以致於田野調查實在是困難重重。如果要調查周詳，你必須翻開每一塊石頭、仔細檢查森林地面上的每樣雜物、篩選無數的砂石與塵埃、爬上每一棵樹，以及設計出一些更有效率的方法去檢驗海裡的生物。即使你做到了上述的每一點，你還是忽略了各種生態系統的整體。

1980年代，有幾位業餘探窟者進入位於羅馬尼亞境內一座很深的洞窟內探密，此洞出口在不知多少年前就被封死。結果他們在洞裡發現了二十三種昆蟲跟其他小動物（包括蜘蛛、蜈蚣、蝨子等），牠們全部都是瞎子，身上沒有顏色，而科學界也從未見過這些生物。牠們靠吃洞裡構成水池表面浮渣的微生物過日子，而這些微生物則是吃溫泉散發出來的硫化氫存活。

我們的直覺也許會把無法徹底追蹤所有線索的這項事實，認為很受挫折、很讓人氣餒，也許甚至給嚇住了。但我們若是改從另一個角度看，也可以將它看做是讓人極度興奮的事。事實上，我們居住的行星有著無窮盡的驚喜等待人去發掘，難道你能說這不是讓人夢寐以求的優點嗎？

每當我們漫步、瀏覽分散在現代科學中的各個學門時，最引人注意的幾乎都是發現到有許多人，為了要解決一些最奢華、奧祕的問題，願意奉獻自己一生的時光去做研究。古爾德在一篇論文中提到，一位名叫克蘭普頓（Henry Edward Crampton）的動物學家，從 1906 年開始到 1956 年他去世前，前後整整有五十年的時間，靜靜的研究玻里尼西亞海島上、一類屬名為 *Partula* 的陸上蝸牛。一次又一次、一年復一年，克蘭普頓極有耐心的去仔細測量（量到小數點後八位數字）無數個 *Partula* 身上的螺輪、弧度和些微的曲線，然後把量得的數據依序列成一絲不苟的表格。在他的任何表格裡，每行數據都代表他好幾個星期的測量與計算成果。

另一位學者金賽（Alfred C. Kinsey, 1894-1956），或許在犧牲奉獻方面略輸給克蘭普頓，但是他讓人意外的程度則絕對是有過之而無不及。金賽在 1940 年代跟 1950 年代期間，因為研究人類性學而聲名大噪。但是在他的腦袋完全充滿了性之前，金賽是一位非常固執的昆蟲學家。在一次為時長達兩年的外出採集行程裡，他在荒山野地徒步旅行了 4 千公里，只為蒐集黃蜂。那次他總共逮到三十萬隻，至於遭黃蜂叮了多少次，則沒有記錄下來。

過去在我心裡一直有個疑問，那就是在這些神祕、獨特的領域內，如何才能保證香火繼續下去。因為很顯然的，在這個世界上不可能有許多研究機構，會去要求（或隨時準備資助）有抱負的年輕人成為藤壺專家，或是太平洋蝸牛專家。當我結束了在倫敦的國家自然史博物館之行，跟福提分手道別時，我問他科學界

這是動物學家克蘭普頓所著的《*Partula* 屬蝸牛的變異、分布以及演化》（*Studies on the Variation, Distribution and Evolution of Genus Partula*）中的一頁。克蘭普頓發揮驚人的毅力，以五十年的時間，在玻里尼西亞記錄 *Partula* 屬陸生蝸牛的細微特徵。

如何能保證，當一位專家收山後，一定會有人接替他的位置？

他聽了我的幼稚想法後，忍不住笑出聲來，然後回答道：「可惜事情並不如你想像的那樣，會有人等在一旁，就像球賽中坐在冷板凳上的候補球員，隨時準備上場去遞補空缺。事實是當一位專家退休或者很不幸的去世時，他所研究的冷門學問就會隨之停頓下來，有時還會耽誤很長的時間呢。」

「我想也許這就是你把那位花費了四十二年光陰，只為研究單一植物種的先生當作寶物看待的原因了，即使他沒有搞出什麼名堂來。對嗎？」

「確實如此，說得沒錯！」他看起來正經八百，一點兒都不像是在敷衍我。

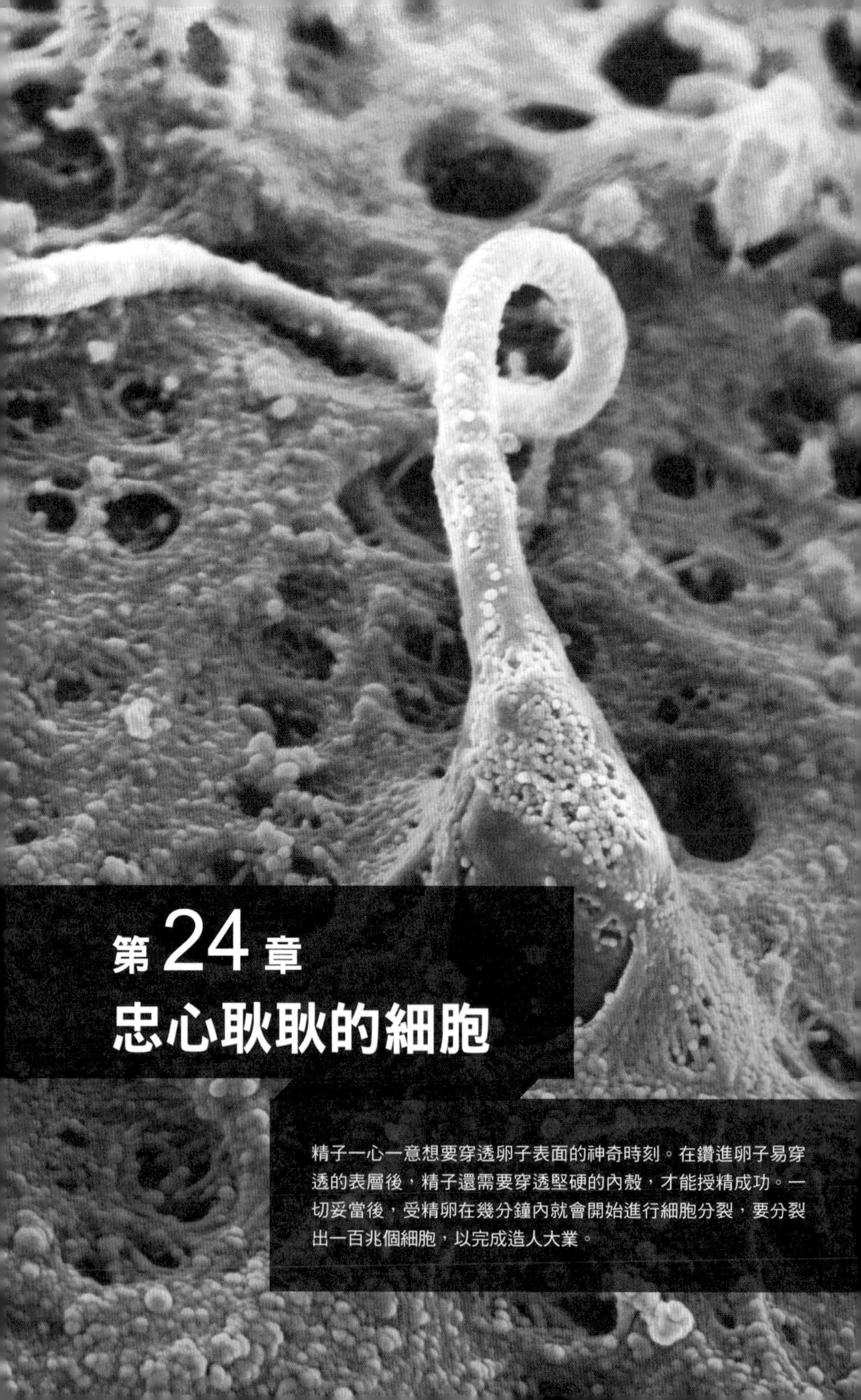

第24章
忠心耿耿的細胞

精子一心一意想要穿透卵子表面的神奇時刻。在鑽進卵子易穿透的表層後，精子還需要穿透堅硬的內殼，才能授精成功。一切妥當後，受精卵在幾分鐘內就會開始進行細胞分裂，要分裂出一百兆個細胞，以完成造人大業。

從單一細胞開始進行分裂後，一分為二、二分為四、四分為八……如此繼續下去，僅需要四十七次的倍增，你就有近一百兆（100,000,000,000,000）個細胞。有了這一百兆個細胞之後，你就具有足夠的基本條件躍居為人＊。妙的是從你在孕育之初到你嚥下最後一口氣之間的一生當中，這些細胞中的每一個，都確切知道要如何捍衛你、養育你。

對你的細胞來說，你像是一本翻開的書，毫無祕密可言，細胞對你的瞭解遠比你自己知道的多。每一個細胞都攜帶一份完整的基因代碼。基因代碼就是你身體建構的說明手冊，所以細胞不只知道如何履行職務，也知道身體內所有的其他工作。

你一生當中，永遠不必提醒身上的細胞，去注意它的腺苷三磷酸（ATP）量是高是低，或去找地方儲存意外多出現的一丁點葉酸。細胞不但會自動替你辦妥這兩件事情，也會搞定無數類似的任務。

自然界裡的每一個細胞都是一個奇蹟，最簡單的細胞也遠超過人類的發明能力。

譬如要建造一個最基本的酵母菌細胞，你需要的微型零件總數，大約跟最先進的波音 777 噴射機相若。你還得把它們裝配起來，成為直徑五毫米的小球。最後你還必須說服這個小球繁殖後代。但是酵母菌細胞完全比不上人類的各種細胞。人類細胞不但

＊ 事實上，細胞分裂並不是立竿見影的事情，細胞的發展過程都得花費一些時間，其中細胞不免會有折損，所以經過了若干次倍增後，並不見得就會出現計算機算出來的數目。實際數字只能靠猜測罷了，不同資料來源的估計，相差達百、千、萬倍都有。

花樣眾多、結構複雜，而且它們之間繁複的交互作用，直讓人看得眼花撩亂。

你身體的細胞就像國家裡的一百兆名公民，每人都負有獨特的任務，盡心盡力對你的健康做出貢獻。它們肯為你做任何事，諸如讓你感覺快樂、形成思想；讓你站起來、伸展身體、奔跑跳躍。你吃東西時，它們幫你把食物中的養分抽取出來，分配能量到身體各處、排泄無用的廢物，這些你在國中生物課裡都學過。

細胞還記得先讓你有饑餓感，吃完食物後再有滿足感，這樣你才不會忘記下次再吃東西。它們讓你的毛髮增長、耳內長垢、腦裡有低鳴。它們照顧管理你全身的每個角落，你一受到威脅，它們會馬上跳出來捍衛你的安全，毫不猶疑的赴湯蹈火，犧牲性命在所不惜。

事實上你身上每天都有數十億個細胞因此死亡。然而你一輩子都從未對它們說過一句感謝的話。所以現在讓我們花點時間，談談細胞究竟有多麼了不起，我們應該給它們應得的掌聲。

我們對細胞如何做它們在做的事情，有些微的瞭解，但也只是一丁點而已，例如我們知道細胞堆積脂肪、製造胰島素、參與其他種種活動，以維持像你這個錯綜複雜個體的生存。在你身體內至少有 20 萬不同型的蛋白質在為你拚命，但是到目前為止，我們確實瞭解它們究竟在幹啥的，不超過 2%。（有人並不同意，認為應該是 50%。顯然其間差別取決於各人對「瞭解」這兩個字的認知。）

在細胞層次上，經常會有驚奇出現。自然界中，一氧化氮是可怕的毒物，也是空氣汙染常見的成分。所以在 1980 年代中期，當科學家發現人類細胞內，居然以頗奇怪的獨特方式在製造這種化合物時，當然覺得有些意外。發現之初沒人知道一氧化氮的用途何在，但隨後科學家開始發現，它幾乎無所不在：控制血液的流動跟細胞能量水準、攻擊癌細胞跟其他病原體、調節嗅覺、甚至幫助陰莖勃起。

一氧化氮也解釋了為什麼著名的炸藥硝化甘油，能用來減輕心絞痛。（硝化甘油在血管裡轉變成一氧化氮，一氧化氮可以叫血管的肌肉裡襯放鬆，使血液流得暢快些。）所以不到十年的時間，這個氣體搖身一變，從不相干的外在毒品，成了身體內到處都有的萬靈丹。

根據比利時生化學家杜武（Christian de Duve）的說法，你身上不同的細胞形態有數百種之多，而且它們之間大小跟形狀的差異極大——從絲狀結構可以拉長到數公尺的神經細胞，到體形很小的圓碟狀紅血球，到賦予我們視覺的棍棒形感光細胞。細胞的大小範圍之廣，叫人嘆為觀止。最讓人印象深刻的是在授精時，好不容易跑了第一的精蟲細胞，面對的是比它大了八萬五千倍的卵子細胞（的確相當凸顯出男性征服的概念）。

不過平均起來，一個人體細胞大概有二十微米寬（也就是一公分的千分之二），小到咱們的眼睛看不見，但卻大到足以容納數以千計，諸如粒線體之類的複雜結構體，以及數以百萬計的各式分子。從最基本的方面來看，各種細胞的活動力也南轅北轍，各具千秋。

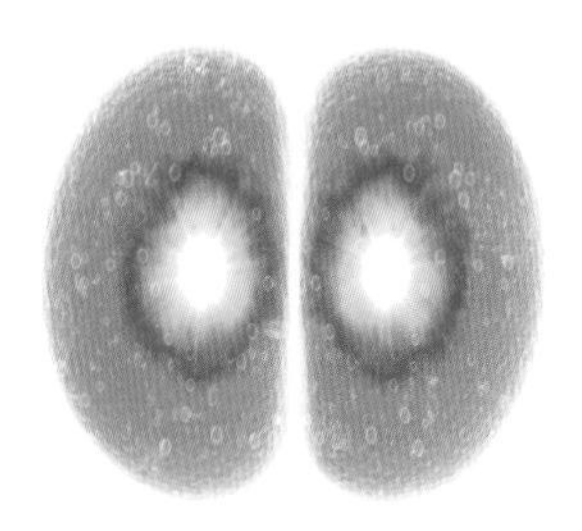
這張電腦繪圖顯示出，受精後的卵細胞開始進行分裂。

比方說，你的所有皮膚細胞都已死亡，這是叫人聽了滿不舒服的事實。如果你是中等身材的成年人，那麼無論你走到哪兒，身上都扛著大約 2 公斤重的死皮膚，而且它還以小碎片的形式不斷脫落，數目高達每天數十億片。凡是有人居住的場所，置物架上堆積的灰塵多半都是主人的皮屑。

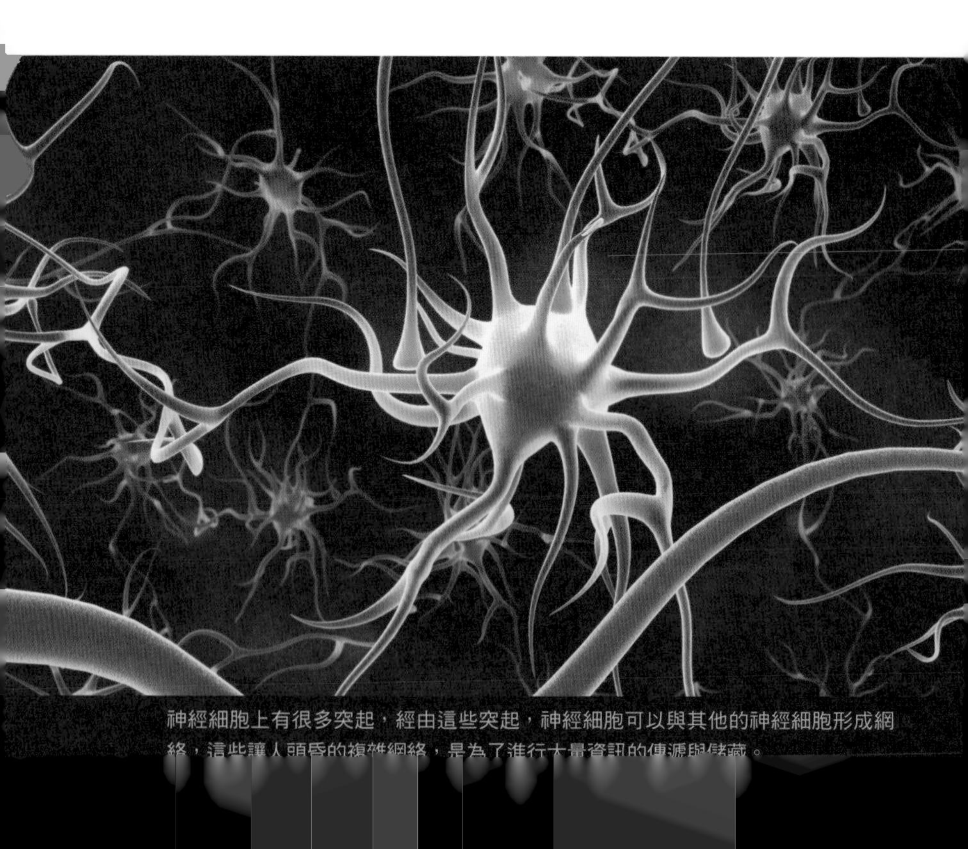
神經細胞上有很多突起，經由這些突起，神經細胞可以與其他的神經細胞形成網絡，這些讓人頭昏的複雜網絡，是為了進行大量資訊的傳遞與儲藏。

精子裡的小矮人

大部分人體細胞的壽命極少有超過一個月的，但有一些值得注意的例外，譬如肝臟細胞就可以存活許多年，只是它們的內部成分也許每隔幾天就得更新一次。腦細胞可以活得跟你一樣久，在你出生時，你被賦予了約一千億個腦細胞，而那就是你這輩子可以擁有的全部腦細胞，以後不會再新增。更糟糕的是據估計，你每小時都會損失五百個腦細胞，所以如果你有需要用腦的時候，你可沒有時間去猶疑，還是盡快早做為是，免得到時候腦筋不夠用就遺憾了。

好消息是，腦細胞也像肝臟細胞一樣，內部成分一直不斷更新，裡面各部分零件的使用期限，大概都不會超過一個月。你可曉得，有專家曾表示，咱們身上的任何一小部分，小到任何一個走失了的分子，在九年前都不屬於我們。

也許在整個人的感覺上並非如此，但是在細胞的層次上，我們一輩子都是兒童呢！

最早描述細胞的人是虎克（Robert Hooke），上次我們在論及他時，曾講到他為了誰發明了平方反比律而跟牛頓爭吵起來。在虎克六十八歲的一生中有許多成就，他不只是卓然有成的理論家，而且還有一雙巧手，曾製造出一些精巧有用的工具跟儀器。

但是虎克最叫人敬佩的，是他在 1665 年出版了一本暢銷書《顯微圖說》（*Micrographia*）。這本書率先把一個之前無人知曉的微小世界，展示給滿心歡喜的讀者大眾，而此微小世界裡的多采多姿、繁茂擁擠、跟結構上之精巧細緻，在在都出人意外。

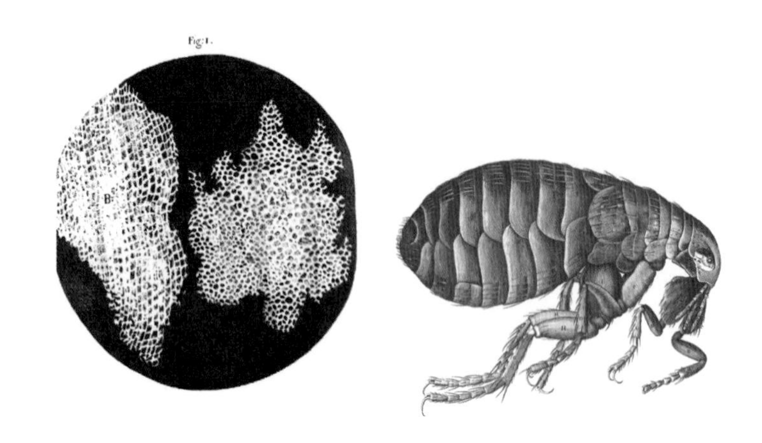

這張圖是從虎克那本影響深遠的暢銷書《顯微圖說》中擷取出來的。
很多人都是透過這本書，才得以見到顯微世界。

在由虎克首先確認的各種微小細節中，有一種是植物身上的「小房間」。虎克命名為「單人房」（cell，英文原指僧侶的小房間），因為一見到它們就讓他想到了當時僧侶住的小房間。虎克仔細計算了一下，軟木表面每一平方英寸的面積內，包含了1,259,712,000個這種小房間。在科學史上，這麼大的數字可是第一次出現呢。

顯微鏡在虎克觀察細胞之前，其實已經存在了一個世代左右。虎克之所以見到了人之所未見，是因為他的顯微鏡遠比別人的精良，虎克的顯微鏡可把影像放大為實物的三十倍，是十七世紀結束前顯微鏡中的翹楚。

但不過十年後，當虎克跟倫敦皇家學會的其他會員開始收到從荷蘭寄來的圖片跟報告時，感到相當震驚，這些東西是一

科學家與畫家

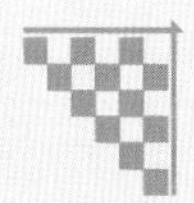

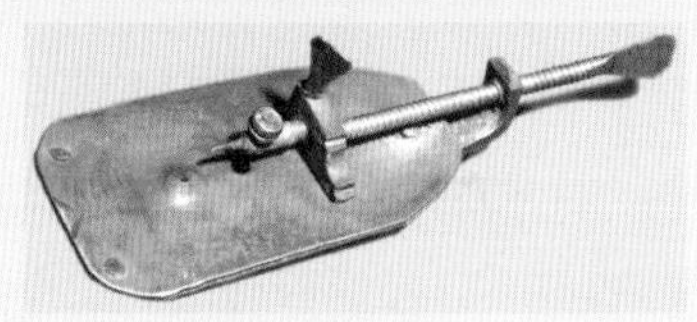

雷文霍克的這幅肖像畫，是由他的好朋友、畫家維梅爾（Jan Vermeer, 1632-1675）幫他畫的。

雷文霍克是自學成功的儀器製造天才，他做的顯微鏡造型簡單，外形像槳一樣。那些所謂專家學者做出來的顯遠鏡，放大倍率根本趕不及雷文霍克的。

維梅爾是世界級名畫家，但是起初大家認為，維梅爾的畫藝雖然不錯，但並不特別出色。在 1600 年代中，他突然發展出對畫面上光影跟透視上的大師級技巧，因而從此享譽藝壇。

雖然從未有人證實過，但許多人懷疑維梅爾的高超畫藝是得力於一個照相暗盒（camera obscura）的幫忙。這玩意兒能借助透鏡把影像投映到平面上。維梅爾過世後，他的遺物清單中並沒有這種物品，但很讓人懷疑的是，維梅爾的遺產處理執行者不是別人，正是雷文霍克，當時最神祕的透鏡製造者。

位沒受過什麼教育的布店夥計寄來的，他所用的顯微鏡可以放大兩百七十五倍。這位荷蘭人大名叫做雷文霍克（Antoni van Leeuwenhoek, 1632-1723），雖然沒受過正式教育，也沒有科學素養，但他是勤奮且有洞察力的觀察家，同時也是工藝天才。

一直到今天我們仍然搞不懂，雷文霍克如何能用簡單的手拿裝置，達到那樣高的放大倍數。他的裝置不過是一些木製榫頭似的、並不起眼的東西，裡面嵌著小玻璃泡，外觀看來比較接近現代的放大鏡，而不像顯微鏡。但實際上它兩樣都不像。雷文霍克每做一次實驗都打造一具新儀器，且對顯微鏡製造技術極保密，絕不告訴他人。不過他有時會提供一些技術建議給英國人，幫助他們增進顯微鏡的解析度。

雖然雷文霍克的科學之路起步很晚，是時都已超過四十歲，但有長達五十年的時間，他在英國皇家學會發表了將近兩百篇報告，全都是以他唯一能使用的低地德語撰寫。他在報告中從不提供解釋，只敘述他發現的事實，搭配精美的圖畫。

他的報導議題幾乎都是生活中常見跟有用的東西，如麵包上長的黴、蜜蜂的刺、血球、牙齒、體毛、他自己的唾液、糞便、精液（最後這三樣，他表示了因為品味不佳，他深感不安而向讀者大眾道歉）。所有這些東西都從未有人透過顯微鏡去觀察過。

1676 年，雷文霍克報導從胡椒水樣品中發現了「微動物」（animalcule）之後，英國皇家學會的會員馬上動員跟進，使用英國科技所能製造出來的最佳工具，也去尋找這種「微小動物」，結果足足折騰了一年，才終於如願以償，達到了所需的放大倍數。我們現在知道，那時雷文霍克率先發現的就是原生動物。

依他當時的計算，在一滴水中有 8,280,000 個這種小生物存在，這個數目比當時荷蘭人口總數還多。這世界充滿生物的方式之繁多，跟數目之大，讓人大開眼界，是以往人們想像不到的。

受到雷文霍克卓越發現的鼓舞，其他人也開始熱切的透過顯微鏡觀察周遭世界，不過有時熱切過了頭，居然「發現」了些不存在的東西。

有一位頗受尊敬的荷蘭觀察家哈特蘇克（Nicolaas Hartsoeker, 1656-1725），認為自己在精子裡看到了「預先成形的細微小人」，他並且把這種「小人」命名為小矮人（homunculi）。影響所及，之後有一段很長時期，許多人相信人（包括生物）是從極小但五臟俱全的先驅個體長大而成的。

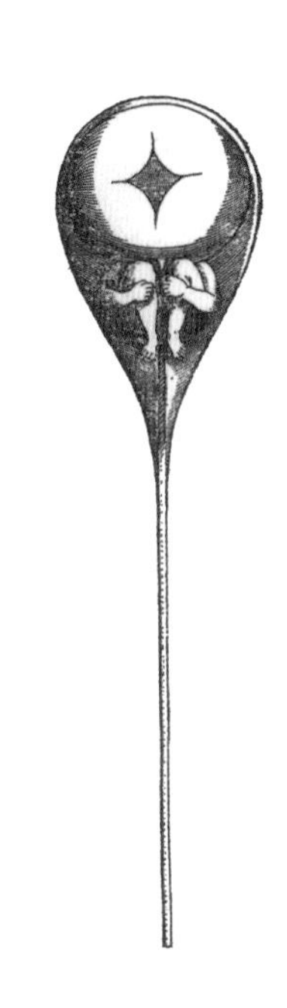

這幅哈特蘇克在 1694 年畫的圖，畫出了精子裡的小矮人。

雷文霍克自己有時也不免對實驗熱切過頭，在一次最不成功的實驗裡，他嘗試製造一次小規模引爆，以便近距離觀看火藥的爆炸性質，結果幾乎炸瞎自己。

1683 年，雷文霍克發現了細菌。但當時顯微鏡技術顯然遇到了瓶頸，所以繼細菌之後，整個微小世界的發現事業沉寂了一個半世紀。直到

1831年才有人往前跨了一大步，率先看到細胞核。發現者即是在科學史上經常出現的蘇格蘭植物學家、大名鼎鼎的布朗（Robert Brown）。布朗把細胞核叫做「nucleus」，這是從拉丁字「nucula」延伸得來的，意思是微小的果核。

不過一直要到1839年，才有人開始瞭解所有生物都是由細胞構成的，首先洞察這個事實的是德國人許旺（Theodor Schwann, 1810-1882）。然而這個發現非但有些遲，而且開始時相信的人還不多。一直得等到1860年代，由法國的巴斯德（Louis Pasteur）做了一些非常重要的工作，證實生命不可能無中生有的自然發生，必須先有細胞。這個信念後來變成了「細胞理論」，也成了一切現代生物學的基礎。

造訪細胞內部

有人曾把細胞比喻為許多東西，從「一座不單純的化學工廠」〔物理學家特菲爾（James Trefil）的說法〕，到「一個擁擠的大都會」〔生物學家布朗（Guy Brown）如是說〕。其實細胞同時具有化學工廠與大都會的特色，但也跟這兩者都不太像。細胞像化學工廠一樣，進行許多化學反應；細胞也像大都會一樣擁擠、匆忙、充滿互動，這些看似隨機發生的互動乍看之下讓人一頭霧水，但事實上都是有系統的。

但是，細胞也比任何你見過的工廠或都市，更能讓人做噩夢。

首先，在細胞裡並無上下之分（在細胞尺度下，重力不具什麼意義），而且細胞中的空間全叫原子塞得滿滿的。每一處都有活動在進行，電能永不休止的在各處彈跳。說到電能，你也許不感覺有怎麼「來電」，但事實上我們吃下肚的食物跟呼吸時吸入的氧氣，在細胞裡會合時，的確會放電。

我們之所以不會讓跟我們接觸的人嚴重觸電，或在坐下時把沙發燒焦，是因為這種放電的規模極小：電位差僅 0.1 伏特，而

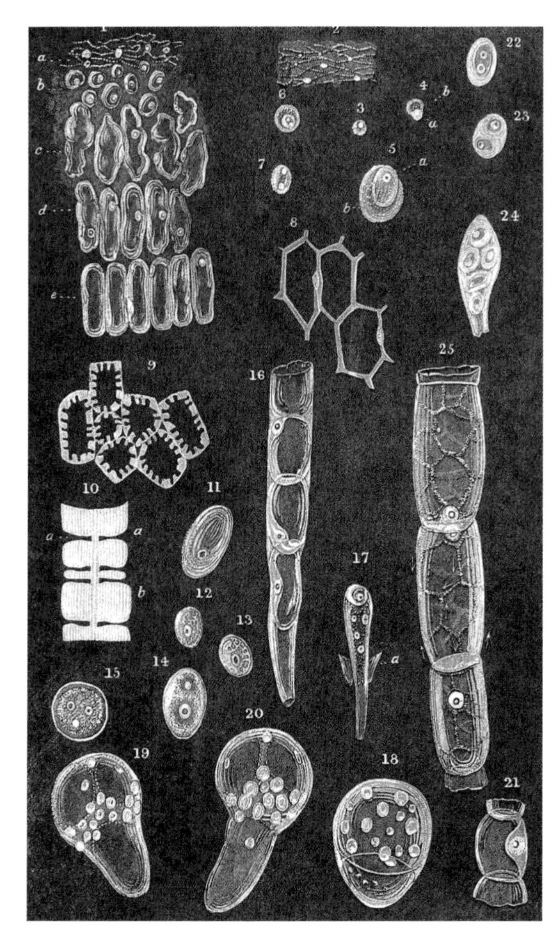

這是許旺在 1847 年透過顯微鏡看到的樣本。許旺率先體認到，所有的生物都是由細胞組成的。

火花跳躍的距離不過數十奈米（一奈米等於十億分之一公尺）。但如果我們把規模放大，則它相當於每公尺的距離有高達兩千萬伏特的電位差，跟雷雨胞所帶的電荷不相上下。

不論各種細胞的大小跟形狀有多不同，你所有的細胞基本上都是依照同一個藍圖建造的：它們都有一層細胞膜、一顆細胞核，細胞核裡儲存了催促你再接再厲所必要的基因資訊，細胞膜跟細胞核之間是一塊叫細胞質的忙碌區域。

我們很多人可能都以為，細胞膜是要用尖銳的針才能扎破的耐用橡皮薄膜，但事實上不是這樣的。細胞膜是由叫做脂類的油性物質構成的。生物倫理學家暨醫學史作者努蘭（Sherwin B. Nuland）說，這種脂類僅具有「某種輕機油」般的強度。如果這個說法讓你嚇一跳，覺得它太過薄弱，那麼你得記住，在顯微世界裡，事物的性質跟大尺度世界並不相同。對於大小跟分子相若的東西來說，水變成了濃稠的凝膠，而脂類就像鐵一樣強硬。

如果你能去拜訪細胞，你不會喜歡那兒。咱們若把一切按照相同比例放大，使原子變成了豌豆般大小，細胞會變成直徑約 800 公尺的巨球。球的表層是由叫做細胞骨架的複雜支架結構所支撐，裡面充滿動輒數以百萬計的各種物品，小的如籃球般、大的則跟汽車相若，而且全都以子彈的速度飛來飛去。

無論你站在細胞裡的哪個角落，每一秒鐘你都會給從各方飛來的物品撞擊、拉扯達數千次之多。即使對一輩子都待在細胞內的老住戶來說，細胞也是極危險的所在。每一串 DNA 平均每 8.4 秒就會遭化合物或其他東西攻擊或傷害一次，相當於每天受傷一萬次。這些異物重重的撞上或不小心切入 DNA，造成的損傷還必須趕快修好，不然細胞就會小命不保。

細胞裡的蛋白質特別活躍，自個兒旋轉又跳動不說，每秒鐘還飛快的互撞十億次。酶（酵素）也是蛋白質的一種，它們到處亂鑽，每秒鐘卻可以完成高達一千件指定的工作。酵素像一群行動快速的工蟻，它們匆忙的建造跟重建各種分子，把這邊的一塊拆下來，把另一塊加上去。

有些蛋白質專門在檢視經過面前的其他蛋白質，一旦發現對方受創過深或瑕疵太大而無法修復時，就用化學物質在對方身上做記號。這些遭宣判的蛋白質就會乖乖的跑到一種叫做蛋白酶體（proteasome）的結構那兒，到達後就被完全拆散為個別的胺基酸，再用來製造新的蛋白質。有些類型的蛋白質只有不到半小時的壽命，有的則長達數星期，但是不論壽命長短，它們的日子都是不可思議的忙碌。

正如杜武指出：「分子世界有必要保持在我們的想像能力範圍外，原因是該世界中一切作為的發生，都快到我們無法理解的地步。」

如果我們能讓它們慢下來，到達一個可讓我們平心靜氣觀測各種交互作用，且周遭一切不會讓我們神經緊張的速度，那麼我們看到的是什麼呢？

我們看到細胞裡面數以百萬計的玩意兒，包括：溶酶體、核內體、核糖體、配位體、過氧小體、以及其他各式各樣的蛋白質，會跟另外數以百萬計的玩意兒相互碰撞，並進行一些無足為

畫家想像中的細胞內部。正中央的物體是高基氏體（Golgi apparatus），它會產生小泡（在這裡以藍色球體表示），來運送酵素與荷爾蒙。這張圖把細胞內部畫得空間很充裕，完全是錯誤的。實際上大部分的細胞內部擁擠得不得了。

奇的工作：諸如從養分裡抽取能量、組裝各種結構、清除廢棄物、防止入侵者造成大傷害、傳送跟接收訊息、各種修補。

一般說來，一枚細胞內總共含有兩萬種不同的蛋白質分子，其中有兩千種的個數至少五萬。努蘭說：「這意思是說，即使我們只計算這兩千種成員較多的蛋白質分子，一枚細胞裡最起碼含有一億個以上的蛋白質分子。如此嚇人的大數目，說明我們體內生物化學活動之忙碌。」

整體看來，要支持這一切活動是一項極嚴苛的要求，你的心臟必須不停的每小時輸送 343 公升的血液，也就是每天 8,000 公升，一年下來總數就是 3 百萬公升，相當於四個奧林匹克運動會的標準游泳池的容量，目的是維持你身上所有細胞都有新鮮氧氣在旁待命。（那只是身體休息時的血液循環，運動時氧氣需求量可以暴增到六倍。）

氧氣由細胞內的粒線體吸收，粒線體是細胞的發電廠，平均每一枚細胞中大約有一千個粒線體，然而實際數目隨細胞種類的不同而有相當大的出入，主要是取決於該類細胞的工作性質跟能量需求。

你也許還記得我們在第 19 章曾提到，有人認為粒線體的來源是古早以前遭細胞逮捕的外來細菌，而它們現在的身分是借住在我們細胞中的房客。它們保存自己的遺傳指令，按照自己的步調進行分裂繁殖，且有自己的語言（基因代碼）。你也許也記得，我們可是它們好意的受惠者。幾乎所有進入你身體的食物跟氧氣在經過初步處理後，都送到粒線體那兒，粒線體就把它們轉變成腺苷三磷酸（ATP）分子。

細胞也有烈士與叛徒

你也許從未聽過 ATP，但 ATP 卻一直是你能繼續運作的原動力。ATP 分子事實上很像是在細胞內到處遊走的小電池包，隨時提供能量給細胞內有此需要的各種加工程序。它們的數目大得驚人，在任何時刻，你身上每一枚典型細胞內就含有大約十億個

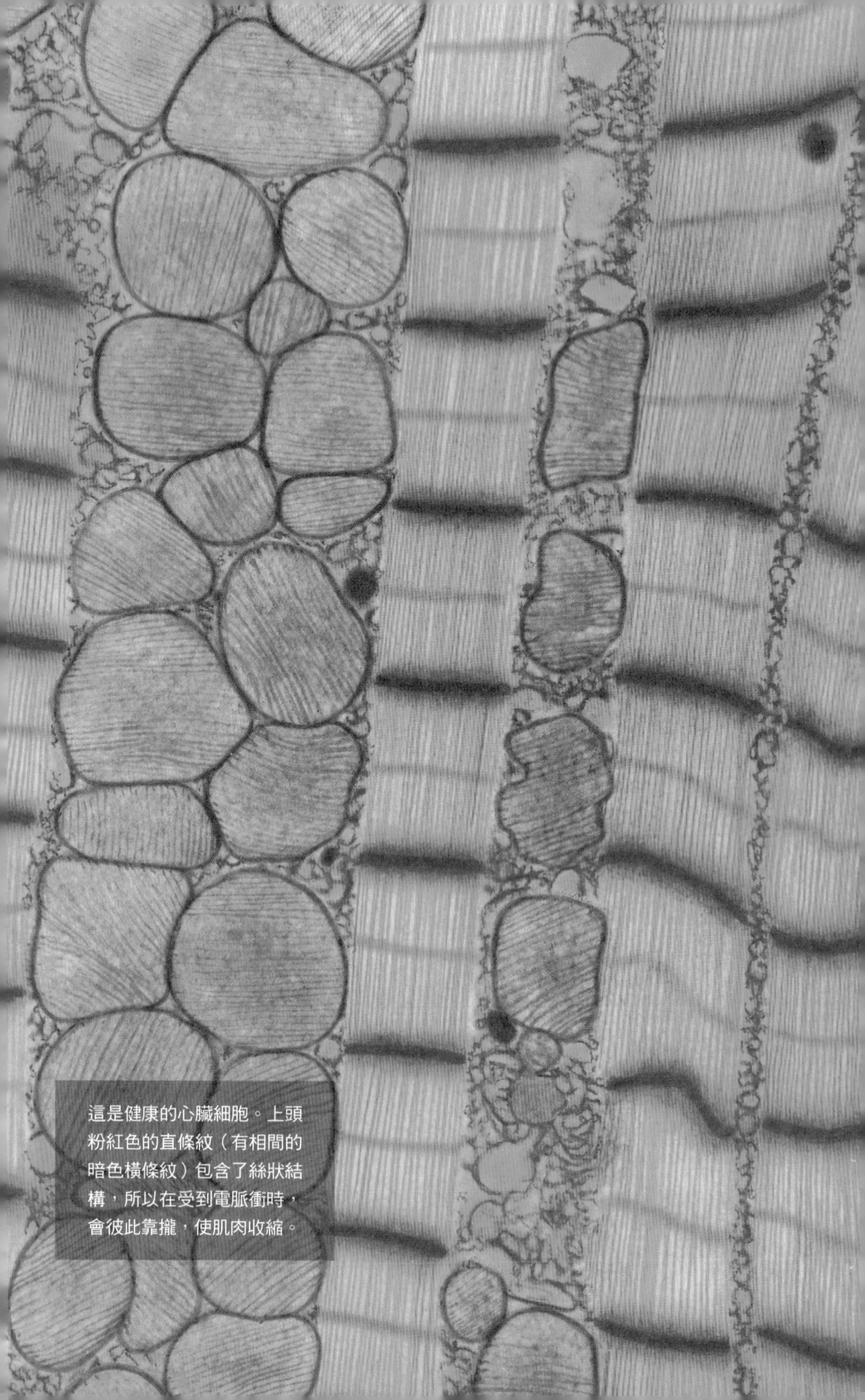

這是健康的心臟細胞。上頭粉紅色的直條紋（有相間的暗色橫條紋）包含了絲狀結構，所以在受到電脈衝時，會彼此靠攏，使肌肉收縮。

ATP 分子，而這麼多的 ATP 分子只能維持兩分鐘左右，也就是它們的能量在這兩分鐘內會全部用個精光。不過不用擔心，就在它們迅速消耗掉的同時，另有十億個剛出爐的 ATP 分子填補了它們的位置。

在如此走馬燈似的快速交棒之下，你每天製造出來並迅即用掉的 ATP 總量非常大，約略相當於你體重的一半！摸摸你全身上下，皮膚所發出的溫暖就是你的 ATP 在盡職工作的表現。

當細胞的利用價值不再，它們可以經由一種只能稱之為「極有尊嚴」的方式死亡── 細胞先把維繫自身整體結構的支撐跟補強物拆除，然後不動聲色的破壞裡面各個零件。這個程序稱作「凋亡」(apoptosis)、或有計畫的細胞死亡。

每天你身上有數十億個細胞為了你的利益而死亡，而另外數十億細胞則忙上忙下的替你清除細胞死亡帶來的髒亂。細胞也會突然暴斃，譬如在受到意外感染的時候，但大多數的死亡都是聽從命令的結果。不錯，如果沒有命令叫它活著，亦即沒有從其他細胞那兒傳遞過來的某種積極指示，細胞會自動殺死自己，所以原則上細胞需要上級一再保證，才肯繼續存活。

偶爾也會有例外，某個細胞不遵照既定計畫，該死的時刻不死，反而開始進行細胞分裂、大肆繁殖，造成的亂象就是我們所謂的癌症。

癌細胞只不過是搞不清楚狀況的細胞罷了。其實發生這種錯誤的細胞還相當常見，但身體預先準備了重重精緻複雜的機制來處理這個問題。很少見到這些機制該上場時湊巧都缺席，或沒有發揮應有的功效，而讓問題不知不覺中擴大到無法收拾的地步。平均說來，在人體細胞的分裂過程上，每十萬兆次中，僅有一次演變成致命的惡性腫瘤。無論從哪個角度看，癌症都是不幸的事。

細胞之所以叫人驚嘆，不是它們偶爾會出岔，而是它們能一連數十年把該做的事情都順利辦妥。它們如何做到的呢？原來，它們不停的從全身發出跟讀取一連串的訊息，其中有各種指令、疑問、校正、求援、加入最新資訊、進行細胞分裂或自裁通知。這些訊息的傳遞，大部分依賴名叫荷爾蒙的信差。

荷爾蒙是一些化學物質，例如胰島素、腎上腺素、雌激素、睪固酮，它們把訊息從甲狀腺跟內分泌腺等遠方前哨站，透過血液循環傳送過來。另有一些訊息則是從腦部，經由神經細胞打電報過來。還有一些訊息是由區域指揮中心發出的，採用旁分泌（paracrine）的方式來傳送情報，也就是細胞把訊息委託給細胞外面的小跑腿，由這些小跑腿送去給附近的其他細胞。最後還有一種方式是，細胞不假手他人了，乾脆跟左鄰右舍直接接觸，互通聲息，為的是要讓行動協調一致。

也許最叫人驚訝的是：細胞之間只有隨機狂亂的動作，由簡單的吸引跟排拒所主導，而造成一連串無休止的相遇。顯然在這些細胞活動的背後，並沒有任何思考，它們只是平順、重複的不斷發生，而且顯然可以非常讓人信賴，因為我們甚至感覺不到細胞的存在。但是不知怎的，這些動作不但讓細胞內秩序井然，整

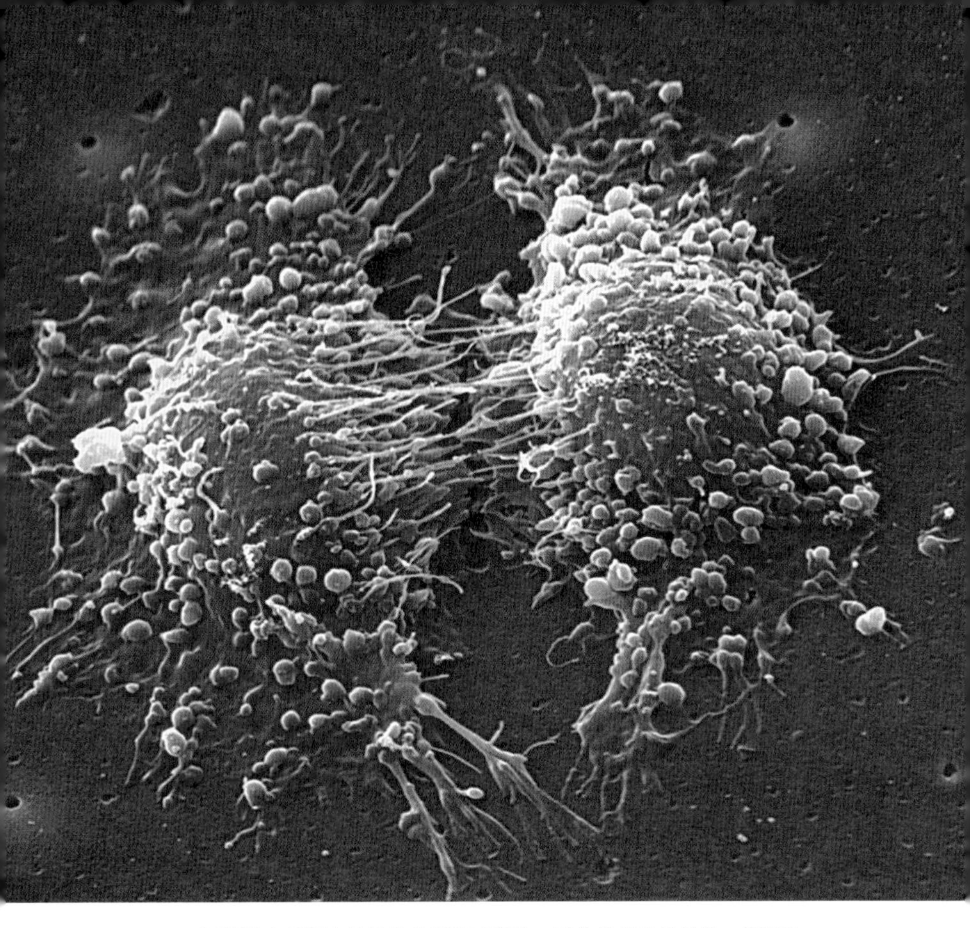

兩個放大到很高倍數的前列腺癌細胞，正位於分裂的最後一個階段。
當細胞不遵守命令，在該死的時刻不死亡，就變成了癌細胞。

個生物個體也維持完美的協調。

我們如今才剛剛開始瞭解，如何把億萬個化學反應組合起來，造就出一個能動、能想、能做決定的你；或者我們也想到，造就出一個反應沒你那麼好，但仍然擁有了不起的組織結構的糞金龜。別忘了，每一種生物都是原子工程上的奇蹟。

的確，有些我們認為低等幼稚的生物，它們的細胞組織能力，水準卻顯然比我們的高出很多。譬如我們可以把海綿的細胞拆散（例如把海綿用篩子過濾），之後留在溶液中的那些細小細胞碎片會自動組合起來，再度變成海綿。更妙的是，你可以用同一個海綿一次接一次的重複做這個實驗，屢試不爽，似乎它永遠不會放棄。原因其實很簡單，海綿跟你、我、及每一個生物，都具有一個勢不可當的衝動欲望：我要活下去！

而這個欲望顯然是出自一種很古怪、很堅持、而我們對它瞭解非常有限的分子。它本身沒有生命，而且它似乎沒有做什麼事情，我們稱呼這種分子為 DNA。要瞭解它對科學與我們的極端重要性，我們需要回溯到差不多一百六十年前維多利亞女王時代的英國，當自然學者達爾文想到了一個後來被人捧為「任何人曾有過的最佳觀念」的那個時刻。然而當時因為一些有點需要解釋的原因，達爾文把他這個想法鎖進抽屜，十五年後才讓它重見天日。

由鈣或矽組成的骨針連鎖小結構，是海綿能在破碎後重新組合起來的祕密。這些骨針的造型很奇特，每一個都能彼此接合，因此能快速重組，變回海綿原來應有的形狀。

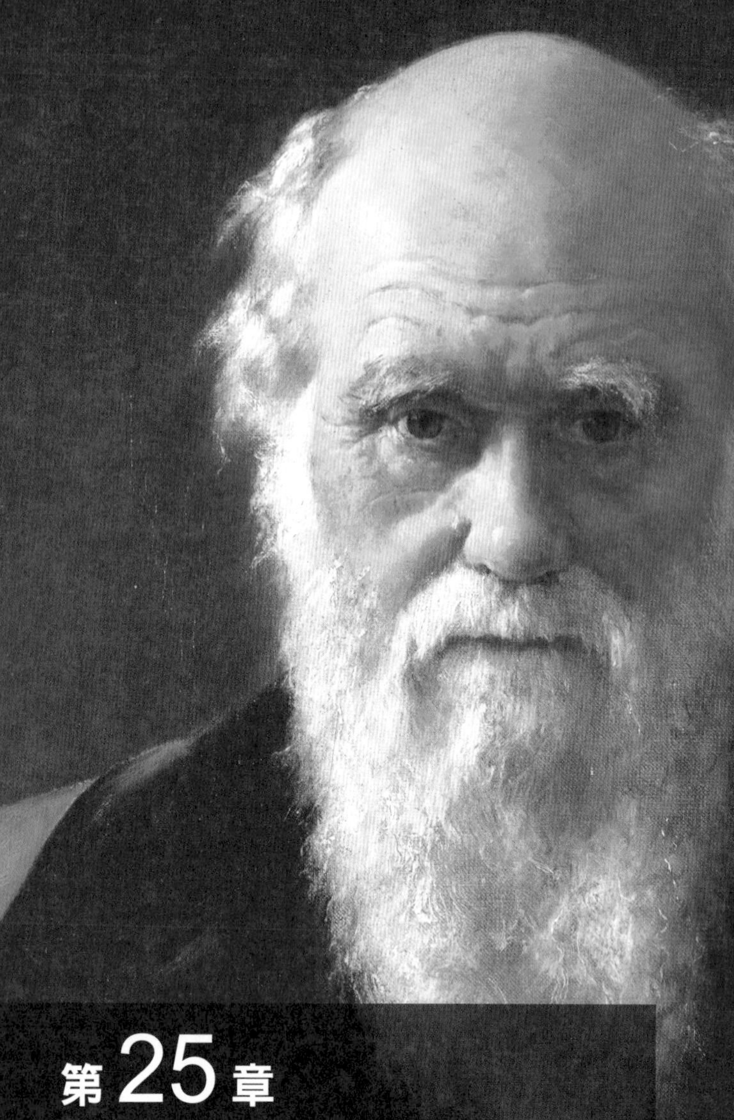

第 25 章
達爾文的非凡見解

這幅達爾文的畫像是由柯利爾（J. H. Collier）繪於 1881 年。
畫像完成約一年之後，這位偉大的科學家與世長辭。

1859 年 4 月，倫敦出版商莫瑞（John Murray, 1808-1892）將達爾文《物種原始論》的稿子，送給好友艾爾溫（Whitwell Elwin, 1816-1900）審查。艾爾溫是英國國教牧師，也是當時知名文人刊物《評論季刊》（*Quarterly Review*）的編輯。

他在 5 月 3 日的回信中指出，這份稿子出自狂野、愚蠢的想像力，證據薄弱、貧乏，其中只有關於鴿子的部分值得出版。他建議，達爾文乾脆寫一本談鴿子的書，理由是「每個人都對鴿子感興趣」。

好在莫端沒有聽從艾爾溫的建言。11 月底，《論物種起源》（即《物種原始論》）正式出版，定價每本十五先令。第一版一共只印了一千兩五十本，哪曉得發行的第一天就賣了個精光。從那時起，這書一直沒有停止印行，引起的爭議也難得停歇過。

平心而論，這樣的際遇對於作者可真是不賴；要知道，達爾文其他的主要興趣在研究蚯蚓，而且是因為一時衝動才搭船去環遊世界的。不然，他很可能終其一生只是一位沒沒無聞的鄉村牧師，當地認識他的鄉親也許只知道他對蚯蚓有興趣而已。

達爾文的生日是 1809 年 2 月 12 日 *，出生地點則是位於英格蘭密德蘭茲郡的西部，一個名叫舒茲柏利（Shrewsbury）的安詳市鎮上。他的父親是一位富有且受人尊敬的醫生，他的母親在達爾文八歲那年過世，他的外公則是陶瓷界名人威基伍德（Josiah Wedgwood, 1730-1795）。

* 這顯然是個歷史上的大好日子，因為同一天在美國肯塔基州，林肯（Abraham Lincoln, 1809-1865）也呱呱墜地。

達爾文從小享有優渥的生活，但是他那不出色的學業成績，一直讓他中年喪妻的老爸非常傷心。他的父親曾寫過一小段申誡他的話，這段話在所有的達爾文傳記裡，只要提到他的童年時，都少不了。咱們也就從俗，把這段話抄寫如下：「你除了打獵、逗狗、抓老鼠之外，什麼都不關心。你將來會丟盡你自己跟咱們全家人的面子！」

雖然達爾文偏好自然史，但是為了討好父親，他試著進入愛丁堡大學去念醫學，但是又因為無法忍受看到血液跟病人的痛苦而放棄。最糟糕的一次，是他目睹了一名兒童在進行開刀手術時的痛苦模樣（當然，那是發生在尚無麻醉技術的時候），這使他心理上受到了永遠的創傷。於是他改學法律，卻又發現它單調乏味，讓他難以忍受。最後可以說是在聊勝於無的情況下，他從劍橋大學混了一張神學學位的文憑。

扭轉科學進程的意外之旅

就在他畢業後、等著給派遣到偏僻教區去過一輩子的時候，突然來了一個誘人的機會，有人邀他搭乘海軍的調查艦小獵犬號（HMS Beagle）去航海。這又是怎麼回事呢？其實邀他去的主要目的，不過是要讓他與艦長同桌用餐，陪艦長聊天罷了。

這位艦長名叫費茲羅（Robert FitzRoy），由於出身上流社會，不得跟任何非紳士的人來往，包括同在一張桌子上吃飯。達爾文出身鄉紳家庭，又有大學文憑，資格上當然沒問題。但是英國的年輕紳士車載斗量，為什麼偏偏選上達爾文呢？費茲羅個性非常奇怪，對人的相貌很感興趣，據說有部分的原因是他一眼看中了達爾文的鼻子（他相信鼻子的外形代表此人的深度）。

達爾文所著的《物種原始論》，當第一版於 1859 年發行時，造成了不小的震撼與爭議。

其實一開始達爾文並不是費茲羅的首選，但是後來因為他最中意的人選不克成行，才由達爾文遞補。從二十一世紀的角度來看這件事，最讓我們驚訝的，是他們兩人都非常年輕，小獵犬號啟航時，費茲羅年僅二十三歲，達爾文才二十二歲而已。

費茲羅的正式任務是去量測並繪製南美洲沿岸的海域圖，但是他的業餘嗜好（或一心嚮往的事情）是尋找能夠證實《聖經》創世紀故事的蛛絲馬跡，所以他讓達爾文上船的另一個重要原因，是達爾文剛從神學院畢業。後來的事實證明，達爾文不只是思想上崇尚自由，對基督教的基本教義也不是全心全意的維護，這個觀念上的差異，造成了他與費茲羅之間長久的摩擦與失和。

達爾文搭乘小獵犬號的期間是從 1831 年到 1836 年。這段經歷顯然是他生命中的定型階段，也是他受到試煉的一段時日。他與艦長分享一小間船艙，光是這項安排就使得他的日子不可能好過，因為費茲羅很容易勃然動怒於前，接下來又愛低聲咒罵不休。他跟達爾文經常在拌嘴吵架，達爾文事後回憶說，情況「幾近瘋狂的地步」。在海上航行的時日一久，很容易變成潛在的憂

這幅彩色版畫中的大艘船隻就是小獵犬號。當時的達爾文以自然學者的身分，無償的跟著那位情緒不穩的費茲羅船長一同出航，並且陪伴他用餐、聊天。

鬱症患者，小獵犬號的前任艦長就是在孤獨陰影中，朝自己的腦袋開了一槍而斃命。

而費茲羅來自一個著名的患有憂鬱症的家族，他的舅舅凱塞瑞子爵（Viscount Castlereagh），在十多年前擔任英國財政大臣時割喉自殺（費茲羅在 1865 年時，也用同樣方式了卻自己一生）。即使在費茲羅情緒比較平靜的時候，別人也都不知道他在想啥。

就在他們的航行結束時，達爾文非常驚訝的發現，費茲羅幾乎是立即去跟一位與他早有婚約的年輕女子成婚，因為他們在船上共度的五年時光中，費茲羅從未暗示過他的感情寄託，甚至連那位女子的名字都不曾提過。

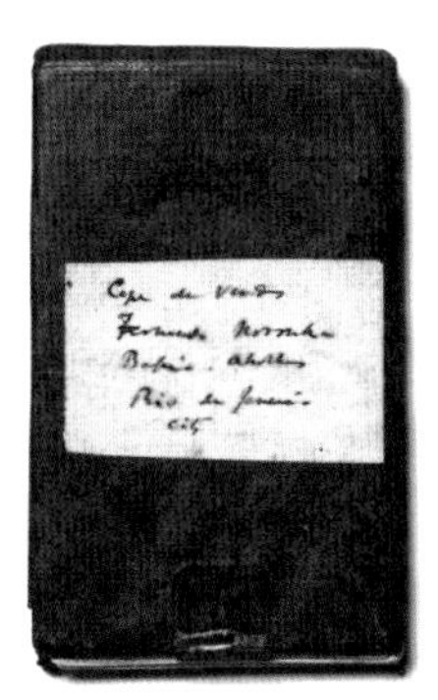

達爾文在搭乘小獵犬號航行途中，用來記下所見所聞的手札之一。

不過除此之外在各方面來說，小獵犬號的那次航行可說是大成功。

達爾文這五年來的奇異經歷足夠他回味一輩子，所累積下來的大量標本也足以使他聲名大噪，而且還夠他在往後的許多年裡，不愁無事可做。達爾文發現了一大批巨型的遠古化石，包括了至今仍是所有人所發現過、保存狀況最佳的大懶獸。在智利，達爾文等人歷經了一場要命的大地震幸而不死；此外，他還發現了一個新的海豚品種〔達爾文按照規矩，用船長的姓給牠當種名，取名為費茲羅海豚（*Delphinus fitzroyi*）〕。

他沿著整個南美洲西部的安地斯山脈，做了一次很仔細且有用的地質調查，並且發展出一套叫人十分欽佩的、有關珊瑚環礁如何形成的新理論，而這套理論也並非偶然的指出，那些環礁的形成時間不可能在一百萬年以內。這是達爾文第一次將他長久以來一直懷著的「地球極為古老」的信念給透露了出來。

1836 年，達爾文在他二十七歲時終於回家，離家的日子總共是五年又兩天，之後他就再也沒離開過英格蘭。

這是達爾文在旅程中新發現的海豚，他以小獵犬號船長費茲羅的姓，作為牠的種名。

誤會大了！

在歷時五年的航行中，有件事達爾文並沒有做，就是提出演化論（或任何跟它沾得上邊的理論）。首先我們得知道，演化這個觀念在 1830 年代已不是新東西，在當時它少說也有數十年的歷史。達爾文的祖父（Erasmus Darwin, 1731-1802）在達爾文出生之前，就曾經一時興起，在一首題名為〈自然的聖堂〉（The Temple of Nature）的泛泛詩作中稱讚過演化原則。

不過，達爾文的演化概念得要等他環遊世界回到英國後，讀了馬爾薩斯（Thomas Malthus, 1766-1834）所著的《人口論》〔（*Essay on the Principle of Population*），這本書提出：食物供應的增長將永遠無法趕得上人口的繁衍〕，才開始在他的腦袋裡發酵醞釀。達爾文從《人口論》認識到生命本質是永無止境的奮鬥，然後覺悟到「天擇」是促使一些物種昌盛、而另一些物種敗亡的工具或手段。

達爾文還特別注意到，在所有生物競相爭奪各種資源的大環境下，即使屬於同一個物種，一些個體由於擁有與生俱來的某些優點，往往會比其他個體活得要好，子孫也較繁多，因此就把那些優點傳給了較多的後代。以這種方式，物種不斷的自我改進。

達爾文的這個想法看起來非常簡單（事實上也的確是簡單得很），但卻可以用來解釋許許多多的現象，而且達爾文決定要把他的一生都奉獻給這個理念的推廣。當湯瑪士 · 赫胥黎（Thomas Henry Huxley）閱讀《物種原始論》時，忍不住大聲叫了起來：

「我怎麼會這麼笨，居然連如此簡單的道理都沒有想到！」之後的讀者，大多也有與他相同的感慨。

有趣的是，達爾文在他的著作裡從未用過「適者生存」（survival of the fittest）這句話（雖然他曾經表示對此句很欣賞）。這句話是《物種原始論》出版後過了五年（1864 年），史賓塞（Herbert Spencer, 1820-1903）在撰寫他自己的新書《生物學原理》（*Principles of Biology*）時所創造的。

此外，達爾文所撰寫的書跟文章內，原先都不用演化（evolution）這個詞。一直要到《物種原始論》的第六版，此字才開始出現（顯然那時這個詞已變得太過普遍，讓他無法繼續抗拒下去啦）。達爾文比較喜歡使用的同義詞是「逐代變化」（descent with modification）。

還有，達爾文的結論也不是源自他在加拉巴哥群島（Galápagos Islands），注意到當地雀鳥（finches）鳥喙有趣的多樣化現象。這個故事的傳統說法（或至少是我們許多人最常記得的）是，當時達爾文逐島旅遊，無意間注意到每個島上雀鳥的鳥喙形狀都不相同，而這個現象似乎很巧妙的與當地特有資源配合。

比方說，有一個島上的雀鳥鳥喙非常堅硬短小，適合用來啄開硬殼果的果殼，但是另一個島上的雀鳥鳥喙卻相當細長，正好用來從隙縫裡挑出食物來。這個發現讓達爾文聯想到，也許鳥兒在最初的時候，根本不是現在這副模樣；在某個意義上，如今牠們的外形是鳥兒後來自個兒創造出來的。

事實上，鳥兒們的確是自己創造了自己，但是這不是達爾文自己得到的結論。在小獵犬號出航期間，達爾文剛剛從大學畢業，距離成為一位老練的自然學者還差得遠，所以他壓根兒看不出來，加拉巴哥各島上的雀鳥是同一類型。後來還是有勞達爾文的一位朋友，鳥類學專家顧爾德（John Gould, 1804-1881）的協助才搞清楚。

顧爾德瞭解到，達爾文所看到的是天賦不同的雀鳥，而且經驗不足的達爾文根本沒有記錄哪隻標本是來自哪個島（在處理海龜標本方面，他也犯過類似的錯誤）。許多年以後，才逐漸理出真相來。

由於有這些疏漏，而且許多由小獵犬號帶回來的木箱（裝著其他生物標本），需要打開來仔細整理，所以一直到 1842 年，也就是他們回到英國之後的第六年，達爾文才終於開始提筆，草擬他的新理論雛形；兩年後，他這份草稿已經擴充成長達 230 頁的文件。

接著達爾文做了一件極不尋常的事情，他竟然把這份草稿束之高閣、不聞不問的過了十五年；不過，這段時間他倒是沒閒著，依然為著其他事務奔忙，包括跟他老婆生下了十個小孩，並花費了近八年的時光，寫了一本有關藤壺的詳實巨著（無怪乎在接近完稿時，他感嘆的對人說：「有史以來，絕對不會有人比我現在更討厭藤壺啦！」）。

更糟糕的是他還罹患了一種怪病，使他變得長時間無精打采、身體虛弱、以及他自稱的所謂「突然慌亂」。每回他發病時，症狀幾乎都包括了難以忍受的噁心，而且還有心悸、偏頭痛、疲

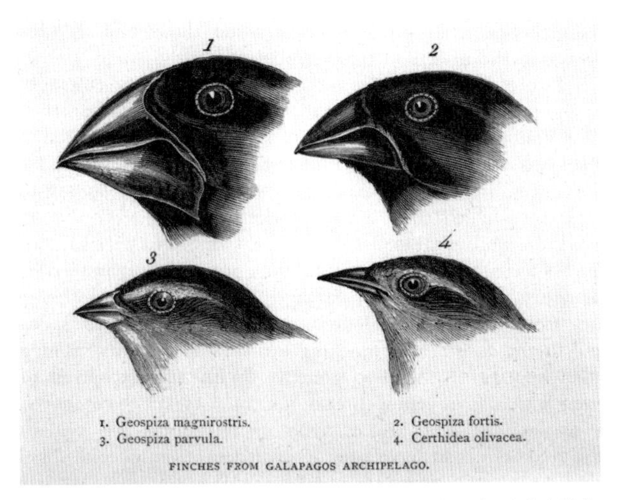

同種的雀鳥，分別在加拉巴哥群島不同的島嶼上逐漸形成多樣的鳥喙外形。達爾文直到他的鳥類學家好友提醒，才瞭解到這些雀鳥屬於同一種類。

倦、全身哆嗦、眼冒金星、呼吸短促、「頭暈目眩」（swimming of the head）、以及意料中的心情鬱卒。

達爾文的真正病因一直沒有診斷出來，但是在諸多猜測中，最離奇、也最有可能的是他罹患了卻格斯氏病（Chagas's disease；又稱南美錐蟲病）。那是一種很難纏的熱帶疾病，或許是他在南美洲時，被一種叫做 Benchuga 的小蟲叮咬而感染的。另一個比較一般的解釋，是他的身體病況來自於心理問題。

不管毛病究竟出在哪兒，他的痛苦是假不了的。通常達爾文一次只能連續工作不超過二十分鐘，但有時也沒那麼糟。

達爾文的其他大部分時間，都花費在一連串似乎愈來愈無望的治療上，包括跳進冰水沐浴、浸泡在醋裡、在身上懸掛「電

這是達爾文位於肯特郡的唐恩小築家中，他的書房一景。達爾文在這裡構思他的理論，但在草稿完成之後，將這份心血束之高閣長達十五年，因為他預知到，這項理論將會掀起軒然大波。

鏈」好讓身體接受一些小小的電擊。為此他也成了隱士，幾乎足不出戶，把自己關在肯特郡的家裡，一棟名為唐恩小築（Down House）的所在。當他搬到這兒時，達爾文做的第一件事就是在書房窗外豎立一面鏡子，讓他可以瞥見門外的來訪客人，必要時他好閃人。

華萊士的包裹

達爾文之所以不急於把他的理論公開，是因為他知道得很清楚，這樣的理論一旦發表，必然會引發不小的風暴。1844 年，也就是他把稿子鎖起來的同年，有一本名為《生物自然史遺跡》

（*Vestiges of the Natural History of Creation*）的新書中指出，人類有可能是從較低等的靈長類動物演化而來，而不是經過造物主的幫助。這在思想界引起了極大的震撼。

這本書的作者顯然有先見之明，預期到會有這種後果，所以他很小心的把自己的身分隱去，在該書出版之後的四十年內，甚至連他最要好的朋友都給蒙在鼓裡。曾有一些人懷疑達爾文就是作者，另有一些人則猜想是當時一位名人亞伯特親王（維多利亞女王的先生）。

實際上，作者是一位事業得意、平日態度謙遜的蘇格蘭籍出版社老闆，名叫張伯斯（Robert Chambers, 1801-1871）。張伯斯不願意暴露身分是基於雙重忌諱，除了在現實環境中可能會招惹麻煩之外，他還有一個更切身的理由，原來他的出版社是當時最大的基督教聖經發行商。

《遺跡》一書不只是遭到全英國牧師群起嚴厲批判，同時也招來許多學術界的不滿。學術期刊《愛丁堡評論》（*Edinburgh Review*）用了幾乎整整一期的篇幅（共有八十五頁），把這本書駁斥得體無完膚。甚至連支持演化觀點的湯瑪士．赫胥黎，也跳出來用一些狠毒的字句攻擊這本書，只是他萬萬沒想到，作者是他的朋友＊。

＊　達爾文是少數幾位猜對了作者身分的人。原來有天，達爾文去拜訪張伯斯，恰巧遇到有人把《遺跡》第六版的樣書送了過來，而張伯斯即刻著手校對樣書中修改的部分，當時他臉上熱切的表情，讓在場的達爾文頓時心知肚明。雖然如此，他們兩人似乎從未討論過此事。

達爾文的書稿如果不是因為他在 1858 年初夏收到一個警訊的話，很可能會一直鎖在櫃子裡，直到他去世。

這個警訊來自遠東，形式是一個小包裹，裡面有一封友善的信跟一篇論文初稿，寄發的人是一位名叫華萊士（Alfred Russel Wallace, 1823-1913）的年輕自然學者，論文題目是〈物種有不斷變化之傾向〉（On the Tendency of Varieties to Depart Indefinitely from the Original Type），內容則是一份天擇理論的綱要，其中的論述跟達爾文的祕密書稿極為神似，甚至連有些說法都跟達爾文的不謀而合。

達爾文大吃一驚，後來他回憶說：「我以前從未見過比這個更嚇人的巧合。就算華萊士看過我在 1842 年寫的那篇稿子，也不可能寫出比此篇更好的摘要。」

其實對達爾文來說，華萊士並不是天外掉下來的陌生人，他們那時已經相識且通信有年，而華萊士曾不只一次慷慨的把他認為有趣的標本寄送給達爾文。在那些交往過程中，達爾文也曾經很慎重的警告過華萊士，說他達爾文已認定了物種起源這個議題是自己的勢力範圍。

在收到華萊士的小包裹前不久，達爾文還寫信告訴華萊士：「今年夏天，將會是我對此議題進行研究的第二十週年，而研究內容就是各樣物種為了什麼原因、跟經由怎樣的過程，才形成了如今的差異。我現在正在準備發表我的著作。」達爾文很有心機的刻意加上最後那句話，雖然與事實不符。無論如何，華萊士沒看懂達爾文信中給他的種種暗示，當然也完全不曉得，他的這個新理論居然會跟達爾文心中琢磨了二十年的老理論幾近相同。

這個小包裹頓時把達爾文推進一個進退兩難的困境中。如果此時他趕緊把他的文稿付印，以保持他的領先地位，就像是他有意去占一位遠方年輕仰慕者的便宜，但是如果他遵守英國紳士在這種情形下的迂腐規矩，也就是保持君子風度，他將失去應得的榮譽。

照片中的人就是華萊士，因為他在 1858 年給達爾文的一封信，促使他們兩人的想法終於一同公諸於世。

雖然他們兩人的理論幾乎一致，但是獲致的方式卻非常懸殊：華萊士自己承認，他的理論得自電光石火的靈光一現；但達爾文的理論可是他積年累月、細心從事、百折不撓、井然有序的思考成果。要求達爾文去禮讓華萊士，實在有欠公允。

達爾文還真是禍不單行，他最小的兒子，名字也叫查爾斯，竟在這時候不幸罹患了猩紅熱，而且病情嚴重。就在達爾文因小包裹而陷入進退維谷的危機時，6 月 28 日，小查爾斯不治。

在此之前，雖然兒子的病情讓他分心不少，達爾文還是找出了時間草草寫了兩封信，分送給他的朋友地質學家萊伊爾（Charles Lyell）跟植物學家胡克（Joseph Dalton Hooker, 1817-1911），目的是表明自己願意讓路，但是也陳述其中利害，說明他如此選擇，意味著他過去的一切辛勤努力，「無論會帶來多少成果，都將被摧毀殆盡。」

萊伊爾與胡克商議出一個折衷解決方案，把達爾文跟華萊士兩人的想法一齊發表，而發表方式則敲定在林奈學會的一場會議上宣讀。林奈學會當時正力圖振作，要爭取回該學會以往在科學上一度擁有過的崇高地位。

1858 年 7 月 1 日，達爾文跟華萊士的理論正式公諸於世，但是達爾文不克出席，當天他與妻子得去埋葬他們剛病逝的么兒。

宣讀達爾文－華萊士理論摘要的晚會上，一共有七篇論文發

達爾文的兩位好友，萊伊爾（左圖）及胡克（右圖），一同力促在林奈學會於倫敦舉行的一場會議上，讓達爾文與華萊士的理論共同發表。

表，有一篇是有關西非安哥拉（Angola）的植物研究報告。在場聽眾只有三十人左右，完全不知道他們是該世紀科學史上最偉大時刻的見證者。論文宣讀後無人發問，當然也就沒有任何討論。

而這次發表的消息，在其他地方也沒有引起什麼顯著的注意，後來達爾文很高興的指出，在出版品中提到他兩人姓名的只有一位人士，就是都柏林的霍頓教授（Professor Haughton），而這位先生的結論是：「他們所發表的新理論都是錯的，而裡頭正確的東西則是舊的。」

這件事發生的當時，華萊士仍舊身在遙遠的東方，不但事前毫無所悉，事後也等了很久才得到消息。但是他的反應非常寧靜且持平，看起來他似乎對能算上一份就很心滿意足了。而且在往後的日子裡，華萊士每向人提及這個理論時，永遠都稱它為「達爾文學說」（Darwinism）。

對比之下，另外一位則對達爾文的領先地位很不服氣，他是蘇格蘭園藝師傅馬修（Patrick Matthew, 1790-1874），出乎意料的是，馬修也想出了同樣的天擇原理，而且時間就在達爾文搭乘小獵犬號、離開英倫出航的同一年。然而不幸的是，馬修把他的看法寫下來後發表在一本名叫《海事木材與植樹學》（*Naval Timber and Arboriculture*）的書中，這本書不只是達爾文無緣見到，似乎整個世界都不知道有它的存在。

當馬修看到達爾文由於提出一項理論而變得遠近馳名，而此理論竟是自己在多年以前白紙黑字發表過的，你想他會服氣嗎？

不平則鳴，他當然是有話要說囉！於是馬修投書到《藝園者記事》（*Gardener's Chronicle*）期刊上去爆料，把此事掀了出來。

達爾文見到之後毫不遲疑的道了歉，不過在聲明中，也沒忘了要把事情說清楚、講明白，以正視聽。他說：「……馬修先生當年所發表的文字相當簡短，而且它只出現在《海事木材與植樹學》一書的附錄中。從這兩點事實考量，對於我這輩子從未見過，或是任何其他自然學者顯然也都沒有聽過馬修先生的意見，我相信沒有人會覺得意外。」

華萊士在此事發生之後，繼續擔任了五十年的自然學者與思想家，偶爾也有極為稱職的表現，但是後來由於他開始從事一些頗啟人疑竇的研究，像是唯靈論（spiritualism）及宇宙他處可能存在生命等，而逐漸失去了科學界對他個人的肯定，以致於他們的理論後來變成達爾文所獨有。

無法解釋的「眼睛」

達爾文一生從沒能夠看開，停止為自己的觀點受折磨。他稱呼自己是「魔鬼的牧師」，而且宣稱他覺得公布這個理論「像是承認犯了一樁謀殺」。除了種種其他後果之外，他也知道這事深深傷害了他那對上帝極端虔誠的愛妻，但他還是強打起精神，即刻著手把他那份草稿擴充成書，並找了一家出版社發行。

起初他把書名暫定為《以天擇解釋物種原始的理論摘要》（*An Abstract of an Essay on the Origin of Species and Varieties through Natural Selection*），他的發行人莫瑞看到這麼一個溫吞的

書名，心想銷售業績一定不會好，所以決定第一刷只印五百本試試。稍後他看到書稿、以及修改後變得比較討好的書名，又重新考慮了一下，把第一刷增加為一千兩百五十本。結果莫瑞還是看走了眼，《物種原始論》一推出就銷路不錯，但是並沒有大賣。

達爾文的理論有兩個難以解決的問題，第一是它需要很長的時間，而凱文勳爵（Lord Kelvin）認為地球並沒有那麼長久的歷史。第二是它跟化石證據幾乎完全不能相互印證。因為根據達爾文的理論，從甲演化到乙，必然要經過某些個既不像甲、也不像乙的過渡形式；那麼達爾文的批評者中，較會思考的人就會問，這些過渡生物都在哪兒？

如果說新物種不斷的出現，所有化石紀錄中，應該到處散布著一些過渡形式才對，但事實並非如此 *。根據當時已有的化石紀錄（以及其後很長一段時間內所繼續發掘到的），在著名的寒武紀大爆發之前，壓根兒就沒有生物的蹤跡。

於是達爾文當時的處境頗耐人尋味：他毫無證據，卻堅決認為早期（寒武紀大爆發之前）的海洋裡「必然」充滿生命或生物。我們之所以沒發現它們，是因為有某個原因，使它們的遺跡無法自然保存下來。

* 1861 年正當大夥兒為此爭論得不可開交時，非常巧合的在德國巴伐利亞，有一些工人發現了一隻始祖鳥的骨頭，牠顯然是鳥跟恐龍之間的中間產物（牠有羽毛，同時也有牙齒）。此一發現讓人印象非常深刻，而且對演化論的確有一些加分效果。不過由於它只是單一事件，因此這項發現的重要性也成了新的爭論焦點。科學上一般說來，沒有人會基於單一發現驟下結論。

達爾文認為他的推論絕對百分之百正確，沒有其他可能。達爾文堅持的說：「雖然我們目前不得不承認此論點尚無法解釋，但仍然可以力陳，它是所有看法中的正確答案。」也就是說，他也坦承有其他意見，但拒絕接受任何其他可能。達爾文曾試著解釋為什麼寒武紀之前的生命沒有留下紀錄（他的想法很富創意但不正確），他說也許是寒武紀之前的海洋缺乏泥沙、無法產生沉積層，因此沒有化石保留下來。

即使是達爾文最親近的友人也都覺得，他的一些主張天真得叫人吃不消。塞吉威克（Adam Sedgwick）曾在劍橋大學教過達爾文，並於 1831 年帶領達爾文到威爾斯地區做地質考察，他說閱讀達爾文的這本書給他的「痛苦多過快樂」。阿格西（Louis Agassiz）也認為這本書是證據貧乏的臆測。甚至連地質學大師萊伊爾也都氣餒的總結：「達爾文在推論上過於放縱。」

湯瑪士·赫胥黎不贊同達爾文對於演化需要經過長久地質時間的堅持，因為他自己是一位躍進論者（saltationist，此字源自拉丁文，意思是跳躍）。這意思是說他相信演化變化並非漸進，而是突然躍進。

躍進論者不能接受複雜的生物能夠逐步慢慢的生成或出現，理由是逐步變化的中間產物，例如只完成了十分之一的翅膀或半隻眼睛，會有何用？他們認為諸如此類的身體器官，只能以已經全部完成且可用的形式陡然出現，才比較合理。

思想激進的湯瑪士·赫胥黎會有如此的信念實在很叫人意外，因為它讓人想起一個非常保守的教會主張，該主張是 1802

年由英國神學家培里（William Paley, 1743-1805）率先提出的，且名之為設計論證（argument from design）。

培里堅信，如果你在地上發現一隻懷錶，即使你從未見過這樣的東西，也會立即察覺到，它是由有智慧的生物製造出來的。所以他相信，自然的錯綜複雜，正好證明它是預先設計好的。此主張在十九世紀很有說服力，也讓達爾文很頭大。

達爾文在寫給朋友的一封信中表示：「這些日子裡，一想到眼睛，我就會不寒而慄。」在《物種原始論》這本書裡他也說：「我無法不承認，經由天擇逐步產生出（眼睛）這樣複雜器官的說法，簡直幾近荒唐。」

即便如此，達爾文不但繼續堅持所有的物種變化都是漸進的，而且還幾乎在《物種原始論》每一次出修正版時，就把他認為演化過程所需的時間加長，這種做法就連他的支持者都惱怒不已。由於跟當時潮流背道而馳，達爾文的觀念愈來愈不受大眾歡迎。根據科學家暨歷史學家施瓦茨（Jeffrey Schwartz）的說法：「最後達爾文幾乎完全喪失掉自然史學與地質學同行的支持。」

還有一件滿諷刺的事：達爾文的書書名為《物種原始論》，但他在書裡沒有解釋清楚的諸多問題之一，就是新物種最初是如何產生的？達爾文的理論提出了一種機制，說明了任何物種如何能變得更強、更好、或更快，如果要用一個詞來概述，或許就是「更合適」（fitter，也就是生殖成就更高），但是這都無法說明新的物種如何無中生有。

蘇格蘭工程師詹肯（Fleeming Jenkin, 1833-1885）首先想到

了這個問題，因而認為這是達爾文論證中的一項重要缺點。達爾文相信，在一個世代裡首度出現的任何有利特質，都會遺傳給後來的各個世代，從而強化了該物種。

不過詹肯指出，父或母僅一方所具有的有利特質，不會在子代完全顯現出來，而是會因父母交配混合而遭到稀釋。就如同你把威士忌倒進一杯水裡，酒只會變淡，而不會維持不變或變得更濃烈；之後如果你繼續再往裡頭兌水，那只有讓它變得更淡。

同樣的道理，父母中一方提供的優點，傳給後代之後每逢擇偶繁殖，就好像多兌一次水，最後這個優點幾乎消失不見。所以達爾文的理論不可能是物種產生變化的理由，反倒是說明了生物長期維持一致性的可能。

因為運氣好而歪打正著、出現有利特質的事，也許會不時發生，但是在這個兌水淡化的大趨勢之下，發生之後不用多久，這個優點就會逐步化為烏有，一切又回復到原先的穩定跟平凡。如此看來，天擇要發揮作用，我們還需要另一種尚未考慮過的不同機制才行。

遺傳學之父——孟德爾

這一點不但達爾文毫不知情，其他所有人也都沒注意到。就在離達爾文一千兩百公里之外，一個中歐寧靜角落裡，一位深居簡出、不愛交際的修道士孟德爾（Gregor Johann Mendel）正在尋找這個問題的答案。

1822 年，孟德爾出生在當時的奧地利帝國境內（他的家鄉位於今日的捷克共和國），一處偏僻所在的簡樸農家。以往的許多教科書多把他描繪成一位性格單純、但觀察力敏銳的鄉下修道士，言外之意是把他的發現歸諸運氣，好像他只是在修道院廚房旁的菜園裡種植豌豆時，無意中注意到一些有趣的豌豆特質罷了。

孟德爾那小心翼翼、一絲不苟的豌豆實驗，開創了遺傳學的先河。

事實上孟德爾是一位科班出身的科學家，年輕時曾在當地的奧爾穆茲哲學院（Olmütz Philosophical Institute）與維也納大學念過物理學跟數學，因此他是有意把科學帶到日常生活中的。

除此之外，地利也是一項重要因素。他從 1843 年起開始居住在布爾諾（Brno）的修道院，那裡原本就是一間著名的學習院所，它有一間藏書兩萬冊的圖書館，以及從事細緻科學研究的風氣跟傳統。

在開始正式做實驗之前，孟德爾花了兩年時間「準備」他的樣本，他找了七種不同的豌豆種子，而準備的目的是為了檢查它們的「血統」是否純正。然後在兩位全職助理的協助下，他重複進行一系列繁殖栽培跟異種雜交的工作，他們所種植的豌豆多達三萬棵。

這是一項非常細緻費神的工作，每一個步驟都得極其小心、精確，以避免任何意外的雜交發生。另外，他們還得詳實記錄這

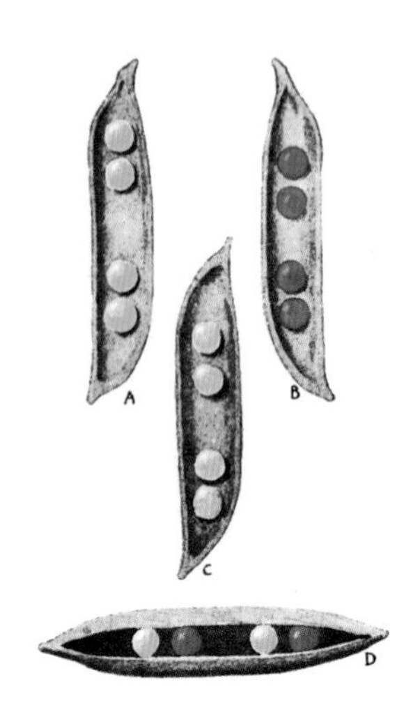

孟德爾經由選擇性育種，繁殖出具不同顏色種子的豌豆莢。

些植物在生長期間，每一部分在外觀上的些微變化，包括種子、豆莢、葉、莖，與花等各個部分。所以在那段時期裡，孟德爾清清楚楚的知道自己在幹嘛。

孟德爾從未用過基因（gene）這個字（這個字得等到 1913 年才有人創造出來，收錄在一本英文醫學字典內），不過孟德爾的確發明了「顯性」（dominant）跟「隱性」（recessive）這兩個形容詞。他當時的心得是：每一顆種子裡面都含有兩類他所謂的「因子」（factor）或「元素」（element），一類屬於顯性，另一類則屬於隱性。這些因素配合在一起，就會產生各種可以預期的遺傳模式。

最後孟德爾把得到的實驗結果，轉換成精準的數學公式。孟德爾光是在他的豌豆實驗上，前後就花費了八年時間。接下來他又繼續用一些花、玉蜀黍，還有其他植物，做了些類似實驗，用以驗證他先前的結果是否也適用於其他種植物。

如果要挑孟德爾的毛病，只能說他的研究方法「超越了」當時的科學水準，人們跟不上他的思維。何以見得呢？

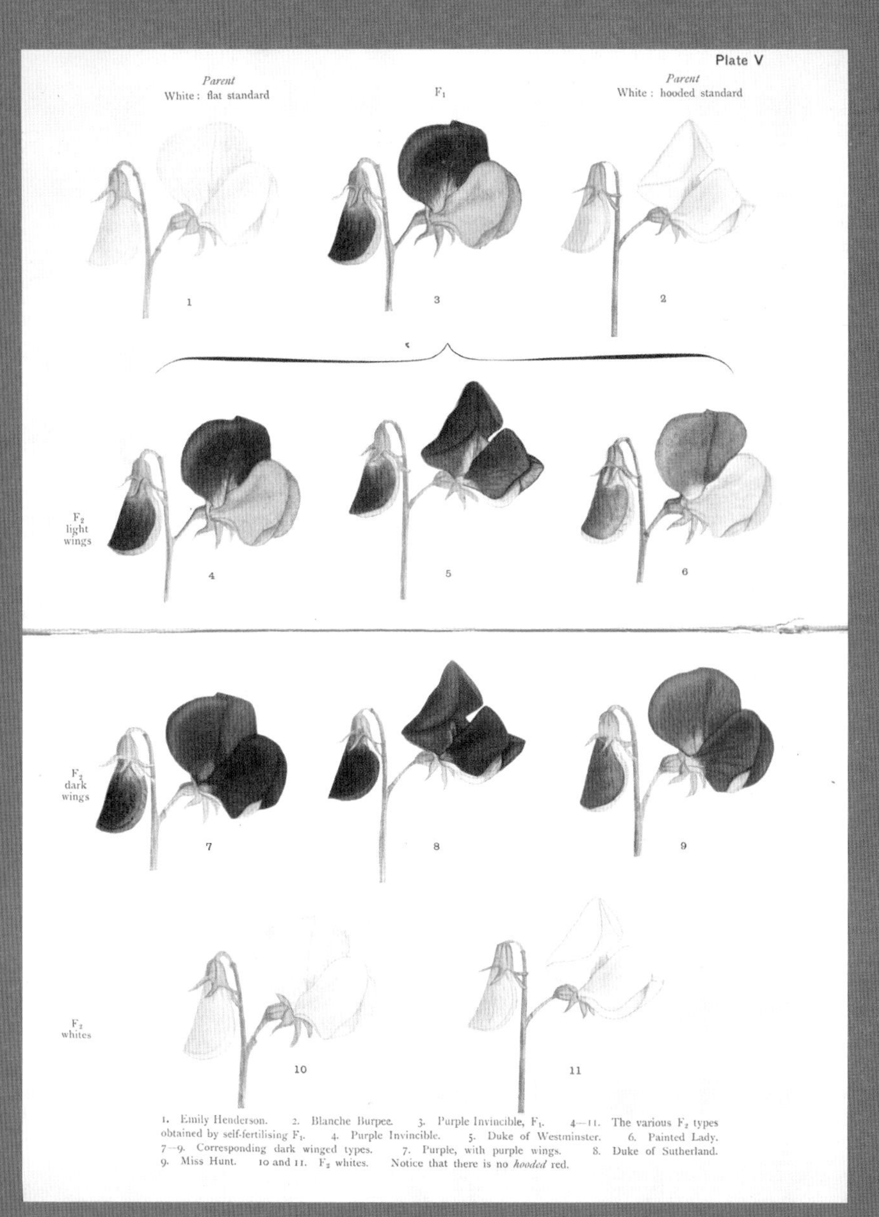

貝特森（W. Bateson, 1861-1926）在他 1909 年出版的《遺傳原理》（*Principles of Heredity*）書中，繪製的一幅插畫，說明孟德爾將豌豆雜交後，得到具各種不同外形特徵的花。

因為在1865年的2月跟3月，在當地布爾諾自然史學會的兩次會議上，孟德爾發表他多年來的發現時，在場的四十來位聽眾都很禮貌的在聽講，但是也很顯而易見的完全不為所動，即使當時該學會會員中有許多人對植物改良育種非常嚮往，而且也在實地動手做研究。

當孟德爾的報告出版後，他興匆匆的馬上寄了一份給當時頗受敬重的瑞士植物學家納格里（Karl-Wilhelm von Nägeli, 1817-1891），因為孟德爾知道，納格里的支持與否對這套新理論的發展有決定性的影響。

但是很不幸的是，偉大的納格里也沒有看出來孟德爾發現的重要性。他倒是建議孟德爾，去試試育種山柳菊屬植物（hawkweed）。孟德爾聽從了納格里的話，然而他很快就發現，這類植物根本就不具有研究遺傳所必需的各種條件。孟德爾因此而意識到，納格里顯然並未仔細閱讀他的論文，或者根本沒翻過也說不定。

孟德爾在失望之餘，決定不再搞遺傳。由於孟德爾的園藝技術非常高明，他能種出品質極佳的蔬菜；此外，他也把興趣分散，在種菜之餘，還研究許多不同的事物，像是蜜蜂、小老鼠、及太陽黑子等。最後，孟德爾晉升為該修道院的院長。

其實孟德爾的發現並非全像有些人報導的那樣，說是完全沒有受到矚目，譬如《大英百科全書》（那時它在科學思想紀錄方面，比今天更具權威性）就很熱烈的介紹了孟德爾的研究成果。

德國植物學家福克（Wilhelm Olbers Focke, 1834-1922）在一篇重要論文中，也不只一次的引用孟德爾的理論。

說實在的，孟德爾的想法由於過於先進，推出時並未得到應有的掌聲，所幸雖然一直載浮載沉，但還不至於沉潛到科學思潮水面下而遭人遺忘。所以後來當世界知識水準進步到能夠大致瞭解他的思維程度時，孟德爾的理論很快就脫穎而出啦。

達爾文與孟德爾在彼此互不知曉的情況下，共同為二十世紀的生命科學發展打下了根基。達爾文瞭解到一切生物都互有關聯，而它們全都能夠「向前追溯，到達單一的共同祖先」。而孟德爾的研究，則提供了一個可以解釋達爾文的演化論如何發生的機制。

這兩個人可以很容易的相互助一臂之力。孟德爾本身擁有一本德文版的《物種原始論》，而且有證據顯示他讀過此書，所以他必然瞭解自己的研究有助於達爾文學說，但他卻從未設法跟達爾文聯繫。至於達爾文呢，我們知道他曾經讀過福克寫的那篇、數度引用孟德爾理論的論文，卻沒有把讀到的跟自己的研究扯到一起。

有一個所有人都以為是達爾文主張中的論點，那就是指稱人類是人猿後裔一事，事實上除了有一次勉強可當成是暗示之外，達爾文從未明確表示過。雖然如此，你不需要多大的想像力也可以認定，達爾文對人類祖先的出處的確有這樣的想法，因此他的理論一發表，這樣的想法就立刻變成了人們的熱門話題。

刊載在 1861 年 5 月號《噴趣》（*Punch*）雜誌上，一幅嘲諷達爾文《物種原始論》的漫畫，畫中人猿胸前掛的牌子寫著：「我是人類？也是你們的兄弟？」

1860 年 6 月 30 日星期六，在牛津一場英國科學促進會的會議上，發生了此項議題的一次對決。事前《生物自然史遺跡》一書的作者張伯斯，出面慫恿湯瑪士．赫胥黎去參加這次會議，當時湯瑪士．赫胥黎還不知道張伯斯跟那本備受爭議的書有關；達爾文則照例沒有出席。

這個會議是在牛津動物博物館舉行，會場裡勉強擠進了一千多人，另外還有數百人被拒於門外。人們知道當晚將有大事發生，不過他們得先耐心等候一位從紐約大學來的、名叫德瑞普（John William Draper, 1811-1882）的先生，使用催人入睡的語調、花了兩個小時，辛苦的講完了一場介紹性的演說，主題是「根據達爾文先生的看法，剖析歐洲的智力發展」。

終於輪到牛津主教韋伯福（Samuel Wilberforce, 1805-1873）站起來講話。在前一天晚上，激烈的達爾文學說反對者、古生物學家歐文（Richard Owen）曾到主教家裡作客，向韋伯福做過簡報（至少大家都這麼認為）。

牛津主教韋伯福，他在 1860 年那場人聲鼎沸的會議中，發言抨擊達爾文的危險思想。

就像每每引發大規模唇槍舌劍的事件一樣，事後追憶時總是言人人殊、差異極大，其中最多人認同的說法是：正當韋伯福滔滔不絕的講到興頭上時，他突然轉過頭面對著湯瑪士．赫胥黎，帶著漠然的笑意逼問對方，要他說明究竟是他的祖父還是祖母，是從人猿演化而來。

韋伯福這麼做的原意無疑是要開個玩笑，譏諷對方，但是聽到的人都覺得這是個冰冷無情的挑戰。根據湯瑪士．赫胥黎事後的描述，他先是轉頭低聲告訴鄰座朋友說：「上帝把他交到我手上啦！」然後胸有成竹的站了起來。

不過在場的其他人卻記得，湯瑪士·赫胥黎聞言憤怒得全身哆嗦。我們先別談他當時的實際反應是什麼，湯瑪士·赫胥黎站起來之後宣稱：他寧可認人猿為親戚，也不願意承認跟「某個利用高位特權，在公認為嚴謹的科學研討會議上，提出不學無術廢話的人」屬於同類。

他這樣的反駁不但是對韋伯福個人魯莽無禮，而且對主教這個職位構成了公然侮辱，於是會議頓時陷入一陣騷亂，一位姓布魯斯特的貴婦當場暈倒。

二十五年前達爾文在小獵犬號飯桌上的夥伴費茲羅，高舉著一本基督教聖經在會場上四處穿梭，同時大聲吼著：「聖經，聖經！」（他在當天晚上有一篇關於暴風雨的論文要宣讀，當時他的身分是一個才剛成立的氣象部門的主管。）最有趣的是，事後雙方都宣稱擊潰了對方。

達爾文終於在 1871 年出版的《人類原始》（*The Descent of Man*）中，把他相信我們跟猿類有親戚關係這件事，明白的說了出來。不過他這個說法尚無化石紀錄可資佐證，所以結論下得有點大膽。

那時候人們所知道的早期人類遺跡，僅有在德國境內發現的、著名的尼安德塔人（Neandertal）；世界其他地區也只出土了少數的頜骨碎片，但是專家們連它們是否真屬化石都還存疑，其他就更不用說了。《人類原始》這本書整體說來，其實比《物種原始論》更具爭議性，但是因為晚了十二年才出現，世人已經不像以往那樣衝動，所以造成的騷動也大不如前。

在會議中挺身捍衛達爾文理論的湯瑪士·赫胥黎。直到如今，當時的混亂是如何開始的，仍然眾說紛紜。

不過達爾文的晚年，大部分時間是用在其他研究上，這些研究都在支持天擇理論。譬如他花了叫人驚訝的長時間去挑選鳥糞，仔細檢查其中的內容，目的是想要瞭解植物種子如何在各大洲之間散播。

另外，他也用了數年工夫去研究蚯蚓的各種行為，他的實驗中有一個是彈鋼琴給蚯蚓聽，目的不是要取悅牠們，而是想知道聲音跟振動對牠們有什麼影響。達爾文是第一位瞭解到，蚯蚓對土地的肥沃具有不可或缺的重要性，他曾說：「有史以來，在這世上很難有比蚯蚓更有貢獻的動物了」。他為此寫了一本名著，書名叫做《腐植土的產生與蚯蚓的作用》（*The Formation of Vegetable Mould Through the Action of Worms*，1881 年出版），這本書比《物種原始論》更為暢銷。

達爾文所寫的其他書還有 1862 年的《蘭花招引昆蟲授粉的巧妙裝置》（*On the Various Contrivances by Which British and Foreign Orchids Are Fertilized by Insects*）；以及 1872 年出版的《人和動物的表情》（*Expressions of the Emotions in Man and Animals*），這本書發行時真是轟動，第一天就賣出了將近五千三百本。

這張嚎啕大哭的孩童照片，出現在達爾文於 1872 年出版的《人和動物的表情》書中。

1876 年的《植物界中異花受精及自花受精的結果》（*The Effects of Cross and Self Fertilization in the Vegetable Kingdom*）一書，主題看起來似乎很接近孟德爾的研究工作，但他們的結果與內容重點完全不同；另外還有 1880 年《植物運動的力量》（*The Power of Movement in Plants*）。

最後還有滿重要的一點，是達爾文花費了不少工夫研究近親交配的後果，這個問題與他切身相關。原來達爾文的太太是他表妹，所以他暗地裡擔心，他們的子女中會出現一些生理與精神上的問題。

在達爾文的一生中，他經常接受各種榮譽跟表揚，但從來都不是因為他寫了《物種原始論》或《人類原始》這兩本書。當時的英國皇家學會頒贈給他聲望崇高的科普利獎章（Copley Medal），明白的表示是為表彰他對地質學、動物學及植物學的貢獻，而非演化理論。林奈學會也一樣，他們很樂意推崇達爾文，但是絕口不提他的激進想法。

達爾文從未受封為爵士，但他死後卻准許葬入西敏寺，而且就葬在牛頓隔壁。達爾文於 1882 年 4 月間，在他位於肯特郡的唐恩小築家中與世長辭；孟德爾則在兩年後也蒙主寵召。

達爾文的理論一直要等到 1930 跟 1940 年代，才得到人們廣泛的認同，當時叫做「現代演化綜論」（the Modern Synthesis），內容是把達爾文的想法跟孟德爾及其他人的主張結合起來。

孟德爾的處境也很類似，他的研究成果同樣是等他死後多年，才受到人們賞識，不過孟德爾的「成名」比達爾文的早了幾十年。

怎麼說呢？ 1900 年時，歐洲有三位科學家不約而同，分別從舊紙堆中「重新發現」了孟德爾的研究報告。其中有一位名叫德弗里斯（Hugo de Vries, 1848-1935）的荷蘭人，似乎有意要使出瞞天過海之計，把孟德爾的發現改頭換面後據為己有。幸好他的一位學術界宿敵跳了出來、大聲疾呼，結果讓天下人都知道，這項發現的功勞屬於這位遭人遺忘了的修道士。

那時這個世界還只是準備得差不多，可以開始去瞭解我們如何變成了目前的模樣、我們如何在彼此競爭中相互塑造，但是卻尚未真的達到一切準備妥當的地步。在二十世紀開始的那些年裡，要談論這個問題還嫌太早，因為那時候世上最優秀的科學頭腦仍無法告訴你，嬰兒究竟從何而來。

那些具備頂尖科學頭腦的人居然認為，那個時代的科學已經接近尾聲。

達爾文曾經不斷成為大家嘲弄的對象。這幅在 1881 年刊載於《噴趣》雜誌的漫畫，主角是達爾文，作者是漫畫家桑伯恩（Linley Sambourne, 1844-1910）。

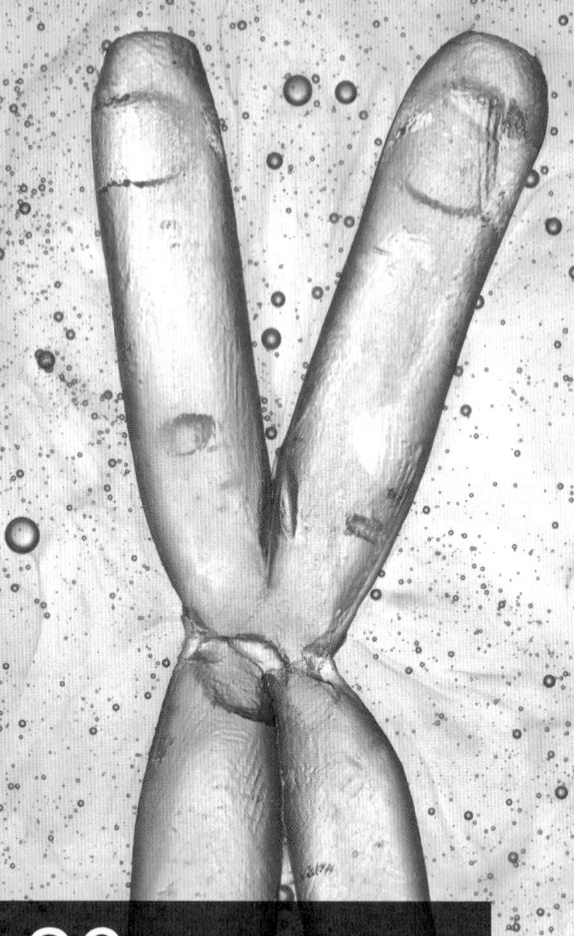

第 26 章
生命藍圖

這是一個放得很大的染色體，上頭裝著許多資訊。幾乎所有人體細胞中，都可以發現染色體的蹤跡，染色體包含製造與維護人體所需的全部資訊，可說是身體的指導手冊。人類有 46 根染色體，馬鈴薯有 48 根染色體。染色體數目與生物的複雜度沒有什麼關聯。

如果當初你的父母在導致懷你而進行「做人」的那一刻，他們錯過了，也許只錯過了一秒鐘，也許只錯過了十億分之一秒，今天你就不會在這兒啦。如果你父母的父母也在「做人」過程中，時間上早了或晚了半拍，就不會有你的父親或母親，那麼你也不會在這兒了。如果你祖父母的父母當年的行動有了些微改變，最後的結果又是你不會在這兒……

以此類推，顯然是無窮無盡，你家族歷史上的任何一個關鍵時刻，若是發生了一丁點兒差池，都會造成今天你不能出現的嚴重後果。

從另一個角度來看，愈往上推，你得感謝的人愈多。只要上推八代，約略到了達爾文跟林肯出生的年代，你今天能在這兒出現，就得依賴超過 250 位先人「準時行樂」。如果繼續上推，到達莎士比亞跟五月花號清教徒的年代，你得有至少 16,384 位先人忙著精確的交換遺傳物質，你才能奇蹟般的最終出現在這世界上。

在二十個世代之前，為了生出你所需的總人數已經到達 1,048,576 人。再往前推五個世代，這數字就成了至少 33,554,432 名男女，他們得認真交媾，還缺一不可，這是你今天能存在的必要條件。在三十個世代之前，你的祖宗總人數，記住，他們不包括表兄堂弟、嬸娘舅媽之類的旁系親屬，只算父母直系尊親，就超過了十億（精確的數字是 1,073,741,824）。

如果繼續上溯到六十四個世代之前，亦即羅馬人稱霸西方的時代，你的存在就有賴大約一百萬兆（1,000,000,000,000,000,000）

位男女的努力合作啦！不過這個數字比從地球形成以來，曾經在這世界上生活過的總人數還多出了數千倍。

所以咱們的算術顯然有了問題，跟事實不符。你也許很好奇，想知道箇中原委，答案其實很簡單，就是你的家族血統不可能完全「純正不雜」。在你出生之前，即使是在遺傳學知識普遍後、人們很小心的時代裡，仍然難免會有少許近親通婚的事件發生，事實上是有很多很多近親通婚的事件發生。

由於你以往有數百萬位先祖，一定會有許多案例牽涉到你母親一邊的某位親戚，跟你父親一邊的一位遠房表親婚配，繁殖後代。事實上，如果你現在的伴侶跟你同國同種，他或她跟你非常有可能具有某個程度上的親戚關係。

不錯，當你坐在公共汽車上、公園裡、小飯館內、或人們聚集的任何場所，在你周遭的人都非常有可能是你的遠親。當有人向你吹噓，說他是某某歷史名人的後裔時，你應該馬上回敬他說：「我也是！」因為事實上，基本說來咱們都是一家人。

此外，我們每個人之間還神奇的相似。此話怎講？如果你拿自己的基因跟其他任何人的去比較，你會發現兩者之間有高達99.9%的部分完全相同，那也就是我們都同屬一個物種的原因。而剩下來的0.1%為可變部分，這可是根據2002年獲得諾貝爾獎的英國遺傳學家薩爾斯頓（John Sulston, 1942-）的說法：「大概是每一千個核苷酸鹼基內，會有一個不同。」這一丁點的不同，賦予了我們每個人不同的個體性。

近年來，科學在拼湊出人類基因組（genome）這方面，有極

遺傳學家薩爾斯頓，攝於英國劍橋郡的聖格中心（Sanger Center），在那裡進行了破解人類基因組的許多工作。

長足的進展。如今我們知道，事實上沒有所謂的「典型」人類基因組，因為每個人的基因組都有些微不同，否則大家都會長成一個樣，彼此難以分辨。而這些基因組具有無窮盡的組合可能，但每個基因組都必須保持「幾乎」完全相同，又並非完全相同，才讓我們能夠同時兼顧到兩個方面：一方面我們得以維持同屬一個物種的特性，另一方面則讓我們各具不同的個體性。

地球上最不同凡響的分子

然而這個我們稱為基因組的東西究竟是啥呢？跟基因又有什麼不同呢？要回答這些問題，我們得回頭去重新瞧瞧細胞，細胞內有個細胞核，而細胞核內有所謂的染色體，染色體是 46 根非常複雜的小東西，其中的一半，也就是 23 根染色體來自母親，而另一半則來自父親。

除了非常少數的例外，你全身上下的每一顆細胞，大概是全部的 99.999% 吧，都各自攜帶著同樣的一套 46 根染色體。（那些極少數的例外，包括了紅血球、一些免疫細胞、以及卵子跟精蟲細胞。它們各以不同的結構性原因，沒有攜帶全套的遺傳物質。）染色體裡面包含了有關如何製造、維修、跟保養你身體的全部指令，它們是由一種叫做去氧核糖核酸（deoxyribonucleic acid 或 DNA）的奇妙長鏈分子構成的，有人曾把 DNA 稱為「地球上最不同凡響的分子。」

DNA 存在的目的只有一個——製造更多 DNA，而你身上現有的 DNA 有一大堆：若是把一顆細胞裡的所有 DNA 分子，首尾相連接在一起，全長約可達 2 公尺。每一全套 DNA 包含了大約 32 億個代碼字母，所以它足夠提供 $10^{3,480,000,000}$ 個可能的不同組合。

獲得諾貝爾獎的比利時生化學家杜武（Christian de Duve）說：「在所有可以想像得到的組合裡，保證每一個都是獨一無二。」那可是非常非常多的可能，上面那個數字展開來是 1 後面跟著三十多億個零。杜武指出：「如果真要把它的零全部列印出

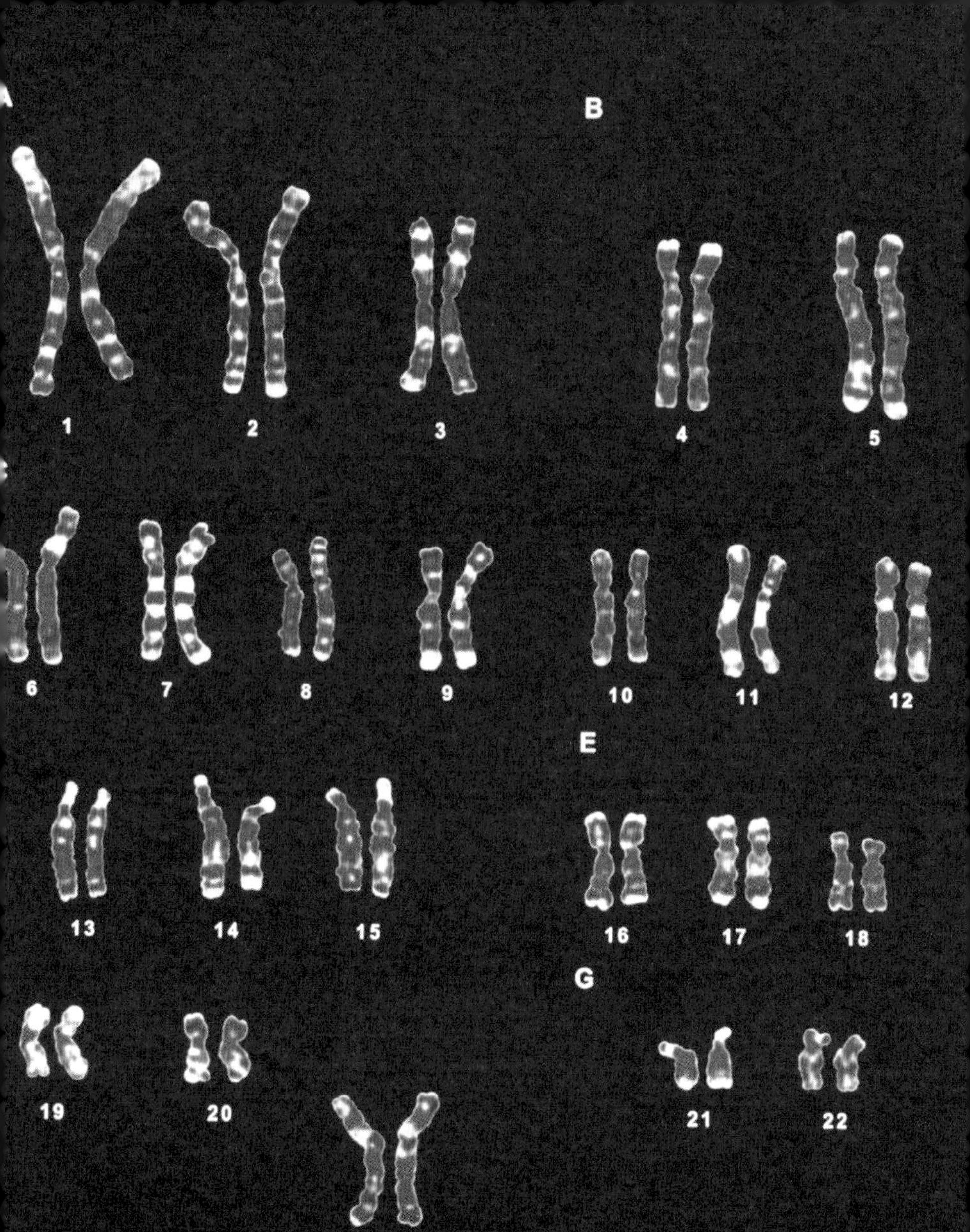

圖中是整套的人類染色體，排成 23 對。每一對染色體，各有一半來自父親、一半來自母親。最後一對染色體，可以顯示擁有者的性別。這裡是 XX，也就是女性；如果是 XY，那就代表是男性。

來，五千本一般厚度的書所提供的總篇幅都嫌不夠用。」

如果你朝鏡子裡看自己，反映出來的事實是你正在看一百兆顆細胞，而幾乎每顆細胞裡面都各自含有總長約 2 公尺的緻密 DNA，有了這兩個數字，你心裡就該會開始有了個譜，自己身上攜帶的 DNA 量實在是多得嚇人。

有人計算過，如果你把身上全部的 DNA 連接起來，成為一條單股細線，總長度可達 2 千億公里左右。而月球跟地球的平均距離僅為 384,400 公里，所以這根細線的長度是該距離的 52 萬倍，也就是這根線不但可以從地球拉到月球，而且可來回走 26 萬趟。

簡言之，你的身體的確熱愛製造 DNA，若是沒有 DNA，你就不能活命。然而 DNA 本身卻不是活的，雖然嚴格說來，所有分子都不是活的，這兒是說 DNA 的性質特別不活躍，正如哈佛大學的遺傳學家路翁亭（Richard Lewontin, 1929-）所指出的，它是「生命世界中，化學反應性質最不活躍的分子。」

這是為什麼在調查謀殺案時，我們可以從早已乾涸的血漬或精液中回收 DNA，甚至可以從遠古尼安德塔人的遺骨中想法子萃取得到。同時它也說明了為什麼，過去科學家花費了非常長久的時間，好不容易才搞清楚這種神祕低調的物質，化性一點也不活潑的 DNA，竟然就是生命的中心。

對人們來說，DNA 並不是什麼新近發現的東西，最早發現它的人是瑞士生物學家米契爾（Johann Friedrich Miescher, 1844-1895），時間是 1869 年，當時他在德國的圖賓根大學（University

生物學家米契爾在 1869 年發現了 DNA，他提出了極不尋常的想法，認為 DNA 可能在遺傳上扮演某種角色。

of Tübingen）任職。有一次當他用顯微鏡觀察外科繃帶上的膿汁時，米契爾發現了一種從未見過的物質，他把它叫做核素（nuclein，因為它存在於細胞核內）。

當時米契爾不過只是指出了有這麼一樣物質而已，並未試圖去做進一步的研究。但是他顯然一直未把核素忘懷，因為二十三年後，在寫給叔父的一封信裡，他提出了一個見解，說這種分子有可能就是遺傳現象背後的實際操作者。這真是一個極不尋常的想法，然而由於比當時的科學見解超前太多，以致於完全沒有引起別人的注意。

在之後的半個世紀裡，一般人都認為，這種物質（名稱已改為去氧核糖核酸或DNA）在遺傳上頂多只能扮演輔助性的角色。原因是它實在太過簡單，只有四個叫做核苷酸的基本成分，這就像一種拼音文字的字母表裡面只有四個字母，那麼你如何可能使用這麼基本的字母表，寫出多采多姿的生命故事呢？（其實答案類似於摩斯電碼的方式，摩斯電碼的成分更簡單，只有短音跟長音兩樣，但是利用不同的組合，照樣可以建構出複雜的訊息。）

再者，DNA 似乎什麼事情都不做。觀察它的人發現，絕大部分時間裡，DNA 只是安靜的躺在細胞核內，一副無所事事的樣子，偶爾它可能以某種方式附在染色體上，或是受命突然增加一些酸性，或是進行一些看起來似乎無足輕重、莫名其妙的動作。人們那時反倒認為，遺傳必然很複雜，一定跟細胞核中的蛋白質脫不了干係。

不過，要摒棄 DNA 也不容易，至少會有兩個問題。其一是它的量不可忽視，前面提到過，幾乎每個細胞核裡都有約 2 公尺長的 DNA，顯然它具有某種崇高的重要性。除此之外，它經常到處出現，活像是尚未水落石出的謀殺案裡的嫌疑犯。這現象在兩項研究裡尤其顯著，其一是牽涉到肺炎球菌（*Pneumonococcus*），其二則是有關噬菌體（能感染細菌的病毒）。

DNA 在這些實驗中所洩漏出來的重要性，絕非處於遺傳中的輔助地位，只有擔任比較樞紐的角色才能解釋得通。實驗證據還顯示，DNA 與蛋白質的製造有關聯，這個過程對生命而言，誠不可或缺。但是另有一件事很清楚，那就是蛋白質的製造是在細胞核外進行，跟假定在指導蛋白質組裝的 DNA 並不在一塊兒。當初沒人能夠瞭解，細胞核內的 DNA 如何把訊息傳遞給核外的蛋白質，現在我們知道答案是 RNA，也就是核糖核酸（ribonucleic acid）。RNA 在 DNA 跟蛋白質之間擔任翻譯員的角色。

生物學上有件著名的怪事，那就是 DNA 跟蛋白質之間居然言語不通！在過去將近四十億年裡，它們一直在生命世界裡不斷演出偉大的雙人劇，然而它們卻各自使用對方不懂的密碼對答，你說奇不奇怪？就像一方只懂西班牙語，而另一方卻堅持要以印度話發言那樣。為了要達到互通訊息的目的，它們需要一位中間協調人的幫忙，而這位調人就是 RNA。

RNA 跟一種叫做核糖體（ribosome）的化學辦事員合作，把 DNA 從細胞核中傳來的訊息，翻譯成蛋白質能看得懂且可照著做的形式。

染色體與 DNA

但在剛才故事的年代，也就是二十世紀來臨之前，以上這些知識還都不為人知，那時的人們對遺傳還是一片茫然。

顯然在那個時候，咱們需要一些具有靈感跟不落俗套的巧妙實驗來突破瓶頸。讓人很欣慰的是，這時出現了一位工作既勤快

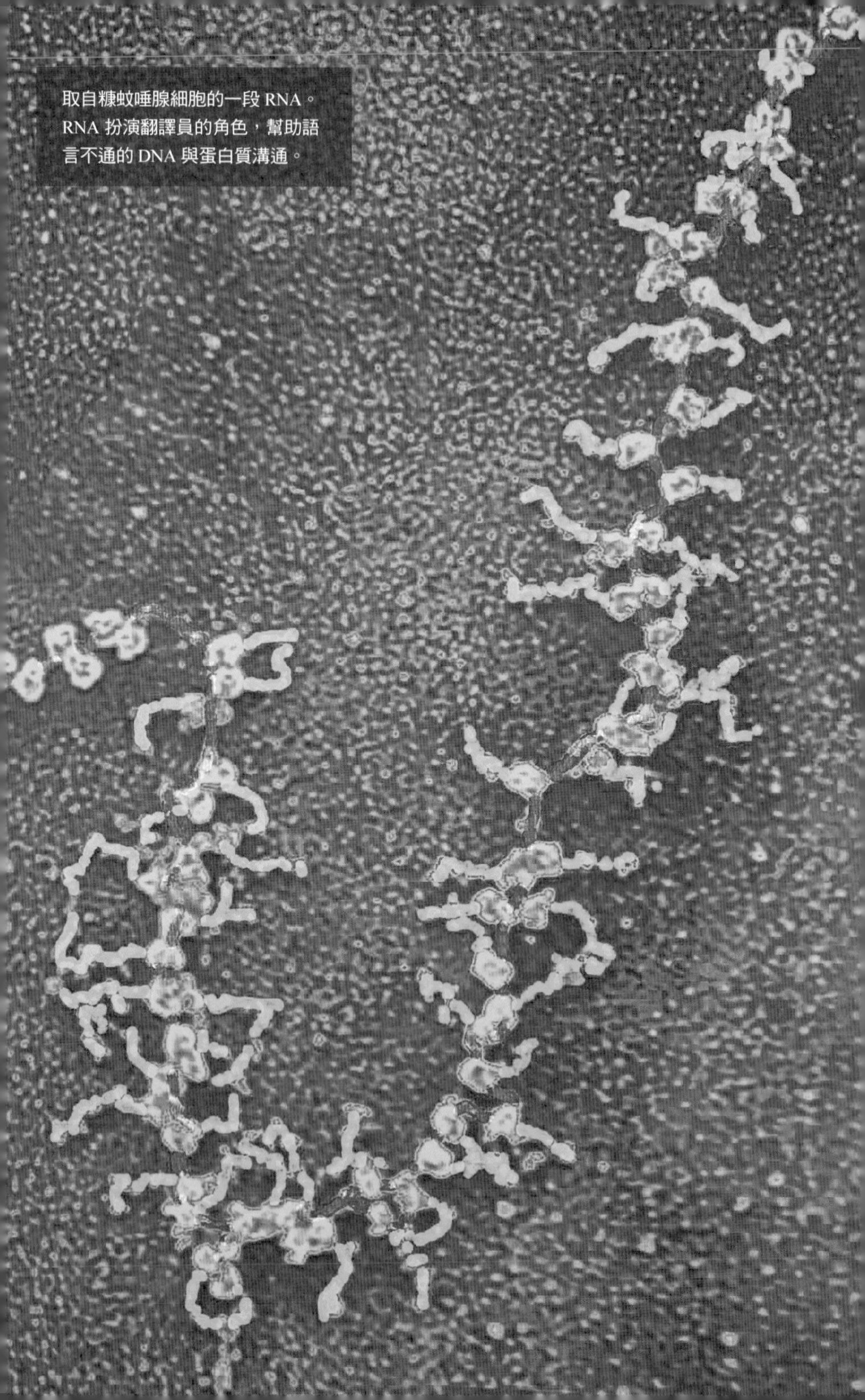

取自糠蚊唾腺細胞的一段 RNA。RNA 扮演翻譯員的角色，幫助語言不通的 DNA 與蛋白質溝通。

又具有智慧的年輕人，他的名字是摩根（Thomas Hunt Morgan, 1866-1945）。1904 年，就在孟德爾的豌豆實驗為人重新發現後的第四年，而基因這個字眼還要再等九年才會面世，摩根開始在染色體研究上做了一些極為精緻的實驗。

染色體是早在 1888 年很偶然的場合裡發現的。之所以如此命名，是因為它們很容易吸收染料而著色，因而在顯微鏡下變得非常醒目。二十世紀來臨的前後那幾年，已有許多間接證據強烈暗示，染色體跟生物特徵的遺傳有關，但是卻無人知曉它們如何相關，甚至懷疑它們是否真的參與此事。

摩根選擇了一種學名叫做黑腹果蠅（*Drosophila melanogaster*）的小巧蠅類，做為研究對象，一般人把這種昆蟲簡稱為果蠅，另外的俗名還包括醋蠅、香蕉蠅或垃圾蠅。其實我們大多數人對果蠅都不陌生，牠是我們常見的小蟲子，外表脆弱，顏色不起眼，似乎總會迫不及待的要淹死在我們的飲料裡。

做為實驗室的材料，果蠅具有某些非常吸引人的優點：第一，牠們的吃住花費非常便宜，幾乎可以不費分文，譬如用幾個牛奶瓶就能很容易的養殖出數百萬隻果蠅來。第二，牠們的生長極其迅速，從卵孵化到長大變成產卵的成蟲，前後用不到十天。第三，牠們只有四根染色體，由於比大多數動物少，研究起來相對方便又簡單。

摩根當時任職於紐約市的哥倫比亞大學，他在該校的謝默霍恩大樓裡有一小間實驗室，這間實驗室後來實至名歸的稱作果蠅

摩根攝於 1900 年代早期，地點是哥倫比亞大學的果蠅室。

室。摩根與他的研究團隊動手從事非常嚴謹的育種跟雜交的研究計畫，所養殖的果蠅數量動輒數百萬（有一位傳記作家白紙黑字的寫說，數目多達數十億，可能是口誤，有點過於誇大）。

工作人員必須用鑷子把每一隻果蠅逮來，透過鐘錶師傅所用的放大鏡，去觀察遺傳上所發生的任何微小改變。在開始的六年裡，他們用盡了想像得到的任何方法去製造突變種，諸如用 X 射線短暫的「電」果蠅、把牠們養在光線極亮或是完全黑暗的地方、把牠們放進烤箱內稍微「烤」一下、或是用離心機把牠們轉個七葷八素等等，但是結果沒有一樣奏效。

正常果蠅有兩個翅膀，突變種果蠅則有四個翅膀。這種缺陷讓摩根可以確定染色體在遺傳學上的角色。

正當摩根考慮要放棄的時候，他們突然發掘到一個屢試不爽的方法，可以得到一個突變種，這個最早的人為突變新果蠅的眼睛為白色，不同於一般果蠅的紅眼睛。有了這個突破後，摩根跟他的助理就能夠製造出各種有用的缺陷來，然後藉由觀察這些有缺陷的果蠅的子代變化，幫助他們去追蹤某一特徵。

用這個方法，他們逐一證明了每一種特徵都與個別染色體相關。他們的實驗結果最後使得幾乎所有專家都口服心服，不再懷疑染色體是遺傳的重心所在。

然而在錯綜複雜的生物學中，下一個層次的問題是：謎一般的基因，以及構成基因的 DNA。它們更不容易分離與瞭解。

遲至 1933 年，也就是摩根因為染色體研究而獲得諾貝爾獎的那年，還有許多研究人員甚至仍然懷疑基因的存在。摩根當時指出，專家對於「基因究竟是啥，真的是有這麼一樣東西存在，或者它們純屬幻想」，尚無共識。就一般人看來，科學家居然對跟細胞活動有關的這麼基本的東西都無從捉摸，實在是叫人難以相信。

但是正如《生物學：生命的科學》（*Biology: The Science of Life*，這是一本極少見的可讀性很高的教科書）的作者華萊士（Robert Wallace）等人在書中指出，我們如今對腦子裡的活動項目，諸如思想跟記憶等的瞭解，依稀就像當年的基因，我們當然知道我們有思想跟記憶，卻不知道它們是否具有實質形象？如果有的話，長得啥樣子？

所以有很長一段時間，摩根的許多同行認為，想把一個基因從身上摘下來，拿到別處去觀察檢驗，是件荒謬的事情。正猶如今天我們想像，科學家也許有一天能把胡思亂想中的怪異想法逮住，然後放在顯微鏡下觀察，一樣的可笑。

摩根讓他的同儕確知，某種跟染色體有關聯的東西在指導細胞的複製。最後到了 1944 年，位於紐約市曼哈頓區的洛克斐勒研究所有一個研究團隊，為首的是一位傑出但非常謙虛的加拿大科學家艾弗里（Oswald Avery, 1877-1955）。他們努力了十五年，終於藉由一個頗為微妙的實驗，成功的證明了 DNA 並不是消極無作為的分子。相反的，他們幾乎可以確定，它是遺傳的活躍推動者。

這個實驗是某種不會致病的細菌株，被其他菌株的 DNA 改變，居然變得具有感染力。稍後奧地利出身的生化學家查加夫（Erwin Chargaff, 1905-2002）很認真的提議，艾弗里的發現值得獲頒兩座諾貝爾獎。

非常不幸的是，艾弗里不知為了何事，得罪了頑固又愛唱反調的同事米爾斯基（Alfred Mirsky, 1900-1974）。米爾斯基本身熱中於蛋白質研究，且無所不用其極的詆毀艾弗里的研究成果，據說甚至親自跑到瑞典斯德哥爾摩的卡洛琳斯卡研究院（Karolinska Institute），去遊說學術界的頭頭們，不要把諾貝爾獎頒給艾弗里。

而此時艾弗里已經六十六歲，也萌生倦意，由於無法承受這種惡意的抹黑中傷，他毅然辭去研究所的職位，並且不再接近任何實驗室。但是後來其他各地科學家的實驗結果，都一致支持艾弗里的結論，於是不久之後，大家把競爭目標轉到發現 DNA 的結構上。

艾弗里努力研究了十五年，證明 DNA 在遺傳上的重要性。

DNA 解謎大戰

如果你是 1950 年代初期的賭場老手，幾乎可以確定你會把賭注押在當時美國的首席化學家，加州理工學院的鮑林（Linus Pauling, 1901-1994）身上，賭他會率先解決 DNA 結構的問題。道理非常淺白，鮑林在決定分子結構上的能耐當時無人能及，而且是 X 射線結晶學的開拓者。

這項技術當時被認為將是窺測 DNA 內部結構的成敗關鍵。鮑林此前的學術表現一向傑出，聲望如日中天，後來他果然實至名歸，得到了兩座諾貝爾獎（1954 年的化學獎跟 1962 年的和平獎）。

但是在研究 DNA 結構問題上，鮑林開始時跨出了錯誤的一步，堅信 DNA 為一種三螺旋（triple helix）結構，而非雙螺旋。這一步走岔之後，就再也沒有回到正途，以致於最後把這項成就拱手讓給了遠在英國、原本不被看好的四人組合。這個組合並非同屬一個工作團隊，甚至彼此還不講話，且多半是這個領域中的新手。

這四個人中，最接近傳統技術的專家是韋爾金斯（Maurice Wilkins, 1916-2004）。第二次世界大戰期間，他的工作時間大都花在協助設計原子彈，另外兩位英國人，法蘭克林（Rosalind Franklin, 1920-1958）與克里克（Francis Crick）戰時則是替英國政府做地雷跟礦物方面的工作，克里克做的跟爆破有關，而法蘭克林則是生產煤的那種。

四人中最不傳統的是美國人華生（James Watson），他小時候是天才兒童，在一個極受歡迎的廣播節目「天才兒童」（The Quiz Kids）中嶄露頭角〔可以說至少給了作家沙林傑（J. D. Salinger）部分靈感，寫出了他的《法蘭妮與卓依》（*Frannie and Zooey*）小說中格拉斯家的天才兒童〕。

華生的學業一級棒，十五歲進了芝加哥大學，不滿二十二歲就獲得了博士學位，然後飄洋過海來到英國，進入劍橋大學著名的卡文迪西實驗室工作。1951 年，他還是手腳笨拙的二十三歲年輕人，蓄著一頭引人矚目的亂髮，從當時留下來的相片看來，他的頭髮活像是受到相框外某些無形的強力磁鐵所吸引，幾乎要奪框而出的樣子。

克里克比華生大了整整十二歲，當時還在念博士學位，頭髮不像華生那麼多，穿著上則比較像個富有的英國鄉紳。根據華生的記述，克里克經常口無遮攔、難得安靜，性喜爭辯，對任何不迅速表示意見的人都缺乏耐性，以致於他的同伴經常會被逼到要破口叫他滾蛋的邊緣。華生跟克里克兩個人都沒有受過生物化學的正規訓練。

華生與克里克兩人的基本假設是：如果可以決定出 DNA 分子的實質外形，也許就可以看出它的結構，以及 DNA 如何履行它的任務。結果還真叫他們猜對了。他們希望可以只動腦而不動手的去達成這個目的，正如華生在他的自傳《雙螺旋》（*The Double Helix*）裡志得意滿的寫道：「我希望不用學習化學，就能解決基因問題。」

更妙的是，兩人的上司並未交代給他們這個題目，甚至還一度命令他們停止。華生僅表面上是精於結晶學實驗技術的專家，而克里克正在想法子完成一篇有關大分子 X 射線繞射的畢業論文。

雖然在絕大多數人認知中，克里克與華生兩人幾乎囊括了解決 DNA 祕密的全部功勞，然而他們最關鍵的突破，卻是依靠了競爭對手的實驗。歷史學家賈汀（Lisa Jardine）很技巧的敘述這事的經過，說他們是「偶然的」獲得了對方的結果。至少在一開始時跑在前頭的「對方」，原來是倫敦大學國王學院的兩位學者：韋爾金斯跟法蘭克林。

韋爾金斯在紐西蘭出生，為人非常謙虛禮讓，幾至隱形人的地步。1998 年美國公共電視播出了一部紀錄片，讓發現 DNA 結構的經過再現螢光幕，雖然這項發現使得韋爾金斯、克里克與華生三人共同獲得了 1962 年的諾貝爾獎，可是紀錄片裡居然隻字未提韋爾金斯的貢獻。

被忽視的法蘭克林

他們這四人組合裡，最謎樣的人物是法蘭克林。華生在他的《雙螺旋》中，用最不客氣的字眼，把她描寫成不可理喻、行動詭祕、老是不肯合作的人，而且似乎最讓華生耿耿於懷的一點是，她幾乎是全心全意的要讓自己不性感。華生承認她「其實並非毫無魅力，只消稍微注重一點衣著，極有可能傾倒眾生。」但在這方面，她讓身旁的男士都很失望。華生驚訝的指出，法蘭克林從不抹口紅，而她的穿著「表現出百分百英國年輕女學者的想像力。」*

但無論她本人給人的印象有多糟，她用 X 射線結晶學技術所拍攝的 DNA 結構相片，卻是好到無人能及。

這項技術本是鮑林大師的得意傑作，不意在 DNA 研究上卻讓小女子法蘭克林發揮得淋漓盡致。結晶學的目的本是決定晶體內各個原子的位置，只是要把結晶學用在 DNA 分子上，實驗過程就變得吹毛求疵了。懂得做這個實驗的人之中，只有法蘭克林得到了好的結果。然而法蘭克林卻因為韋爾金斯長久以來的態度令她惱怒，而不肯把結果交出來。

如果法蘭克林真的是不熱切於交出結果，你可不能完全怪罪她。原來在 1950 年代，國王學院的女性學者所受到的公然歧視，可讓現代人嘆為觀止（事實上能讓任何具有人性的人嘆為觀止）。該學院的女性學者無論年資有多深、成就有多大，都一概不許進入學院富麗堂皇的資深教職員公共休息室去用餐，只准到旁邊一間相當儉樸的小房間裡吃飯，連華生都承認這個小房間「昏暗狹小」。

除此之外，法蘭克林還不斷承受壓力，有時甚至遭到騷擾，要她把辛苦做出來的結果給三個猴急的男人分享。這三個人除了

* 1968 年，本來要出版《雙螺旋》的哈佛大學接到抗議，抱怨書裡對人物性格的描寫，據歷史學家賈汀的說法，這些描寫「毫無道理的非常傷人。」於是哈佛大學取消了出版計畫。我們在這兒引用的，還是華生語氣軟化之後的版本呢！

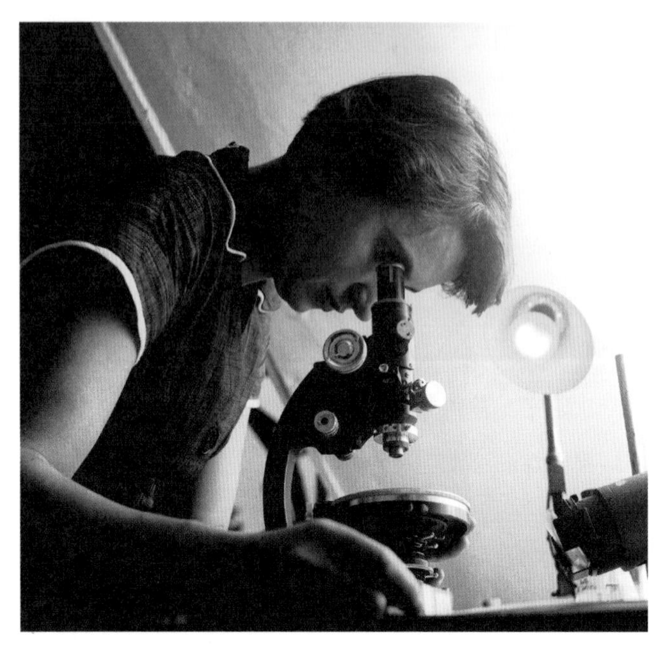

英國科學家法蘭克林，她的研究結果是解開 DNA 結構的關鍵，然而她卻得忍受當時男性同事的沙文主義作風。

看她的實驗結果外，極少有心去做點令人高興的表示，譬如多一點尊敬。克里克後來回憶說：「我想我們那時對她採取的是……這麼說吧，一副施捨恩德給人的樣子。」

這三個男人中，兩個人來自敵對學府，而第三個雖屬自家人，卻或多或少公開的跟別人一鼻孔出氣，一起給她壓力。在這樣的環境條件下，無怪乎法蘭克林要把她的實驗結果上鎖。

韋爾金斯跟法蘭克林的不和，顯然讓華生跟克里克坐享漁翁之利。雖然華生跟克里克相當不知羞恥的去侵犯了韋爾金斯的地盤，然而韋爾金斯不但不以為意，反而愈來愈跟外人站在一邊，一同對付法蘭克林。

你若知道其中細節，就不會太過驚訝韋爾金斯的做法。原來法蘭克林的行為也開始變得明顯的不合常理，怎麼說呢？雖然她的結果明明顯示 DNA 分子的外形呈螺旋狀，她卻堅持告訴所有的人說它不是。

1952 年的夏天，她製作了一張嘲弄性質的告示，複印了許多份，張貼在國王學院物理系的各處，上面寫著：「非常抱歉，我們不得不公告周知，DNA 螺旋不幸於 1952 年 7 月 18 日逝世……希望韋爾金斯博士能為已故的 DNA 螺旋說幾句追悼的話。」我們可以想見，韋爾金斯看到後的震驚跟困惑。

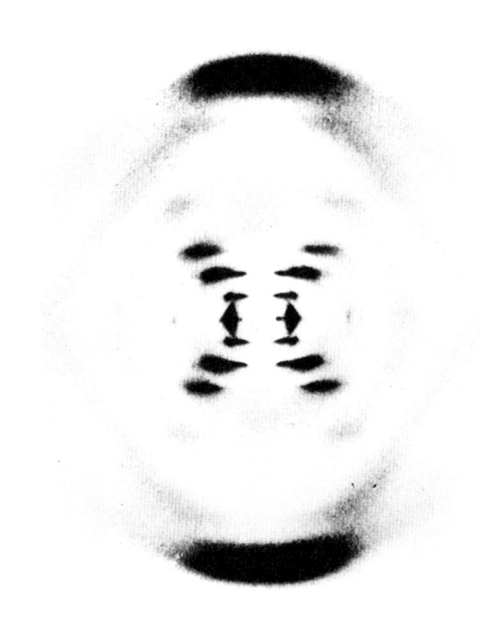

法蘭克林在 1953 年，用 X 射線結晶學技術所拍攝的 DNA 照片。

這段情節到次年一月間，發展出了一個高潮：「顯然在法蘭克林毫不知情或同意之下，」韋爾金斯擅自公布了一些她照到的結晶影像。

我們可以保守的說，在DNA分子結構的發現上，韋爾金斯倒是幫了大忙。許多年後，華生承認那「是個關鍵事件……讓我們更積極認真起來。」那時候華生與克里克已經擁有了DNA分子的基本形狀知識，以及它在尺寸方面的一些重要點滴，積極起來後，果然進步神速。

曾經有一次，鮑林打算到英國參加一個大型會議，如果成行的話，極有可能會跟韋爾金斯碰面，而以韋爾金斯好好先生的謙虛個性，鮑林極有可能從他那兒獲得足夠的資訊，去改正讓自己陷入研究歧途的錯誤觀念。

但好巧不巧的是，當時美國正值瘋狂反共的麥卡錫時代，鮑林飛到紐約的愛德維德特機場（Idlewild Airport，即現在的甘迺迪機場）轉機時，居然遭到政府人員拘留，沒收護照，理由是他的行事作風過於崇尚自由，因此不准出國旅行。

另一方面，克里克與華生的好運得來全不費工夫，原來鮑林的兒子正好也來到卡文迪西實驗室工作，這位天真的年輕人無意間把他老爸實驗室的進展跟挫折，一五一十的告訴了兩位有心人。

克里克與華生發現隨時有可能被別人後來居上，於是拚命全力以赴。那時候大家都已知道，DNA分子中有四個化學組成，分別叫做腺嘌呤（adenine）、鳥嘌呤（guanine）、胞嘧啶

(cytosine)、以及胸腺嘧啶(thymine),而且它們之間有固定的配對方式。於是他們先用硬紙板分別切出這四個組成的分子模型,然後把玩這些模型,看看如何以最合理的方式把它們兜攏起來。

從這個經驗得到的心得,使他們做出了類似兒童組合玩具的 DNA 分子模型,這可能是近代科學上最著名的模型,包括由螺絲拴到一塊兒的一些金屬板塊,整個模型呈現出螺旋外貌。完成後他們邀請了韋爾金斯、法蘭克林以及全世界的人來參觀。

華生(左)與克里克,以及他們著名的 DNA 分子模型,攝於劍橋大學的卡文迪西實驗室。

任何對 DNA 內行的人一見到這個模型，即刻就瞭解他們已經解決了這個問題。毫無疑問的，他們靠著實際拼圖來發現 DNA 分子結構的過程，就像偵探一樣，是極端聰明的方式。法蘭克林獨到的結晶照片只能算是錦上添花，已經不是成敗關鍵了。

1953 年 4 月 25 日出刊的《自然》期刊上，登載了由華生跟克里克所寫、長度僅 900 字的文章，題目為〈去氧核糖核酸的結構〉（A Structure for Deoxyribose Nucleic Acid）。登在同一期的，還有一篇韋爾金斯與法蘭克林署名的文章。

不過，當時世界正值多事之「春」，希拉利（Edmund Hillary）爵士正大張旗鼓準備攀登埃佛勒斯峰，同時伊莉莎白二世的加冕大典也在緊鑼密鼓的籌備中，所以這個生命祕密的發現幾乎沒有引起任何報紙的注意。大報中只有英國的《新聞紀事報》（*News Chronicle*）登了一小則新聞，全球其他的報紙都隻字未提。

四人組合中，只有法蘭克林沒有分享到諾貝爾獎。她不幸於 1958 年因卵巢癌逝世，死時僅三十七歲，其他三人在 1962 年獲得諾貝爾獎，那時法蘭克林已經作古四年了，而諾貝爾獎向例不頒發給往生者。

她的癌症幾可斷定是因為工作使她長期過度暴露在 X 光下所致，這是可以事先防範的。一本近年出版且頗受好評的法蘭克林傳記《DNA 光環背後的奇女子》（*Rosalind Franklin*），作者馬杜克斯（Brenda Maddox）指出，法蘭克林工作時極少穿戴防護用的鉛圍裙，而且經常不小心走到 X 光束的前方。

艾弗里也跟諾貝爾獎無緣，因而後人大都不知道他，然而至少由於他很長壽，能很高興的親眼看到自己當年的發現被人證實無誤。艾弗里死於 1955 年。

華生跟克里克的發現，當初不過是合理的推測，獲得證實則是 1980 年代的事了。克里克在他的一本書裡寫道：「我們的 DNA 模型經歷了二十五年，才從相當合理變成非常合理……之後才進而變成為幾乎肯定正確。」

1962 年諾貝爾獎的科學得主與文學得主，左起依序為：韋爾金斯、比魯茲（Max Perutz，化學獎得主）、克里克、史坦貝克（John Steinbeck，文學獎得主）、華生、肯祖魯（John Kendrew，化學獎得主）。法蘭克林沒有分享到諾貝爾獎，她已在四年前逝世。

為何如此多垃圾 DNA ？

雖然如此，隨著對 DNA 結構的瞭解，遺傳學的進步變得極其快速，以致於在 1968 年之前，《科學》期刊居然登載一篇題目為〈俱往矣，分子生物學！〉（That Was the Molecular Biology That Was）的文章，裡面寫道，儘管看似不可能，但千真萬確的是，遺傳學方面的研究差不多快到盡頭了。

當然事實上，這一切僅僅是個開端而已，甚至到了今天，許多有關 DNA 的事情我們仍然懵懂無知。犖犖大者之一是，為何 DNA 有那麼多部分看起來無所事事？

你的 DNA 內有 97% 只是一長串、一長串的無意義雜音，生化學家比較喜歡稱它們「垃圾」（junk）或「非編碼 DNA」（non-coding DNA）。在每一條 DNA 長鏈上，你會發現疏疏落落的小段落，實際上在控制跟安排與生命有關的各種功能，而這些小段落就是長久以來讓人困惑的古怪基因。

基因只是製造蛋白質的指令，除此之外毫無他用。在扮演自己的角色時，它得一板一眼的嚴格遵循規定，著實相當枯燥乏味。在這方面，它們頗似鋼琴上的鍵，每個基因僅只能彈出一個單音符，不免有點單調。但是把眾多基因組合起來，就如同把一些鋼琴鍵組合起來，你就可以創作出變化無窮的各種和弦跟曲調。把所有基因全加在一塊兒，延伸同樣的比喻來說，於是你就有了偉大的生命樂章。而這些加在一塊兒的全部基因，就是所謂的人類基因組了。

另一個更普遍的方式，是把基因組視為身體指導手冊的一種，從這個角度來看，你可以把每根染色體想像成這本手冊的一章，每個基因則是製造蛋白質的個別說明項目，而書寫這些說明所使用的單字叫做密碼子（codon），其中的字母則叫做鹼基。

前面我們提到過，基因字母表上只有四個字母，也就是四個鹼基，它們分別是腺嘌呤、胸腺嘧啶、鳥嘌呤、以及胞嘧啶。它們的功用雖然如此重要，但都不是什麼珍稀之物，譬如說，鳥糞裡面就含有大量的鳥嘌呤，這也是它如此命名的緣故。

每個人都知道，DNA 分子的外形頗像盤旋而上的樓梯或是扭轉的繩梯，亦即著名的雙螺旋。它的左右兩根支柱，是由一種叫做去氧核糖的糖分子相互連接起來組成的，而這整個螺旋結構是一種核酸，所以它的全名成了「去氧核糖核酸」或 DNA。

DNA 中間打橫的一級級階梯，每一階是由左右各一個鹼基連結而成，不過它們只有兩個連結方式：鳥嘌呤的對面永遠是胞嘧啶，而腺嘌呤跟胸腺嘧啶總是搭配成一對。順著 DNA 梯子往上或向下的鹼基排列次序，構成了該 DNA 所攜帶的代碼，把這些代碼記錄下來，就是人類基因組計畫（Human Genome Project）的工作。

接下來要提的是，DNA 特別了不起的地方在於它的複製方式。當複製新 DNA 的時機來臨時，左右兩股自動從中分開，就像夾克上的拉鍊被拉開一樣，而分開後的兩半離開彼此，各自去形成新的夥伴關係，最後變成兩個一模一樣的 DNA 分子。由於沿著單股 DNA 上的每一個核苷酸都只能跟一種特定的核苷酸分子配對，在製造新 DNA 的過程中，舊的兩條單股 DNA 被當作模板，以製造互相配對的新股 DNA。

如果你只有一股 DNA，只要遵守必要的夥伴關係：如果一股 DNA 的最上端是鳥嘌呤，那麼你會知道配對股的相對位置上一定是胞嘧啶。順著 DNA 階梯一路往下，核苷酸也一路形成配對，最後你就得到一個帶著基因代碼的新分子了。

在自然界中，DNA 的複製過程真是如此，只除了大自然做這件事時，比起我們敘述它的速度，不知快了多少倍——前後僅數秒鐘而已，若是看得見，絕對是一大奇觀。

適應力，來自剛剛好的差錯

我們的 DNA 在複製時，幾乎每個成品都極其盡職的完美，只有很偶然的情況下，大約每一百萬次裡面發生一次，會有一個字母跑錯地方。這個錯誤叫做單核苷酸多形性（single nucleotide polymorphism, SNP）。生化學家把它的簡寫唸成了史尼普（snip，此字的意思是剪下來的小片段）。

通常這些 SNP 絕大部分掩埋在非編碼 DNA 的段落裡面，因而不會造成身體上任何可以偵測到的後果；只有當 SNP 發生在基因部分，才會造成身體上的少許變異。這個變異也許會加重你罹患某種疾病的傾向，但是也同樣可能給予你某些輕微優勢，譬如多一些保護性質的色素產生，或是讓住在高海拔地區的人增加製造紅血球的功能等。長時期下來，這些在個人跟整群人身上發生的輕微改變，累積之後就成了他們有別於其他人的特質。

DNA 複製上的正確性跟出錯機率之間，有一個很微妙的平衡：太多的差錯固然會使生物無法繼續運作跟生存，然而太少的差錯就會犧牲掉生物的適應能力。相似的微妙平衡也存在於生物的穩定性跟創新能力之間。

比方說，紅血球數目的增加，可使居住在高地的個人或族群較容易活動跟呼吸，原因是多些紅血球可以運送較多氧氣。但是多出來的紅血球也讓血液變濃，天普大學（Temple University）的人類學家韋滋（Charles Weitz）指出，如果紅血球太多，「血液就會像重油一般，」使得心臟負荷大增，持久力自然會打折扣。所以紅血球的增加雖然改善了住在高地的人的呼吸效率，可是同時也使得罹患心臟病的機率變大。

這就是達爾文的天擇在我們身上的實際印證。同時也幫助解釋了為什麼我們大家這麼相似，演化基本上不會讓你變得太過於不同，除非演化出新物種來。

我們前面曾提到，你我基因之間約有 0.1% 的不同，原因是來自雙方以往累積下來的 SNP。如果拿你的 DNA 再去跟第三者比較，你會發現兩者之間也有 99.9% 的相同，但是你們兩個的 SNP 卻大部分在不同的位置。你再去多找些人來做同樣的比較，會發現更多的 SNP 位置。以致於你的基因組裡 32 億鹼基中的任何一個，在地球上某個地方，有某個人或一群人，跟你的編碼方式有別。

這樣說來，不只是根本沒有所謂「典型」人類基因組這樣東西，嚴格說起來，我們連「人類基因組」都沒有。因為事實上我們有 60 億人，同時也有 60 億個基因組，每個基因組都有少許不同。不錯，我們每兩個人的基因組之間有 99.9% 相同，但是同樣的，依照生化學家考克司（David Cox）的說法：「你可以說全人類並不共同享有任何東西；說人類沒有共享的基因組，也一樣可以說得通。」

但是我們還沒有解釋，為什麼在 DNA 分子上，只有那麼小的部分有任何可辨識的目的。說起來有點叫人毛骨悚然，然而從一切跡象看來，生命的目的確實像是為了讓 DNA 永垂不朽。

我們的 DNA 中，通常被叫做「垃圾」的那 97% 部分，其中大多是一大段、一大段的字母。套句作家瑞德利（Matt Ridley）的話：這些垃圾片段「之所以存在，原因極單純，就是它們擅長利用別人複製自己」*。

換言之，你的 DNA 絕大部分效忠的對象可不是你，而是它自己，你只是它利用來複製的機器而已。你應該記得我們在第 22 章說過：生命，無非是要活下去。DNA 就是這個定義的最佳寫照。

* DNA 的垃圾部分還是有用途，它可以拿來用在所謂的「DNA 指紋辨識」（DNA fingerprinting）上。這個方法是由英國萊斯特大學（University of Leicester）的科學家傑佛瑞斯（Alec Jeffreys）無意之間發現的。
1986 年，傑佛瑞斯正在研究跟遺傳疾病有關的遺傳標記之 DNA 序列，當地警察跑來問他，可否用他的專業幫忙證明一名嫌疑犯跟兩件謀殺案有關。傑佛瑞斯知道自己的技術若是應用在偵查刑事案件上，應該是毫無疑問的可行，在實際試驗過後證明果然如此。結果使得一名叫做皮區佛克（Colin Pitchfork）的年輕麵包師傅因犯下了謀殺罪，獲判兩次無期徒刑。

甚至於 DNA 中用來指導基因製造的那些部分，動機並不見得必然是為著要讓生物順順利利的活下去。譬如我們體內有一個最常見的基因，依照它而做出來的蛋白質，叫做反轉錄酶（reverse transcriptase），根據我們所知，這玩意兒對人類一點益處都沒有，它能做的一件好事是，讓造成愛滋病的病毒等各種有害的反轉錄病毒（retrovirus）偷偷潛入人體系統。

換言之，我們的身體花費了不少能量去製造出一種蛋白質，它不僅對我們絲毫沒有回饋，還不定時回頭揍我們一頓。然而我們的身體除了製造它之外，沒有其他選擇餘地，因為那是基因的命令。我們只是裝著基因各種怪念頭的容器。全部加攏起來，人類基因中又幾達半數啥事都不做（除了複製自己之外），是所有生物中已知比例最高的。

所有的生物在某個意義上，是它們基因的奴隸。那就是為什麼鮭魚、蜘蛛、還有幾乎數不清的其他物種，在交配的過程中能視死如歸。可見繁殖，亦即散播自己基因的欲望，是自然界中最強的推動力。

正如耶魯大學的教授，也是聞名作家的努蘭（Sherwin B. Nuland）所形容的：「帝國的覆亡、本我的爆發、偉大交響樂的創作，所有這些舉動的背後，只是單純一種『追求滿足』的本能。」從演化的觀點來看，「性」這件事，實際上只是為了鼓勵我們把遺傳物質傳遞出去的獎勵機制。

黑寡婦蜘蛛交配後，母蜘蛛正虎視眈眈的看著體型比牠小的公蜘蛛，準備把公蜘蛛當作食物。所有生物都是基因的奴隸，所以在交配中可以視死如歸。

誰在指揮 DNA ？

科學家在知道我們的 DNA 大部分啥事都不做時，當然很驚訝，然而沒多久，一些更意外的發現又陸續出現了。先是在德國，稍後在瑞士，研究人員做了一些相當怪異的實驗，可是得到的結果卻又出奇的不像他們希望的那樣怪異。

譬如其中有個實驗，他們把控制小鼠眼睛發育的基因塞進果蠅幼蟲體內。他們的想法是，也許這隻蟲會長出很滑稽的東西來，但事實上發生的是，這個小鼠基因不但叫這隻果蠅長了可以使用的眼睛，而且是果蠅的眼睛（而不是小鼠的眼睛）。叫人驚異的是，這兩種生物有共同祖先，已是距今 5 億年的事了，而牠們仍能像姊妹般的交換遺傳物質。

其他類似的實驗，結果也是這樣，他們發現把人類的 DNA 插入果蠅的某些細胞內，果蠅會把它當作是自己的 DNA 來接受。後來發現，人類的基因中超過 60% 跟果蠅基本上相同，跟小鼠比較的結果更叫人吃驚，因為兩者至少有 90% 的部分在某個程度上可以相互對照（我們甚至也有同樣長出尾巴的基因，只是因為它是關閉的狀態，人類才沒有尾巴）。

在各個不同的生物研究領域裡，譬如簡單的線蟲或複雜的人類，研究人員經常發現，他們彼此在研究全然相同的基因。這樣看來，生命最初起源於同一張藍圖。

再接再厲的探尋，披露了十幾個主控基因，各自控管身體一個部位的成長，這些基因取名為同源基因（homeotic gene，字根來自希臘文的「相似」，或稱為 hox gene）。

這類基因解答了長久以來讓人很困惑的問題，那就是胚胎中有數十億細胞，全都來自同一顆受精卵，並且各自攜帶一套完全相同的 DNA，這些細胞怎麼會知道誰該往哪兒去，去做什麼事情？諸如某個細胞要衍化成肝臟細胞，另一個細胞要發展成細長的神經元，再來一個細胞要成為血液中的血球，又一個細胞要變成翅膀搧動時閃閃發光部位的細胞。原來同源基因就是它們的指揮官，而這些指揮官在不同物種中的指揮方法則是大同小異。

有趣的是，即使籠統說來，生物細胞中遺傳物質的總量跟它們是如何組織安排的，都不一定反映出該生物的複雜程度。譬如說，我們有 46 根染色體，但是一些蕨類植物的染色體數目卻超過了 600 根。而所有複雜動物中最原始的肺魚，牠的染色體數目

漫畫中，象徵美國人的山姆大叔與代表英國人的約翰牛，
一起把 DNA 編成人類基因組。

卻是我們的 40 倍。甚至於常見的蠑螈，基因上的花樣也比我們多采多姿，牠的染色體是我們的 5 倍。

顯然，你有多少個基因並不重要，關鍵是你拿它們做啥。這倒是一件非常好的事情，因為前此不久，人類的基因數目成了一件大新聞，由於人類自視不凡，過去總以為自己至少有 10 萬個基因，或許更多得多。但是這個樂觀想法隨著人類基因組計畫的首批結果（2000 年 7 月公布的人體基因序列草圖）而大打折扣，根據已有的結果顯示，人類基因總數比較可能是 3 萬 5 千或 4 萬個，差不多跟禾草類植物的數目相同。這不但叫人震驚，也叫人非常失望。

過去你應該注意到，人們在談論人類的任何一種身心弱點時，經常都會把基因給扯進來。不時有科學家宣稱，他們發現了造成肥胖症、精神分裂症、同性戀、犯罪行為、暴力傾向、酗酒的基因，甚至連到商店裡順手牽羊跟無家可歸當遊民，都有相關的基因。

這種生物決定論信仰的極致（可能是最高點或最低點，看你的立場而定），也許是一篇 1980 年刊登在《科學》期刊上的研究報告。其中主張，婦女一般說來不擅長數學。然而現在我們知道，事實上，你的性情、智慧、行為各方面，沒有一樣是這麼簡單就可以決定的。

在某種重要意義上，顯然這是個憾事，因為如果真有單獨的基因在決定你的身高、或罹患糖尿病的傾向、或變成禿頭、或其他顯著的特徵，那麼事情就會容易得多，我們只要把基因分離出來，再想辦法去修補或改善一下，就可以解決問題啦！

但很不幸的是，若是 3 萬 5 千個基因獨自各管一件事情的話，實在遠不足以製造出合乎人類所表現的實質複雜程度。因此事實擺明了，基因必須合作。只有少數的遺傳性疾病，諸如血友病、帕金森氏症、亨丁頓氏舞蹈症、與囊腫纖維化，病因是單一個基因不能正常運作。

但是原則上，出了岔子的基因在變成一個物種或族群的永久麻煩之前，早就被天擇淘汰掉了。其他有關我們命運跟安樂的絕大部分事項，甚至包括我們眼睛的顏色，都並非由單一基因決定，而是許多基因合作下的產品。那也解釋了，為何所有基因與表象究竟怎樣一起運作，這麼的難以釐清，以及在不久可預見的未來，想按照設計來製造嬰兒，也難以達成。

事實上近年來的發展顯示，我們鑽研知道得愈多，事情反而變得愈複雜。我們發現，甚至思想也會影響基因的作用，譬如男子的鬍鬚生長速度，部分跟他心裡「性」方面的念頭有因果關係，因為想到性，就能使睪固酮一時大量分泌。

我們需要一本操作手冊

1990 年代初期，科學家有個更偉大的發現，他們把小鼠胚胎中一些極重要的基因破壞掉之後，在大多數例子裡，不但胚胎仍然能繼續發育，出生成為四肢齊全的健康小鼠寶寶，而且有時比那些不曾受過人為處理的兄弟姊妹更為健康。

由這個實驗結果推斷，當某些重要的基因遭摧毀時，其他的基因就會參與填補留下來的縫隙。這對我們做為生物的立場而言，當然是非常好的消息，但在我們試圖瞭解細胞如何運作的過程中，卻是一個重大挫敗，因為在我們剛剛開始有些眉目之際，這又給問題增加了意外的複雜層面。

大體上就是這些把事情複雜化的因素在作祟，使得破解人類基因組的努力意外連連，峰迴路轉之餘，似乎又回到了剛開始的原點。麻省理工學院的藍德（Eric Lander）解釋說，基因組像是一本人體零件清冊，它告訴我們人體是由哪些東西湊合起來的，但是對我們如何運作則隻字未提。現在我們需要的是一本操作手冊，包括指示身體各部分如何啟動、運作的說明。不過我們現在離那個層級的時機還遠得很呢。

所以現在我們要破解的主要對象，已經轉為人類的蛋白組（proteome），這個觀念還非常新穎，十多年前甚至連蛋白組這個詞都還未出世。所謂蛋白組，是指一間收藏了「製造各種蛋白質的所有資訊」的圖書館。2002 年春天，《科學人》（*Scientific American*）期刊上登載了一篇文章說：「不幸的是，蛋白組遠比基因組更複雜得多。」

這話說得實在有點輕描淡寫。你應該記得，蛋白質是所有生命系統裡幹活的苦力，在任何一顆細胞內、任何一個時刻，都有為數高達一億種不同的蛋白質在勤奮工作。這可是有太多的活動需要去一一搞清楚，更糟糕的是，蛋白質的行為跟作用，不只像基因那樣取決於它們的化學性質，而且還跟形狀有關。

若要發揮功能，蛋白質不但必須具有必要的化學成分，適切的組裝妥當，它還得摺疊成極特殊的形狀。注意這兒的用詞是「摺疊」，其實並不恰當，因為這給人的印象是為節省空間而整齊的疊在一起。實際情況並不是這樣。蛋白質的分子長鏈會形成大環、小圈，還起皺捲曲，外形既誇張又複雜。它們就像是遭到瘋狂破壞後的一堆雜亂鐵絲衣架，而完全不像摺疊好的毛巾。

此外，蛋白質還是生物世界的搖擺浪子，老是追隨流行、變化造型。隨著當時的氣氛跟新陳代謝所造成的環境，它們會讓自己磷酸化、醣化、乙醯化、泛素化、硫酸化……進行種種作用。通常似乎稍有風吹草動，它們就會開始起變化。譬如說，正如《科學人》所指出的，只要一杯酒下肚，你身上絕大部分系統裡的蛋白質種類跟數量就會大大改變。這個變化也許對喝酒的你說

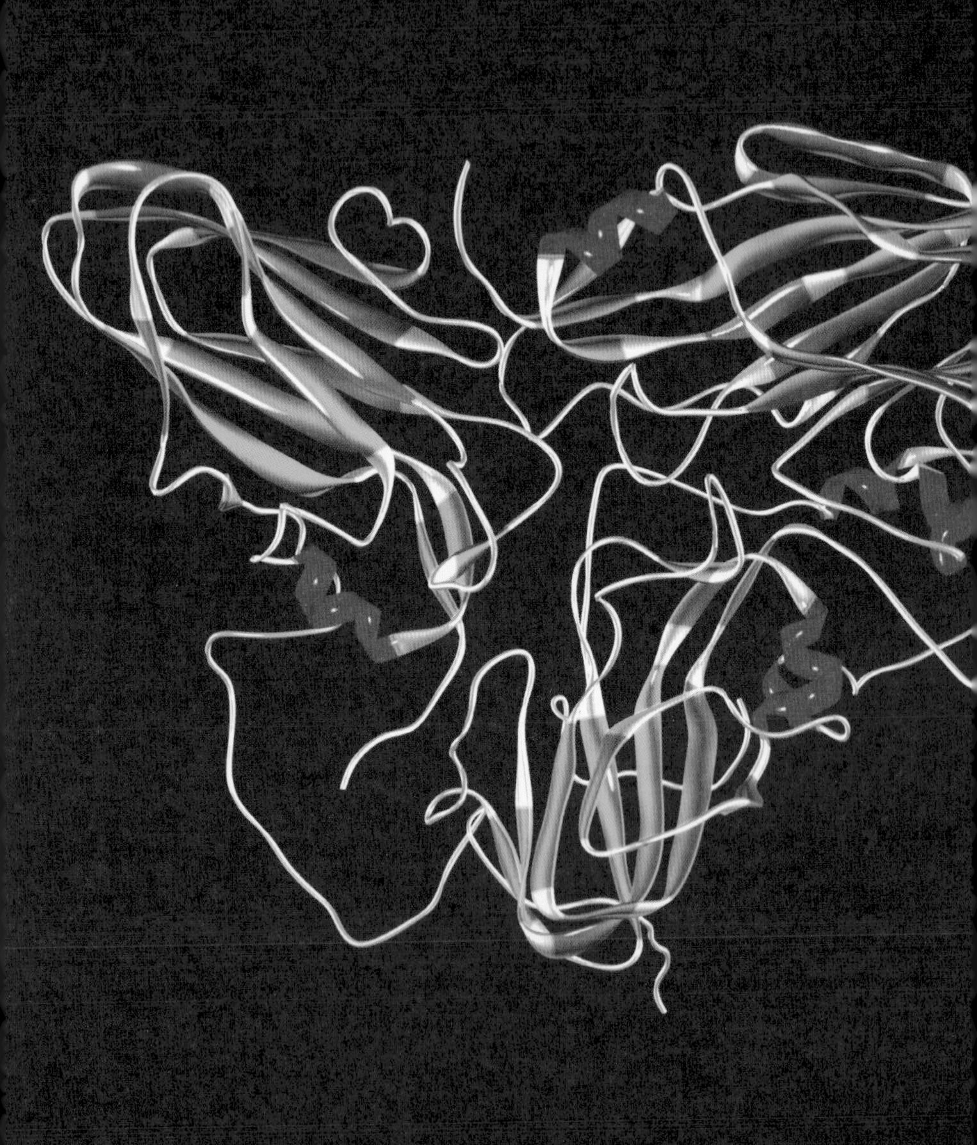

利用電腦繪出來的蛋白質結構，這是口蹄疫病毒的蛋白質，
圖中可以看出蛋白質的「摺疊」結構有多複雜。

來是個愉快的經驗，但是對想要知道究竟發生啥事的遺傳學家來說，真是讓他摸不著頭緒。

說來蛋白質一開始就擺出了一副莫測高深的複雜樣子，而經過幾番試探，也確是顯現出莫測高深的樣子。然而在這一片茫然的背後，我們也知道有件事很單純：由於所有生物雖然外表各不相同，但生命的實質運作卻是千篇一律。所有不同動物細胞中那些微妙的化學程序，諸如細胞核的合作努力、DNA 轉錄成 RNA 等，自從演化出來之後就差不多固定下來，成為整個自然界的唯一標準方式。已故的法國遺傳學家莫諾（Jacques Monod, 1910-1976）曾經半開玩笑的說：「任何適用於大腸桿菌的事情，必然適用在大象身上，不然就是更加適用。」

世界上每個生命都是依照同一個原始的生命藍圖「各自表述」所描繪下來的產品。做為人類的我們，比其他物種只是更錦上添花而已，每個人都是一間古老的檔案室，裡面存放著過去三十八億年中所經歷的點點滴滴，有種種調整、適應、修改、以及一些神來之筆的修補。了不起的是，我們甚至跟水果蔬菜的親源關係仍然相當接近。有多接近呢？香蕉裡進行的所有化學反應，大約有一半也發生在你身上！

讓我再一次強調「眾生平等」，我認為這個信念將愈辯愈明，成為永遠最屹立不搖的真理。

第六部
生命的旅程

英國藝術家（Antony Gormley）的雕塑作品「原野」（*Field*）。

第27章 冰封大地

人是猿的子孫？我的天哪！
讓我們盼望這個說法不是真的，
但萬一它是真的，
讓我們祈禱這事不要變得眾所周知。
—— 英國烏斯特市主教（Bishop of Worcester）的太太
在聽了達爾文的演化論後做出的評論

我做了一場夢，依稀並不全都是夢。

夢中驕陽黯淡，同時可以看見星星

在遊走……

——拜倫（Lord Byron, 1788-1824），〈黑暗〉

1815年間，印尼松巴窪（Sumbawa）島上，美麗的譚波拉（Tambora）山，長久以來都很沉靜，卻突然大肆爆發。它的爆炸和隨後的海嘯，導致十萬人死亡。

這是過去一萬年內規模最大的一次火山爆發，大小是美國華盛頓州聖海倫斯火山在1980年5月18日爆發時規模的150倍，相當於六萬顆廣島級的原子彈。

在那個年代，消息顯然傳播得不快，譚波拉火山爆發後經過了七個月，倫敦的《泰晤士報》才登出一小段報導——事實上是一位商人寫的一封投書。不過在英國人看到這段報導之前，他們早已感受到譚波拉事件的影響了。

由於當時有240立方公里的煙灰、塵土、砂礫噴到空中，隨後擴散到整個大氣層，遮住了部分陽光，使得日光比以往黯淡，地球因而冷卻下來。夕陽也變得很不尋常，輪廓模糊但色彩鮮豔。畫家透納（J. M. W. Turner, 1775-1851）把如此美景搬上畫布。透納高興得不得了，但他是少數的例外，大部分的世界都被灰濛濛且有壓迫感的煙幕籠罩著。就是這樣死寂黯淡的日光，激發了拜倫的詩性，寫下了這章開頭的名句。

由於春天根本沒來臨，夏天的氣溫也沒變暖，1816年在人們

1685 年在泰晤士河上舉辦的冬季冰凍博覽會。這種在結冰河面上舉辦的活動，在小冰河期時常見到。小冰河期一直到十九世紀才結束。

記憶裡變成了沒有夏季的一年。那年由於氣溫過低，莊稼都不生長。在愛爾蘭，饑荒加上一場傷寒症的大流行，讓六萬五千人死於非命。在美國的新英格蘭，人們把這一年稱為「1800 凍死年」（Eighteen Hundred and Froze to Death）。

早晨打霜的日子延到六月才結束，所有種在地裡的種子幾乎都沒法生長。飼料普遍缺乏，大批家畜因此餓死，或必須提早屠宰。從每個角度來看，那一年都非常可怕。尤其對農人說來，那一年幾乎可以確定是近代史上最糟糕的一年。然而以全球的溫度來衡量，不過只降低了攝氏 1 度而已。科學家從這次經驗得知，地球對溫度的敏感程度簡直叫人難以置信。

其實十九世紀原本就是頗寒冷的時期。人們近來才領悟到，歐洲跟北美洲當時曾經歷過約兩百年的小冰河期，那時有許多冬季活動，如今已成絕響，例如：倫敦泰晤士河河上的冰凍博覽會（frost fair），以及在荷蘭各條運河上，每逢冬季就舉辦的溜冰競賽等。

易言之，那個時代的人對寒冷已經習以為常。所以我們也許要原諒當時的地質學家，太慢察覺他們生活的世界，比起以前的世代要溫暖舒適得多。在那些更寒冷的時期裡，他們四周的陸地，地貌給所向披靡的冰河刻畫改造，在那種寒冷的天氣裡，連冰凍博覽會都無法舉行。

巨石之謎

不過，當時的科學家的確知道過去有些事情很古怪，比方說，整個歐洲大陸到處散布著不能解釋的異常事物：在溫暖的法國南部出現北極才有的馴鹿骨頭、巨大的石塊給擱置在不適當的地方。對這些怪事他們也常想出了一些很有創意，卻不太有道理的解釋。

有一位名叫盧克（de Luc）的法國自然學者，試圖去解釋一些巨大的花崗岩石塊，為何躺在休羅山脈（Jura Mountains）的石

在上一個冰河期，融化的冰河把這塊巨石帶到此處。地質學家到十九世紀，仍搞不清楚為何這麼大的石頭會出現在這些地方。

灰石山腰上。他建議，那些大石塊也許是被壓縮空氣從大地洞裡給射出來的，就像小朋友的玩具氣槍射出軟木塞那樣。通常人們用「不合常理的東西」來指稱這些不知打哪兒跑來的巨石，但在十九世紀，這個名詞用在巨石出現理論上，似乎比用在巨石本身更為貼切。

偉大的英國地質學家賀萊姆（Arthur Hallam, 1811-1833）曾提出：如果地質學之父赫頓（Charles Hutton）曾經訪問過瑞士，他會立即從當地給刻畫過的山谷、山壁上打磨過的平行條紋、岩石遺留處無法掩飾的線條、以及非常多其他重要線索，看出這些是由冰塊造成的。不幸的是赫頓不愛旅行，但即使他沒到過現場，只根據二手資料，他也馬上判定，不可能是洪水把巨石沖到 1,000 公尺的高山上。

赫頓指出：全世界的水都不能讓巨石浮起來，更別說讓它上升 1,000 公尺。他是最早提議，歐洲曾經一度是遍地冰河的人之一。不幸的是，人們把赫頓的意見當耳邊風，未加理睬。在他提出冰河理論後的半個世紀裡，大部分自然學者繼續堅稱，那些岩石上的明顯刻痕，是過往車輛輾過造成的，甚至是遭行人用釘鞋刮出來的！

當地那些未遭科學正統汙染的平民，反而早就知道正確答案。瑞士自然學者查本提爾（Jean de Charpentier, 1786-1885）講過一個故事：1834 年的某一天，他跟一位瑞士伐木工人走在一條鄉間小路上，話題轉到路旁的岩石，這位伐木工人平淡的告訴他，這些巨石來自格利姆瑟爾（Grimsel），那是離該處有段距離的花崗岩地區。

查本提爾說：「當時我問他，這些石塊是如何跑到這兒來的？他毫不遲疑的回答道：『格利姆瑟爾冰河把它們運送過來，擱置在山谷兩側，這條冰河過去最遠曾到達如今伯恩（Bern）城的位置。』」

查本提爾聽了很高興，因為這跟他自己的想法不謀而合，但是後來他把這個觀點在幾個科學聚會上提出來時，居然全遭否決。查本提爾的摯友之一，阿格西（Louis Agassiz）也是瑞士的自然學者，對老友的理論一開始持懷疑態度，後來才接納，最後還據為己有。

瑞士自然學者阿格西，激進鼓吹地球曾遭冰封的觀念。但他在提出這個意見的過程中，不斷與人結怨。

阿格西之前曾到巴黎留學，師事居維葉（Georges Cuvier），此時在瑞士納沙泰爾學院（College of Neuchatel）擔任自然史學教授。

阿格西的朋友，物學家希博（Karl Schimper, 1803-1867）在1837年首先創造了「冰河期」（ice age，德文為Eiszeit）一詞，並且提出一個理論說，有明確證據顯示，厚重的冰不只一度覆蓋瑞士阿爾卑斯山脈，而是曾覆蓋大部分歐洲、亞洲跟北美洲。

這在當時是非常激進的意見。希博很慷慨的把筆記借給了阿格西，結果後來非常後悔。因為希博也發現，阿格西很不道德的把他的理論據為己有。兩人後來為此反目成仇，查本提爾為了同樣的原因，也成了阿格西的仇人。

科學發現三部曲

阿格西的另一位朋友，德國生態學家洪堡（Alexander von Humboldt, 1769-1859）把這一切看在眼裡，有感而發的調侃道，他認為科學發現有三部曲：首先大家都拒絕接受這是真的，之後大家又拒絕相信這是重要的，最後又把功勞給了不相干的人。

無論如何，阿格西把這門新學問的開發視為己任，為了瞭解冰河形成的動力學，他走遍各處，不僅深入危險的冰河裂縫，也爬上最陡峭的阿爾卑斯山峰之巔。而且經常絲毫不知道，他跟他的團隊所到之處，以往從未有人敢涉足。

然而在如此拚老命研發之餘，當他向人宣揚「他的」冰河理論時，卻到處碰壁。洪堡勸他終止這項對冰的瘋狂迷戀，回到真正的本行，去搞化石魚。但是阿格西似乎著魔已深，說什麼也不放棄。

阿格西的理論在英國更是乏人支持，那兒的自然學者大多從未見過冰河，因而多不能想像、巨大冰塊所能發出的擠壓力量。蘇格蘭地質學家莫契森（Roderick Murchison）在一次會議上以開玩笑的口吻問：「靠些冰就能在石頭表面刻畫跟打磨嗎？」顯然他想像中的冰，只是冷天裡石頭上所結的那層閃亮的薄霜。

莫契森直到風燭晚年，還不斷表示對那些「冰瘋」地質學家的不信任。他認為冰河不可能有那樣的能耐，那些冰河理論都只是瘋言瘋語而已。劍橋大學教授霍普金斯（William Hopkins）是當時英國地質學會的首席會員，他跟莫契森一鼻孔出氣，主張冰能運送巨石這種觀念，代表了「如此明顯的力學荒謬」，不值得學會去注意。

阿格西毫不畏縮，繼續旅行各處去倡導他的理論。1840 年他跑到蘇格蘭的格拉斯哥（Glasgow），參加在那兒召開的不列顛科學促進會的會議，並宣讀了一篇論文。在會上他遭到偉大的萊伊爾公開批評了一番。次年，愛丁堡地質學會通過了決議，承認冰河理論也許具有一些普通價值，但是對蘇格蘭來說絕對全不適用。

萊伊爾最後還是轉變了觀念。他後來之所以會接受冰河理論，原因是在蘇格蘭他家的莊園附近，有一個冰磧（moraine），冰磧是排成一列的石頭。之前他不知經過該處幾百回，對於這些石塊的散布方式一直無法做出合理解釋，等到有天他靜思時突然福至心靈，發現答案非冰河莫屬。但是回心轉意之後的萊伊爾卻失去了勇氣，不肯公開支持地球有冰河期的觀念。

這時阿格西正值人生挫折期，他的婚姻瀕臨破裂，昔日好友希博到處告狀，指控阿格西偷竊他的想法，查本提爾也不跟他說話，而當時世上最偉大的地質學家所能提供的支持，是最最不熱情也最猶豫的那種。

1846 年，阿格西旅行到美國，有人為他安排了一系列演講。在這兒他終於找到了渴望已久的尊重。哈佛大學給了他一個教授職位，並且為他建造了一座一流的博物館，取名為比較動物學博物館。

1886 年，一群女士在嚮導的幫助與帶領下，穿越瑞士的冰原，進行對自然的探索。流行於十九世紀末的這種自然探險活動，讓北歐的學者得以讚嘆冰的神奇力量。

毫無疑問的，這樣的優渥待遇，讓他決定在新英格蘭定居下來，而當地漫長的冬天也讓在地人較能贊同，地球曾有無止息的長時間寒冷期。這樣優渥的待遇同樣也促成阿格西在第一次格陵蘭科學探險之旅的報告上說：該塊次大陸幾乎全部掩埋在一層厚冰之下，正如同他理論中想像的情形一樣。這場探險是在阿格西到達美國六年後展開的。

阿格西奔走多年之後，總算沒有白忙，他的想法終於開始得到真正的認同。不過阿格西的理論有個最大的缺陷，那就是他的冰河期來得沒有原因。這個問題的解決，來自另一個讓人想像不到的地方。

地球軌道與冰河期

1860 年代裡，英國各家期刊跟其他學術刊物開始收到從格拉斯哥的安德生大學〔Anderson's University，今天的名稱是史崔克萊大學（University of Strathclyde）〕裡，一位名叫克魯爾（James Croll, 1821-1890）的先生寄來的論文，主題包括流體靜力學、電學等等。

其中有一篇是關於地球軌道的改變，或許造成了冰河期的來臨，這篇文章於 1864 年登載在一本名叫《哲學雜誌》的刊物上。行家一眼就能看出這篇研究報告水準一級棒，所以後來當大家發現克魯爾在學校不是學者，而是工友時，不但驚奇，還多少有點尷尬。

克魯爾在 1821 年出生，小時候家境貧寒，正規教育只受到十三歲，投入職場後曾做過一些不同工作，總計有：木匠、保險業務員、禁酒旅館經理等。最後在安德生大學謀得了工友職位。

不知他用了什麼法子誘使弟弟代勞，替他做掉了大部分工作，使他能在大學圖書館內度過許多安靜的夜晚，自修物理、力學、天文學、流體靜力學、以及其他當時流行的學門，然後開始寫出一連串的論文，主題特別著重地球的各種運動，以及這些運動對天氣的影響。

克魯爾是有史以來第一位科學家，提出了地球軌道會周而復始的從橢圓逐漸變成近乎正圓，然後再變回橢圓的觀念。這種變化很可能可以解釋地球歷史上冰河期的開始跟消退。以前從來沒有人曾經考慮過，地球天氣的變化有天文學上的解釋，所以這方面知識的啟發，幾乎完全得歸功於克魯爾具有說服力的理論。

也因此，英國人開始變得比較能夠接受地球表面以前曾遭冰封的主張。當克魯爾的創意跟才能都獲得學界肯定後，蘇格蘭地質調查局給了他一份差事，隨後很多地方都給他很多榮譽：譬如他受推為倫敦皇家學會跟紐約科學院的「學人」（fellow），蘇格蘭最古老的聖安德魯斯大學頒給了他一個榮譽學位等等。

在大學當工友的克魯爾，是自學成功的地質學家，他提出的地球軌道理論，是第一個可以解釋冰河期起源的學說。

很不幸的是，正當阿格西的理論終於在歐洲開始有人認同時，他本人卻忙著把這個理論帶到美洲的更奇特區域。他開始在幾乎所有去考察的地方，都找到冰河遺跡的證據，連赤道附近都有。

最後他由此推論，整個地球曾經一度全遭冰覆蓋，生命全部毀滅，然後上帝重新創造了生命。只是阿格西提到的證據，並沒有任何一樣支持這個看法。雖然如此，在他寄居的國家裡，他的名望跟地位卻不斷攀升，到達僅略次於神明的程度。1873 年他去世時，哈佛大學當局覺得要聘用三位教授，才能填補他的遺缺。

塞爾維亞學者米蘭柯維奇，原本是機械工程師兼數學家。他在第一次世界大戰時，受困於布達佩斯，就在那段時間他修正、擴大了克魯爾的理論。

然而世事常會出人意料，阿格西的理論很快就退了流行。他死後不滿十年，繼任的哈佛大學地質系主任就白紙黑字寫道：那個「所謂的冰河期……幾年前在冰河地質學家之間的熱門議題，現在的人也許會毫不猶疑的拒絕討論」。

問題有部分出在從克魯爾的計算顯示，最近的一次冰河期應該是八萬年前。然而地質學上的證據卻愈來愈明顯的指出，地球上最近的一次巨大溫度改變，遠比該計算值還新近。既然上次冰河期的肇因頓失合理解釋，所以整個理論就遭到了擱置。

這一擱置有可能就此斷送了該理論，幸好到了 1900 年代初，一位名叫米蘭柯維奇（Milutin Milankovitch, 1879-1958）的塞爾維亞學者對這個問題發生了興趣。

米蘭柯維奇是機械工程師出身，完全沒有天體運動方面的背景，他經過仔細推敲研究之後，發現克魯爾理論有問題，而問題並不是該理論不正確，而是過於簡單。

最快樂的戰俘

當地球在太空中移動時，它不只受到地球軌道長度跟形狀變化的影響，也受到地球朝向太陽角度的影響，其傾斜、螺距、擺動，全會影響陽光照射到任何一塊土地上的時間長度跟光照強度。其中最特別的是，地球長期間受三種位置變化的影響，分別是它的傾斜度（obliquity）、進動（precession）與偏心率（eccentricity）。米蘭柯維奇想知道的是，這三個複雜的循環跟冰河期的來去之間，是否有因果關係。

困難的是，這三個循環的週期相差很大，大約各為兩萬年、四萬年跟十萬年，且各自有長達數千年的變化範圍 ，這意味著若是要求出它們長期以來的所有交會點，需要長時間不停的細心運算。最主要的是，米蘭柯維奇必須隨著這三個一直在變的因素不斷調整，計算出在過去一百萬年的每一個季節內，照到地球表面每一緯度上，陽光的角度跟時間長度。

幸好米蘭柯維奇的性情很適合這種一再重複的辛苦工作，在以後的二十年裡，甚至在放假的日子，他都不停的手拿鉛筆跟計算尺，逐一算出那些循環表的數據。這種工作若用今日的電腦，一兩天就能完工。

他開始時只能在下班後的空閒時間趕工，但是到了 1914

年，他的空閒時間突然暴增，原來那年第一次世界大戰爆發，米蘭柯維奇由於具有塞爾維亞陸軍後備兵的身分而遭逮捕，軟禁在布達佩斯四年。其間他只需要每星期到警察局點名報到一次，其他時間他都待在匈牙利科學院的圖書館內，做他愛做的計算，所以他可能是歷史上最快樂的戰俘。

最後在 1930 年，他把這二十年的辛苦工作結果，出版了一本書，書名《數學氣候學及天氣變化的天文學理論》。米蘭柯維奇猜想得不錯，冰河期的消長的確跟地球的擺動有關。

然而，他的想法跟大多數人相同，認為過程上是嚴冬逐漸加長，最後才變成終年不化的冰封世界。後來，俄裔德國氣象學家科本（Wladimir Köppen, 1846-1940）瞭解到，這個過程實際上比米蘭柯維奇以為的要突然得多，也可怕得多。

科本的女婿就是我們板塊構造學說的老朋友韋格納（Alfred Wegener）。科本指出，冰河期的肇因應該是涼爽的夏天，而不是嚴酷的冬天。因為如果夏天的氣溫太低，使某個地區的積雪不能完全融化，則陽光會遭地面上的冰雪反射回去，益增該處的冷卻效應，促使更多的降雪，結果是每下愈況，且情況一直延續。當降雪累積成冰層時，這地區就變得更冷，引起更多的冰累積。

正如冰河學家舒爾茨（Gwen Schultz）曾指出的：「造成厚冰層的實在原因，並不必然是降雪量，而是雪無論多麼少，也老不融化。」冰河學家認為冰河期很可能是從單個不合季節規律的夏天引發的，地面上沒來得及融化的雪把熱能反射掉，加速了冷卻效果。作家米克菲說：「這種形成過程是自我擴大且無法停止的，一旦積冰量快速增長時，冰就開始到處移動。」於是乎就有了冰河，也有了冰河期。

時序到了 1950 年代，由於當時推定古物年代的技術還有欠完善，科學家無法把米蘭柯維奇仔細計算出來的各個循環跟當時大家認為的冰河期歷史，做時間上的對比印證，因此米蘭柯維奇跟他的計算結果，愈來愈不為人重視。

米蘭柯維奇在 1958 年去世，死時仍不知道他的循環是否正確。在那段時期，就如英國夫妻檔作家葛瑞賓所描寫的：「你很難發現有哪位地質學家或氣象學家，會認為米蘭柯維奇的模式有歷史古董之外的價值。」但是到了 1970 年代，隨著推定遠古海底沉積物年代的利器「鉀氬定年法」（potassium-argon dating method）的改良，米蘭柯維奇的理論終於證明屬實。

僅靠米蘭柯維奇的循環還不足以解釋冰河期的週期，後者還牽涉許多其他因素，其中有一個滿重要的因素是大陸的配置，尤其關鍵的是在兩極地區是否有陸地存在，只是其中的確切原因還沒研究出來。不過有人說，你只要把北美洲、歐亞大陸跟格陵蘭向北拖 500 公里，我們就會有永遠不會再變暖的冰河期。看起來我們能有現在這種好天氣，只能說運氣很好。

現在仍是冰河期

我們瞭解得更少的是各冰河期之間一些比較暖和的週期，這些比較暖和的段落叫做「間冰期」（interglacial）。說來有些叫人心裡發毛的是，整個有意義的人類歷史發展出的農業、城鎮、數學、文字、科學以及所有其他種種文明的興起，只是發生在非典型間冰期的好天氣裡。在此之前，有的間冰期長度只有八千年，而我們這個間冰期目前已經度過了第一萬個週年慶。

事實上我們仍然是處在冰河期裡，只是它比往常的冰河期稍微短了些，雖然也不像許多人以為的那麼短。上一次冰河期的高峰點距今約兩萬五千年，當時地球陸地約有 30% 遭冰雪覆蓋，現在有 10% 的情況仍是如此，且另有 14% 是永凍土（permafrost）。

甚至在目前，地球上的淡水仍然有四分之三是鎖在冰裡面，而且地球的兩極各有冰帽。這種情況在地球歷史上並不常有，也許還相當獨特。如今我們看見地球上大部分地區在冬天會下雪，而我們對諸如紐西蘭等溫帶地區卻擁有永久性的冰河，覺得似乎很自然，但其實在地球歷史上，這是最不尋常的情況。

直到相當晚近，地球歷史上大部分時期的模式，是地球表面溫度很高，見不到長期不化的冰。目前這次冰河期大約是四千萬年前開始的，一路走來地球表面情況變化的範圍很大，從極要命的壞到還不錯的情況都有。

冰河期有隨時大量消除以前遺跡的傾向，所以我們對冰河期早期的情景，所知非常有限，但看起來在過去兩百五十萬年內，至少有過十七次嚴重結冰的插曲。這兩百五十萬年正好跟非洲的直立人（*Homo erectus*）開始興起與接下來現代人的發展相符合。

這次冰河期之所以開始，一般認為有兩個主要的原因，那就是喜馬拉雅山脈的上升與巴拿馬地峽的形成，前者擋住了空氣的流通，後者擋住了洋流。印度原本一度是個大島嶼，在過去的四千五百萬年內，推進了兩千公里後跟亞洲大陸衝撞。這一撞的結果不只使喜馬拉雅山脈上升，還造就了它們後面的西藏高原。

這個假說認為，海拔變高後不但當地變得較冷，還迫使風向改變，吹向北方的北美洲，使北美洲較易發生長期冷卻。然後，大約在五百萬年前，巴拿馬從海裡升了起來，填補了南、北美洲之間的間隔，阻絕了太平洋與大西洋間的溫暖洋流，且至少使半個地球的降雨模式改變。這個變化的一項後果，就是讓非洲成了非常乾旱的地方，迫使猿猴從樹上爬了下來，在新出現且沒有樹木的大草原上，尋找新的生活方式。

不管怎麼說，看來冰還會繼續是我們將來的一部分。根據作家米克菲的說法，在目前這樣的海洋跟大陸分布情形下，此後還會有大約五十次的一連串結冰事件要發生，每次事件長達十萬年左右，然後才會出現一個長期的無冰時期。

在距今 5 千萬年以前，地球的冰河期並不規則，而且冰河期來臨時，聲勢都很浩大。譬如在距今二十二億年前，地球曾大規模冷凍過一次，之後跟著一次長達十億年左右的暖和期。然後地球又發生了一次比前次規模更大的冰河期，規模之大，讓科學家把那個時代稱為成冰紀（Cryogenian），意思就是超大冰河期，所造成的情況比較通俗的講法是「雪球世界」（Snowball Earth）。

不過「雪球」這個詞實在沒能反映出當時惡劣情況之萬一。這個成冰紀之所以發生，理論上是由於當時太陽的放射性突然降低了約 6%，溫室氣體的產生變緩（或維持出了問題），影響所及最重要的是使地球失去了維持自身熱量的能力，整個地球變得

紐西蘭南島上的法蘭茲約瑟夫冰河（Franz Josef Glacier）。即使在今天全球增溫這麼嚴重的時刻，地球上的水仍有接近四分之一，是鎖在冰或永凍土中。

跟目前的南極洲一個模樣。各處溫度比原先降低了多達攝氏 45 度，地球表面也許全部冰凍得結結實實，所有的海洋也都給一層厚冰所覆蓋，高緯度海面的冰可以厚達 800 公尺，甚至連熱帶海面的冰也有數十公尺厚。

火山救了我們

不過這中間存在著一個滿嚴重的問題，因為地質學證據指出，當時地球上到處都是冰，連赤道附近也都結了冰，但是生物學證據卻同樣確切的指出，必然在某些不明之處有未遭冰封的水域存在。

證據顯示，藍綠藻經歷這次浩劫而存活，而它們是依靠光合作用維持生命，這表示它們基本上需要陽光。如果試過你就會知道，冰的透光性質很不好，數公尺的厚度就能把陽光完全遮住，那麼生活在厚冰下的水裡的藍綠藻，是如何獲得光照的呢？

有人提出了兩個可能，一是有一處面積不大的海洋表面沒有結冰（也許是因為地殼熱點的局部加熱），另一個可能是也許那時某些地點的冰形成的方式不同，能保持很高的透明度，而這種情形在自然界中的確有時會發生。

如果地球表面真的一度全都結成了冰，接下來的問題是，它後來又如何暖和過來？因為完全由冰覆蓋的行星，應該會把絕大部分的外來熱能反射出去，因而會永遠維持冰凍狀況。看來可能的轉機只能來自我們地球熔融的內部。我們也許得再一次感謝板塊構造，讓我們今天能在這兒。這意思是說火山救了我們，是它們衝破了地球冰封的表面，噴出大量的熱跟氣體，融化了冰雪世界並重新形成大氣層。

有趣的是，這次超級冷凍戲碼的結束，居然緊接著就是我們先前提到的寒武紀大爆發，這個生命歷史上的春天。不過事實上這段時間也許不真的像春天那樣寧靜安詳，當地球剛暖和過來時，颶風的力量足以吹起高度如同摩天大樓般的大浪，降下來的雨水之狂暴密集，根本無法形容。

這段不寧靜的過渡期顯然完全不會影響到那些固守在深海熱

氣噴口附近的管蟲、蚌殼及其他生物的生活，但是地球上其他的生物，很可能就此經歷了生命史上最惡劣的環境，而瀕臨全部報銷的邊緣。然而由於事情已太過久遠，我們對當時的詳情無法知曉。

跟成冰紀的天寒地凍比起來，較為近期的冰河期看起來規模不大，但是以目前在地球上看得到的各種標準衡量，它們的規模可是舉世無匹，所謂的威斯康辛冰層（Wisconsian ice sheet）曾一度覆蓋大部分歐洲與北美洲，有多處地方厚達 3 公里，整塊冰層以每年 120 公尺的速度在向前衝。

當時的景象想必壯觀至極。冰層的前端厚度就可能有將近 800 公尺。可以想像站在這麼高的一堵牆下有什麼感覺！從冰層邊緣往後看，是一望無垠面積廣達數百萬平方公里的冰，除了少數幾座最高的山峰四處戳穿厚冰豎立冰層之上，其餘看得到的地方是冰，看不到的地方依然是冰。

在如此多的冰重壓下，整個大陸為之塌陷。即使在冰河退卻了一萬二千年後的今日，陸面還在為恢復原狀而繼續回升。這些移動的冰層不只把巨大的石塊散得一地，也堆成長條的冰磧，它們還把整塊陸地搬了家，紐約的長島、新英格蘭的鱈魚角、大西洋的南土克特島（Nantucket）等等。無怪乎在阿格西之前的地質學家老是為了地貌風景的不連貫而傷腦筋。

如果今天冰層捲土重來再度前進，我們的彈藥庫裡完全沒東西能讓它們轉向。1964 年，北美洲最大的冰河原，亦即阿拉斯加境內的威廉王子海灣（Prince William Sound），發生了一次北美洲

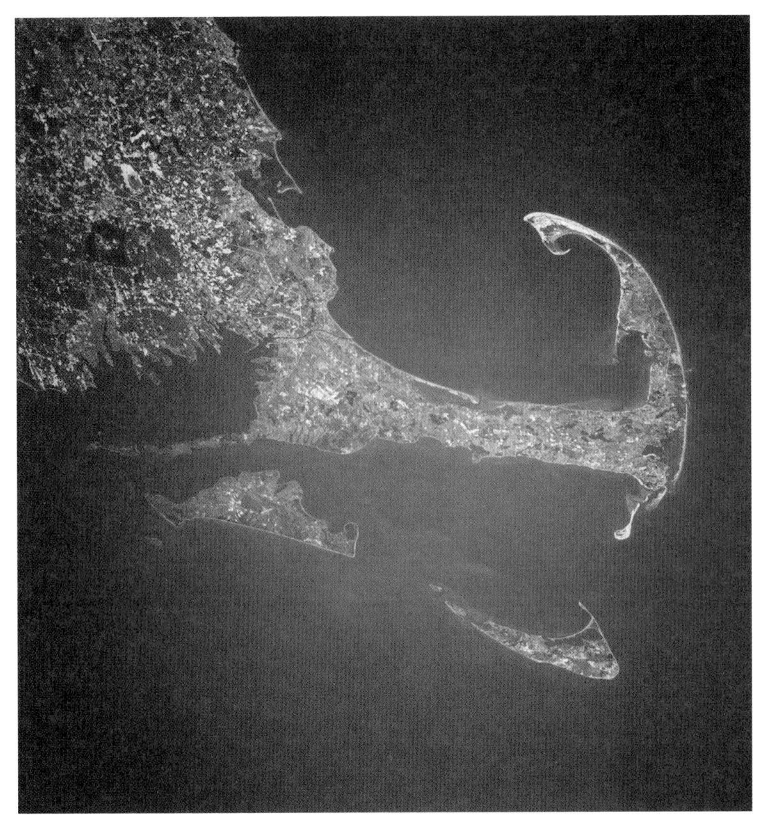

從空中鳥瞰美國麻州的鱈魚角。鱈魚角的這個奇特形狀，跟北美洲其他許多地方一樣，都是冰河遷移作用的產物。

有紀錄的最大地震，達到了規模 9.2，斷層線上的地表上升，幅度高達 6 公尺。這次地震搖晃之劇烈，連遠在美國南方的德州，游泳池的水都給晃了出來。

然而這次史上難有匹敵的震動，對威廉王子海灣的冰河有什

這是位於阿拉斯加威廉王子海灣的冰河。
此處共有上千條冰河。

麼影響呢？完全沒有！顯然冰河把力道全都吸收，照舊繼續推進。

以前有很長一段時間，我們以為冰河期是逐漸進入跟逐漸退出，前後過程長達數十萬年，但我們現在知道事實上不然。這得感謝格陵蘭的冰蕊（ice core）研究，我們由此得知該地區過去大約十萬年的詳細氣候紀錄，然而這個發現卻叫我們心裡很不舒服。原因是它告訴了我們，過去這十萬年中的大部分時間，地球並不像人類開始有文明後的這數千年一樣，如此的穩定跟安靜，相反的，它一直在溫暖跟嚴寒時期之間快速的變來變去。

上一次的大冰河期到達尾聲時，亦即距今約一萬二千年前，地球開始快速暖化，但這時不知何故，溫度又突然下降，長期苦寒達一千年之久。這次的事件科學家稱為新仙女木期（仙女木是北極地區的植物，是冰層消退後最早重新出現的植物之一。相對的之前還有一個舊仙女木期，只是不像新仙女木期這麼明顯）。

這一千年的肅殺嚴寒過後，全球平均溫度又往上跳升，二十年內上升了攝氏 4 度。這個數字看起來似乎沒啥了不起，但卻相當於在同一時期內，從北歐斯堪地那維亞的氣候轉變成地中海型氣候。

地區性的轉變則更大、更明顯，譬如格陵蘭冰蕊告訴我們，那兒的溫度在十年內上升了攝氏 8 度。這個溫度上升會大幅改變降雨模式跟植物生長的條件，這對當時地球上稀疏的人口，必然曾造成相當嚴重的衝擊，同樣的轉變若是發生在人口密集的今日，則後果之嚴重將不堪設想。

氣候學家哈葛里弗斯（Geoffrey Hargreaves）正在檢驗格陵蘭的冰蕊，找尋全球增溫的證據。

誰在玩弄地球的溫度？

其中最叫人擔憂的是我們絲毫沒有概念，究竟是什麼自然現象能使地球溫度變化得如許快速？

作家考柏特（Elizabeth Kolbert）在《紐約客》雜誌上的一篇文章裡寫道：「目前我們完全不知道有任何外來力量，甚至連大膽的假設都付諸闕如，我們不知道是什麼東西能讓地球的溫度，像那些冰蕊紀錄所顯示的猛然攀高走低不說，還頻頻發生。」她還說：冥冥之中，似乎「有某個巨大且非常可怕的反饋循環」，也許牽涉到海洋，以及正常洋流模式的突然中斷，但是要搞清楚其中的來龍去脈，還有很長的研究道路要走。

關於新仙女木的結凍起因，有個理論是說，在當時溫度陡升之下，大量的冰融化後產生的淡水快速加入了海水，降低了北方海洋的含鹽量（及比重），促使墨西哥灣流轉折向南，如同汽車駕駛為了避免迎面對撞而轉彎一樣。

由於缺乏該灣流的溫暖效應，北方高緯度地區的溫度於是回降。但是這個理論卻不能解釋為什麼在一千年之後，當地球又開始暖化時，墨西哥灣流並未隨之更改方向。反而我們把這段異常安靜的時期叫做全新世（Holocene），而這也是現在我們所在的時期。

我們想不出任何理由來假設，我們這段已經延伸得夠長的穩定氣候，還會長時期繼續下去。事實上有些專家相信，在不久的將來，我們即將面對比過去還更糟糕的時期。

說到這兒，人們會很自然的以為，現在大家引以為憂的全球增溫現象，豈不剛好可以用來抵銷地球轉冷結冰的傾向。但是猶如考柏特女士曾經指出的，當你面臨的是一種起伏不定且不可預測的氣候時，你「最好不要用它來做大規模且無法監控的實驗」。

而且有人提出了一個起初看來簡直是胡說八道、但後來卻似乎合乎事實的假說：冰河期的開始，其實是由於氣溫上升引起的，因為氣溫稍稍上升會增加地表水的蒸發速率，以及地表上空的雲層覆蓋率，導致較高緯度地區的積雪增多且更難融化。

美國捕鯨船船長福爾傑（Timothy Folger）在 1769 年畫的灣流圖。他畫這幅灣流圖，是受命於他那有名的表親、身兼科學家與政治家身分的富蘭克林。富蘭克林認為，穿梭歐美的船隻如果能認清灣流走向，將有助於航行安全。

全球增溫現象跟地球冷卻雖然看似矛盾，但事實上卻可以合理的解釋當前北美洲跟歐洲發生的一些地區性氣溫大幅降低現象。

氣候是由非常多因素集合起來的產物，其中包括了大氣中二氧化碳成分的增多與減少、大陸的漂移、太陽的活力、米蘭柯維奇循環堂而皇之的搖擺等等，這些因素複雜到我們還無法充分瞭解，所以也難以預測未來它們會有何變化。

就拿南極洲為例，我們知道它在遷移到南極地區後，至少有兩千萬年的時光不但仍有植物覆蓋著，而且沒有積冰，這個事實以現在認知來說，完全不合情理。

更叫人想不通的是一些後期恐龍的生活範圍，英國地質學家德魯理（Stephen Drury）指出，在距離北極還不到十個緯度之內，曾有過茂密的森林，也是恐龍的棲息地，其中包括了霸王龍。德魯理寫道：「這事非常奇怪，因為在那麼高緯度的地方，每年有連續三個月的黑暗永夜。」

更扯的是，現在有證據顯示，當時這些高緯度地區入冬之後也非常寒冷，氧同位素研究的結果告訴我們，在白堊紀的後期，阿拉斯加費班克（Fairbanks）周圍的氣候，其實跟今天的氣候沒啥差別。

霸王龍跑到那麼冷的地方去幹嘛？我們不能確定牠們究竟是每年隨季節的更替跋涉極遠的距離，夏天時到那兒暫住，或是整年都住在那兒？另外在澳洲（它的位置在當時比現在更靠近南極），由於是個大島嶼，沒有較溫暖的地方可以避冬，我們實在想不出來，當時生活在澳洲的恐龍如何能在南極附近的氣候下存活。

有個想法大家要謹記於心，那就是無論什麼原因促使冰層又開始形成，不同於往昔的是，這次可有超多量的水可加入冰層行列。諸如位於美國與加拿大國界上的五大湖、加拿大北部的哈德遜灣、以及加拿大境內數不清的湖泊，在上一次冰河期開始時它們尚未出現，因而沒有助紂為虐。它們是上一次冰河期的產物。

從另一方面看，我們歷史的下一步也許不是一頭栽進另一個冰河期，去製造更多的冰，而是讓目前已有的冰繼續融化。

如果現有的冰層全部融化，則全球的海平面將會上升 60 公尺，這個高度相當於二十層樓高的建築物，全世界的沿海城市全會被淹沒，無一可幸免。至少是在短期內最有可能發生的是，南極洲西部冰層的崩塌。過去五十年內，該處周圍的海水溫度上升了攝氏 2.5 度，該冰層一直在加速融化。而且該地區冰層下的地質結構，使得觸發大規模崩塌愈發可能。如果真的發生，全球海平面將會迅速上升，平均達到 4.5 至 6 公尺。

不尋常的是，我們不知道哪個的可能性比較大，即將到來的世代究竟會是苦寒，而導致大多數生物凍死呢？還是同樣能折磨它們致死的酷熱？我們唯一可以確定的一點，是我們的處境猶如在刀鋒上討生活，隨時都不能免除膽戰心驚的煎熬。

不過話說回來，老實說，冰河期對這個行星來說並非壞消息，因為冰河期會把岩石輾碎，留下肥沃的土壤，並鑿挖出許多淡水湖，提供豐盛的營養給千百個物種發展繁殖的機會。它們像馬刺一般，促成動物遷徙，維持地球的活力。

就像作家弗蘭納瑞（Tim Flannery）指出的：「若想知道一塊大陸上居民的命運如何，你只需要問他們一個問題，那就是：『你們是否有過很好的冰河期？』」有了這層瞭解之後，我們下面就來看看，一個屬於猿類的故事，牠們真是遇到了好的冰河期。

由於冰層都位在遙遠的遠方，我們很少體認到它們的龐大。事實上，地球上長年遭冰封的土地，大約有六百萬平方英里，相當於南美洲的大小。

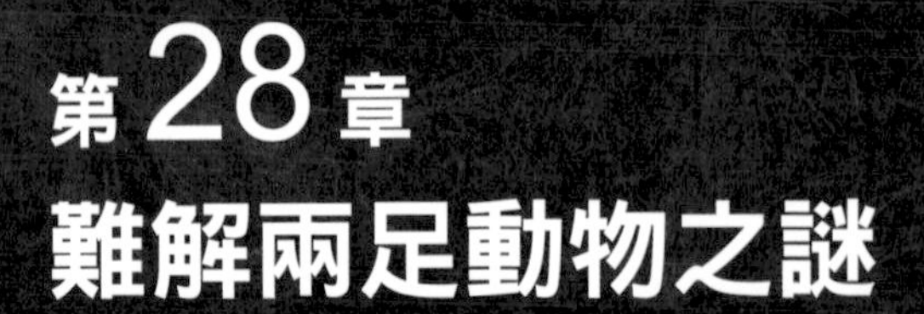

第28章 難解兩足動物之謎

這張令人印象深刻的直立人臉孔，是由藝術家葛崔（John Gurche）所重建，其中可以看出許多早期人類與現代人的不同特徵。直立人是最早開始狩獵、使用火，並會照顧生病或弱小同伴的人科動物，但牠們的心智能力僅跟現在的孩童差不多。如果你遇上了直立人，「你將是牠們捕食的對象，」古生物學家華克這麼說。

1887 年的聖誕節前兩天，一位名字不像荷蘭人的年輕荷蘭醫生杜布瓦 *（Marie Eugène François Thomas Dubois, 1858-1940），來到了荷屬東印度群島的蘇門答臘島上，目的是為了要尋找地球上最早的人類遺骨。

杜布瓦到印尼找尋人類祖先化石的這趟旅行無論從哪方面來看，都是不按牌理出牌：首先，在他之前，從未有人專程到海外，只為尋找遠古人類的化石，以往的發現都是碰巧遇上的。其次，以杜布瓦的專長而論，他不應該會起意去做這件事，因為他是一位科班出身的解剖學家，缺乏古生物學的專業知識。第三，他沒有任何特殊理由可以認定，在東印度群島上會有早期的人類骨骸。若是真的有心去尋找原始人類的遺跡，合乎邏輯的做法應該是到一個長久以來就有人居住的大陸塊上去挖掘，而不是跑到一群偏遠的島嶼上去尋寶。

杜布瓦之所以跑到東印度群島去，是基於三個原因：除了一時心血來潮之外，一則是他在那兒有個支薪的工作機會，二則是他聽說蘇門答臘島上到處都是洞穴，而過去大部分重要的人類祖先化石，都是在山洞裡發現的。結果，他此行最離奇的一點（簡直可說是奇蹟似的），就是老天爺居然讓他發現了他所想要找的。

當時杜布瓦所盤算的，是要尋找一段失落了的環節，因為那時的人類化石紀錄還非常稀少：只有五具不完整的尼安德塔人（Neandertal）骨骸、一小塊來路不很明確的部分顎骨，以及

* 杜布瓦雖然是荷蘭人，但他的老家位於荷蘭邊界的城鎮愛基斯登（Eijsden）；國界的另一邊是比利時的法語區。

半打冰河期的人類遺骨，後者是不久前在法國靠近埃齊耶（Les Eyzies），一個叫做克羅－馬儂（Cro-Magnon）岩蔭下的山洞裡，由幾名鐵路工人發現的。

那些尼安德塔人標本中，保存得最好的一具，當時擺在倫敦市內、一個沒有標示的標本架上，學者還沒認出它的價值。它是1848年，爆破岩石的工人在直布羅陀（Gibraltar，位於伊比利亞半島南端，為西班牙境內的英國屬地）一處採石礦區內發現的，所以它能保存下來實在不容易，但不幸的是當時無人知道它究竟是什麼。

那時在直布羅陀科學學會的一次會議中，曾有人簡短介紹過那具尼安德塔人標本，之後就將它送到倫敦亨特（Hunterian）博物館。它在博物館歷經了半個多世紀的時光，除了偶爾有人輕輕拂去上面累積的灰塵外，一直沒有學者專家去研究過。

關於它的第一次正式書面描述，得等到1907年，才由一位名叫索拉斯（William Sollas）的地質學家提及，但索拉斯也僅有「馬馬虎虎、勉強及格的解剖學知識」。

因此，首次發現了早期人類的頭銜跟榮譽，給在德國境內的尼安德山谷（Neander Valley）後來居上的取得。說起來倒也沒什麼不適當，因為這兒牽涉到一個神奇的巧合，那就是「Neander」這個字在希臘文是「新人」的意思。此發現是1856年（比上述直布羅陀的發現晚了八年），也是幾名採石場工人，在一座面對杜賽爾河（Düssel River）的懸崖上，看到了一些很奇怪的骨頭，他們把這些骨頭帶回去交給當地的一位學校老師，因為他們知道這位教師對所有自然的東西都感興趣。

這位老師名叫富爾勞特（Johann Karl Fuhlrott），難得的是他竟然看了出來，他拿到的這些骨頭屬於一個新型的物種，雖然它們究竟是啥、到底有多麼特殊，接下來在學術界可還有一段漫長的爭吵呢。

首先是許多人壓根兒拒絕接受尼安德塔人骨是遠古人類的說法，譬如波昂大學一位很有影響力的教授梅爾（August Mayer）就堅持說，那些骨頭屬於 1814 年、入侵德國的一名蒙古哥薩克士兵，在作戰時受了傷，自己爬進了洞穴之後死在那兒。

英國的解剖學家湯瑪士．赫胥黎輾轉聽到了梅爾的胡掰後，冷冷不屑的譏諷那位德國大教授，說那真是了不起，一個受到致命傷的人，居然爬上了將近二十公尺高的垂直峭壁，其間也不知是什麼時候、為了什麼原因，他自己把全身上下的穿著、一切佩帶物品，脫了個精光扔在洞外，然後爬進洞穴、把入口封閉堵死，最後還把自己埋葬在半公尺深的土裡呢！

另一位人類學家則對尼安德塔人頭顱上有明顯高聳的眉脊，讓人感到困惑一事解釋說，也許是因為那人的前臂受傷骨折後一直沒有癒合好，長期痛苦而皺眉頭的結果（這說明當時一些學者專家為了反對人類有悠久歷史的想法，不惜接受一些最怪異的可能）。

就在杜布瓦要動身前往蘇門答臘的時候，在法國的佩里格（Périgueux）發現了一具骨骸，專家很有信心的宣稱該具骨骸生前是一名愛斯基摩人。但是為何在古時候會有一個愛斯基摩人跑到

這是在克羅埃西亞境內克拉匹納（Krapina）的一處洞穴中，發現的女性尼安德塔人部分顱骨。目前古人類學家所發現的史前人類遺骨非常稀少，若將它們全加在一起，「還裝不滿一輛載貨卡車的車斗空間呢！」

法國南部來的問題，一直沒有人能給一個叫人覺得理所當然的解釋。這具骨骸事實上是屬於一名早期的克羅馬儂人。

發現爪哇人

以上就是杜布瓦遠渡重洋去尋找遠古人類骨骸的時代背景。在到達目的地之後，杜布瓦並沒有自己動手挖掘，而是向當地的荷蘭殖民地政府借調了五十名囚犯，他們先在蘇門答臘各處工作了一年，然後轉往爪哇島繼續挖掘。

1891 年，杜布瓦（其實應該是他的工作團隊，因為杜布瓦極少到工地去拜訪）發現了一塊早期人類的部分顱骨，這塊骨頭如今稱為爪哇特里尼爾頭蓋骨（Trinil skullcap，特里尼爾是發現所在的地名），雖然它只是一個顱骨的一部分而已，但仍能顯現出這塊骨頭的主人具有一些明確的非人類特徵，而牠的腦容量卻又比任何現有猿類大了許多。

杜布瓦當時將它命名為人猿屬直立種（*Anthropithecus erectus*，稍後由於某個技術上的原因，把屬名倒裝、改變成了猿人屬直立種 *Pithecanthropus erectus*），並宣稱牠就是猿與人類之間的失落環節。這個直立人猿或猿人，很迅速的有了通俗化的名稱：爪哇人（Java Man）；今天牠的正式名稱為人屬直立種（*Homo erectus*，即直立人）。

次年，杜布瓦的工人又發現了一根幾乎完整的大腿骨；讓人驚訝的是，這根骨頭看起來非常接近現代人。事實上，許多人類學家認為它根本就是現代人的遺骨，跟爪哇人毫無關係。如果它的確是直立人的骨頭，它跟後來發現的其他爪哇人腿骨也非常不同。

無論如何，杜布瓦這時發揮了他的解剖學專長，根據這根有問題的大腿骨做出推斷（後來也證實他的結論沒有說錯），說這名猿人生前走路時，上身是直立的。此外，杜布瓦也根據那塊頭骨碎片加上一顆牙齒，塑造出該猿人的整個頭顱模型，這個模型後來經過證明也極為正確。

1895 年，杜布瓦回到歐洲，滿心以為會受到勝利英雄式的歡

杜布瓦在 1887 年立志找尋地球上最早的人類遺骨，由於他準確過人的直覺，終於在 1891 年於爪哇島上發現了一塊早期人類的部分顱骨，這塊顱骨屬於一名直立人，一般稱之為「爪哇人」。杜布瓦宣稱這塊顱骨的主人，就是猿與人類之間那段「失落的環節」。

迎，那裡曉得幾乎完全相反。大多數科學家都不喜歡他的結論，尤其討厭他在發表成果時，表現出的那副傲慢嘴臉。他們堅持說那塊頭蓋骨根本不是什麼早期人類的遺骸，而是屬於某種猴子，也許是一隻長臂猿而已。

1897 年，杜布瓦希望為自己的主張贏得一些支持，因而允許受人景仰的法國史特拉斯堡大學（University of Strasbourg）解剖學家許沃比（Gustav Schwalbe, 1844-1916），為他從爪哇帶回來的那塊頭蓋骨做了一個模子，然後拿回去研究。

然而讓杜布瓦非常不爽的是，許沃比根據那個模子寫了一篇專文發表，居然得到了學界很正面的回應。許沃比所獲得的回響不但比杜布瓦所受到的待遇好得太多，之後許沃比還為了這篇論文到處去旅行、演講，受到歡迎之熱烈，好像爪哇人是由他親手挖掘出來似的。

這個消息傳到了杜布瓦耳裡可真不是味道，因此他從驚訝轉為憤怒，接著逐漸變成了怨天尤人。之後的歲月裡，杜布瓦在母校阿姆斯特丹大學，退居為一名沒沒無聞的地質學教授，而且在往後的二十年內，他再也不許任何人檢視他那些寶貴的化石啦！1940 年，杜布瓦告別了他的人生，至死未能釋懷。

陶恩小孩的顱骨

同時期但在半個世界之外，1924 年底，有人送給了當時在南非約翰尼斯堡的維瓦特斯蘭大學（University of the Witwatersrand）擔任解剖學系主任、出生在澳洲的達特（Raymond Dart, 1893-1988）教授，一個很小、但非常完整的小孩頭骨，這具頭骨有完整的面顱跟下顎骨，以及所謂的顱腔內鑄型（endocast），亦即自然鑄造出來的腦子模型。

這具頭骨發現的地方是在南非一個叫做陶恩（Taung）的石灰岩採石場，位置是在喀拉哈里沙漠（Kalahari Desert）的邊緣地帶。達特第一眼就看了出來，這顆在陶恩發現的小孩頭骨，並非屬於像杜布瓦發現的爪哇人那樣的直立人，而應該是屬於一種更早時期、更像猿類的動物。達特推算牠的生存年代約是在兩百萬

這張照片是在 1978 年拍攝的，來自澳洲的解剖學者達特，與他命名為「南猿人屬非洲種」的遺骨合影。這顆頭骨是在 1924 年於南非出土，達特一眼即看出牠是比直立人更早時期、更像猿類的動物。

年前，並取名為南猿人屬非洲種（*Australopithecus africanus*），也就是「非洲南猿人」。

達特為此寫了一篇報告登在《自然》期刊上，聲稱這個陶恩小孩的遺骨「非常人模人樣」，並且建議有需要增加一個新的猿人科，以便容納這個新的發現。

不過，學術界權威們對達特主張的回應，比當年對杜布瓦的意見更加不友善。幾乎所有跟達特理論有關的一切（事實上似乎是跟達特本人有關的一切），都冒犯了他們。

首先，他們認為達特毫不虛心，在拿到標本後沒有先去向歐洲那些「世界知名」的專家學者求助，竟「擅自」進行分析，十足證明此人目無尊長、膽大妄為。

其次，達特所選用的名稱中，「南猿人」的字根分別取自希臘文與拉丁文，顯示達特缺乏學術修養（因為慣例是同一字內的字根，得選自同一種古文字）。最重要的是，他的結論居然跟大家的認知相牴觸，當時學界人士的一般共識，是認為人類跟猿類分道揚鑣，約發生在至少一千五百萬年前，而且地點是在亞洲。如果人類的最初發源地是在非洲，我們豈不全都跟黑種人撇清不了本是同根生的親戚關係？

這在二十世紀的前半葉，普遍瞧不起非洲人、自認高人一等的白種人社會中，簡直是大逆不道的主張。這就好像今天突然有古人類學家宣布，說他在……什麼？在美國密蘇里州發現了人類最早祖先的遺骨！人們的反應必然會認為他神志不清、甚至是發了瘋，因為這跟大夥兒的認知實在是差得太多啦。

達特在有名望的人物中的唯一支持者，就是蘇格蘭出生的醫生兼古生物學家布倫（Robert Broom, 1866-1951）；布倫除了頭腦聰明外，還有相當特殊的古怪性情。

比方說，在他去做野外調查時，只要天氣夠暖（偏偏他工作的地方經常很熱），他就把衣服全脫光。而且，據說他還利用家境比較清寒、且易於對付的病人，進行一些可疑的解剖學實驗。每當他的病人去世（此事也偏偏經常發生），他有時會把屍體埋在他家後院，以便事後挖掘出來研究。

布倫是很有成就的古生物學家，由於他也住在南非，因此能夠親自檢視那顆陶恩顱骨，而他也是立刻就看了出來，這顆頭顱

性情古怪但觀察力敏銳的布倫，是很有成就的醫生兼古生物學家，也是在當時有名望的人士當中，唯一支持達特那備受爭議的發現的人。

的確如達特所說的那麼重要。於是，布倫也出面激烈的為達特宣揚與辯護，但是沒有什麼效果。因此在之後的五十年裡，人們對這件事的認知是：所謂陶恩小孩不過是隻猿罷了；大部分的教科書對此事件則是連提都沒提。

達特花費了五年時間，為此發現寫了一篇專文，結果卻找不到任何人願意替他出版發行，最後他只得斷絕了發表的念頭（但他仍然持續尋找化石）。那段數年的時光裡，這顆如今人類學家視為超級珍寶的顱骨，一直擱在達特一位同事的辦公桌上，給他當紙鎮使用。

達特在 1924 年宣布發現陶恩小孩時，當時世界上已知的人類祖先僅有四個類別，牠們分別是在德國境內發現的海德堡人（*Homo heidelbergensis*）、在南非發現的羅德西亞人（*Homo rhodesiensis*）、前述的尼安德塔人，以及杜布瓦發現的爪哇人。然而接下來，這一切即將發生極為重大的改變。

被吃掉的遺骨

首先在中國，一位加拿大出生、很有天分的業餘考古學家布達生（Davidson Black, 1884-1934，當時是北京協和醫學院解剖學教授），跑到北京附近、一個叫做周口店龍骨山的地方試挖。

龍骨山本是以蘊藏中藥「龍骨」而得名，不過很不幸的是，以往在該處找到骨頭的中國人，並未把出土的骨頭保存起來去做研究，而是把它磨碎了當作藥材。我們從地名就可以猜想得到，在這之前很可能已經有無數屬於無價之寶的直立人遺骨，遭發現它們的人吃進肚子裡去啦。

所以在布達生到達當地時，那裡的「龍骨」早已差不多挖掘一空，所幸布達生的運氣還算不錯，他很快挖到了一顆臼齒化石。而就憑著這麼一顆牙齒，布達生相當得意的宣布，說他發現了中國人屬北京種（*Sinanthropus pekinensis*），而他命名的這個新種，很快就簡化成了「北京人」（Peking Man）。在布達生的催

許多動物的蹄、骨頭、喙嘴、獸角等一字排開，在中國大陸的藥材攤上展售。這些東西在當地常用來磨粉、製藥，有許多早期人類遺骨等無價之寶也就因此而消失。

促下，挖掘工作繼續展開（整個研究是由美國洛克斐勒基金會資助的），更多的北京人骨頭陸續出土。

但很不幸的是，在 1941 年日本偷襲珍珠港的第二天，一支美國海軍陸戰隊分遣隊企圖把這批北京人骨頭（跟他們自己）偷運出中國時，被當時侵略中國且在中國境內到處橫行的日本軍隊截獲。美國大兵被抓起來不說，日本兵當場撬開他們企圖偷運的木板箱，發現裡面除了骨頭化石之外，什麼都沒有，於是把箱子棄置路旁、揚長而去。這些得來不易的寶物，從此失蹤，再也沒有人見過。

同時，在杜布瓦的舊勢力範圍爪哇島上，一個由荷蘭古生物學家孔尼華（Ralph von Koenigswald, 1902-1982）率領的考古團隊，又發現了另一群早期人類化石。由於發現地點是在梭羅河畔的甘敦（Ngandong）地區，因而稱做梭羅人（Solo People）。

有趣的是，要不是因為犯了一個策略上的錯誤，孔尼華發現到的骨頭很可能會更加精采，怎麼說呢？原來他告訴當地民眾，只要是能替他找到早期人類骨頭的人，他願意以每塊骨頭十分錢做為賞金。結果恐怖的是，他發現當地人在找到骨頭化石之後，會故意把它砸成小塊，來換取更多賞金。

在接下來的許多年裡，世界各處陸續發現了更多的骨頭，並且有了一連串新的化石人名稱。像是人屬奧瑞納種〔*Homo aurignacensis*，奧瑞納（Aurignac）為發現遺骨的法國南部地名〕、南猿人屬特蘭斯瓦種（*Australopithecus transvaalensis*）、準人猿屬粗糙種（*Paranthropus crassidens*）、東非人屬鮑氏種（*Zinjanthropus biosei*），以及其他多達數十種，幾乎每個都具有新的獨特屬性而被認為是新的物種。

當時序進入 1950 年代以前，已命名的化石人數目已經遠遠超過了一百；更讓人頭大的是，由於命名的古人類學家往往三心二意，他們不時修改、重複、且對分類產生意見分歧而爭吵，使得某些化石人累積下一長串不同的名稱。譬如梭羅人也曾稱做人屬梭羅種（*Homo soloensis*）、人屬原始種亞洲亞種（*Homo primigenius asiaticus*）、人屬尼安德塔種梭羅亞種（*Homo neanderthalensis soloensis*）、人屬智人種梭羅亞種（*Homo sapiens soloensis*）、人屬直立種直立亞種（*Homo erectus erectus*），以及最後簡化了的人屬直立種（*Homo erectus*）。

1960年，美國芝加哥大學的豪威爾（F. Clark Howell, 1925-）為了要在這團混亂、紛擾之中，建立起一些條理秩序來，於是根據前一個十年內、生物學大師麥爾（Ernst Mayr）等人的建議，正式提出把屬的數目裁減到只剩下兩個，也就是南猿人屬跟人屬；而所有有案可稽的早期人類，則按照屬性合理的分別放在這兩屬之下。譬如前述的爪哇人跟北京人，頓時劃歸為一類，成了兄弟，都是人屬直立種。一時之間，人科動物（hominid）* 的世界裡果然是秩序井然，只是並沒有維持很久。

缺乏共識

大約過了十年比較平靜的日子後，古人類學界又開始了一段風起雲湧、快速且多產的發現時期，而此時期一直延續到現在，還沒有消退的跡象。1960年代出現了所謂的「巧人」（*Homo*

* 各種人類都屬於人科（family Hominidae），其中所有成員傳統的稱呼就是hominid，包括任何（如今已經滅絕的也在內）身體各特徵比較像我們（現代人）而不像現有黑猩猩（chimpanzee）、介乎猿與人之間的動物，而所有的猿類則全歸屬在所謂的猩猩科（Pongidae）之下。然而許多權威專家卻不這麼想，他們相信所有黑猩猩類、大猩猩類（gorilla）、紅毛猩猩類（orangutan）其實都應該跟人類屬於同科才對，而在擴大後的人科之下，有個人亞科（subfamily Homininae），其中包含了古今各種人類與黑猩猩類。在這樣的分類框架下，傳統上代表人科動物的hominid就得把字尾的d改成了n（整個字變成了hominin。《人類的起源》作者理查．李基及一些專家學者堅持要用後者）。而另一個字「人超科」（superfamily Hominoidea）則代表收納了所有猿類而擴大之後的人科。

habilis)，許多專家認為巧人是猿類跟人類之間失落掉的環節，但另一些專家則認為它根本不夠資格自立門戶，成為一個獨立的物種。

之後人們又陸續發現了許多（總共有一大堆）人屬的動物：諸如匠人（*Homo ergaster*)、路易士李基人（*Homo louisleakeyi*)、魯道夫人（*Homo rudolfensis*)、小頭人（*Homo microcranus*)、先驅人（*Homo antecessor*）等等；外帶一連串劃歸南猿人屬的動物：諸如阿法南猿人（*A. afarensis*)、前驅南猿人（*A. praegens*)、根源南猿人（*A. ramidus*)、沃克氏南猿人（*A. walkeri*)、湖濱南猿人（*A. anamensis*）等等。

把這兩屬全部加在一起，今天文獻中有所本的不同類型人科動物，差不多共有二十來個物種。但是不幸的是，幾乎沒有兩位專家的意見一致、承認相同的二十種。

雖然如今仍舊有些專家繼續遵照 1960 年，豪威爾所訂定的兩屬制，但是也有一些學者把某些原來屬於南猿人屬的動物拿了出來，放在另外創立的所謂準人屬（*Paranthropus*）裡面。還有些專家更外加一個在時間上較早的屬群，稱之為基盤猿人(*Ardipithecus*)。有些人把前驅種（*praegens*）放在南猿人屬內，而另一些人則把它放進人屬而稱之為上古人（*Homo antiquus*)，但是大多數專家卻壓根兒不承認它是一個獨立的物種。

世界上在這方面還沒有一個「說了算」的中央統治學術權威，任何人類祖先的名稱在提了出來後，是否為人所接受全靠共識，然而在這一行裡，共識經常非常缺乏。

之所以會如此，大部分問題應該是出在證據不足。從開天闢地以來，在地球上生活過的人類（或似人動物）何只數十億，而這些個體全都對整個人類基因庫的可能改變，做出了些微的貢獻。然而即使有這麼浩大數目的已逝過客，我們對所有史前人類的瞭解，卻完全只依靠總數大約不超過五千名的遠古人類，牠們的出土遺骨所提供的一點訊息；而這些遺骨通常都不完整，有時極其片面，甚至整個人只剩下一顆牙齒而已。

當我提出全世界的所有收藏中，究竟有多少數量的早期人類骨頭這樣的問題時，那位蓄著一把大鬍子、態度極友善、在紐約的美國自然史博物館擔任人類學部門主管的泰特薩（Ian Tattersall）回答我說：「只要你不在乎把它們搞混了以後難以收拾，而把歷來古人類學家的所有心血，也就是他們所發現、蒐集、保存下來的骨頭全部堆在一起，一部小型載貨卡車的車斗空間，便綽綽有餘啦！」

如果這些遠古人類的生前時代跟地區分布都很均勻的話，那麼就算所有出土的骨頭數量很有限，這些骨頭化石能夠透露的訊息就還不算太壞，只是事實上不可能如此理想。這些骨頭的出現純靠瞎貓碰上死耗子，可遇不可求。譬如說，直立人在地球上生活繁殖，前後遠超過一百萬年，牠們居住的地域西自歐洲大西洋海濱、東到中國沿海一帶，幾乎遍及歐亞大陸。但是如果我們讓所有「有骨為憑」的直立人都回到牠們的有生之年，集合去郊遊的話，牠們還坐不滿一部校車。

至於巧人的骨頭證據則更少，總共只有兩具殘缺不全的全身骨骼，外帶一些零碎的手臂骨跟腿骨。如果換作是我們（現代人），以現有的短短數千年文明來看，將來咱們有化石紀錄出現的機率，幾乎可以確定是零！

泰特薩舉了一個實際例子來說明：「在歐洲，年齡最大的人類祖先遺骨，是一個在東歐喬治亞境內發現的頭骨，經過年代測定，牠生活在距今一百七十萬年前。而牠跟出土遺骨中，年齡排名第二的，相隔了將近一百萬年，後者的出土地點是在西班牙境內，在跟喬治亞遙遙相對的歐洲大陸另一端。至於年齡排名第三的，是在德國出土的海德堡人，牠跟年齡第二的又間隔了三十萬年，而牠們從外表看起來，彼此還真不相像呢！」

泰特薩笑了笑接著說：「你得從這樣殘缺、稀有的小片段證據裡，設法去揣摩出整個歐洲的人類發展史。這的確是一件非常困難的工作，因為實際上我們真的不很瞭解，許多遠古人類之間，究竟有著什麼樣的關係：哪些後來繼續綿延繁殖，變成了我們的祖先；而哪些進了演化程序中的死胡同。此外，有些人科動物也許根本不足以當獨立物種來看待。」

矛盾的巧人

每當有新發現的遠古人類骨頭化石，它們看來似乎都非常突兀且與眾不同，之所以如此，主要原因是由於相關的紀錄太過稀鬆跟七拼八湊。如果我們有數以萬計的全副骨骼化石，而它們的

這七件頭骨，呈現了人類在演化過程中的進展。由左至右分別是：狐猴（*Adapis*，五千萬年前）、祖猿（*Proconsul*，二千三百萬年前至一千五百萬年前）、非洲南猿人（三百萬年前）、巧人（二百萬年前）、直立人（一百萬年前）、早期的智人（九萬二千年前）、克羅馬儂人（二萬年前）。

生存年代又大體上平均分布在人類發展史中，那麼或許我們就多少可以看得出這些遠古人類的差異。原因很簡單，因為全新的物種不可能像骨頭化石那樣，陡然之間冒了出來，而是從既有的物種漸漸演化而成。當承先啟後的兩個物種愈靠近分界點時，牠們彼此就愈相像。

正因為這個緣故，想要去分辨一個晚期的直立人，跟一個早期的智人（*Homo sapiens*），有時會變得非常困難，甚至不可能，因而有些出土的化石也許兩者皆是，又或者兩者皆非。同樣的不確定也經常發生在小塊零碎遺骨的鑑定上，比方說，在決定某一塊骨頭所代表的，究竟是一名男性巧人呢，抑或是一名女性鮑氏南猿人時。

由於可以確定的部分往往極其有限，科學家經常迫不得已，得根據骨頭旁邊的其他器物來作揣測，而這些揣測很可能只是一些牽強附會的瞎猜罷了。正如《骨中智慧》（*The Wisdom of the Bones*）一書作者華克（Alan Walker）跟許普曼（Pat Shipman）夫婦幽默的指出：如果你把上古手工具，跟最靠近該工具發現處的動物骨頭聯想在一起的話，你必然會下結論說，它們大部分都是由羚羊發明製造的。

好幾個相互矛盾的片段證據，往往造成難以解釋的混亂印象，巧人也許是其中最典型的例子。

簡單的說，巧人的骨骼看起來完全不合情理，原因是如果把牠們的幾次發現照生前時序排列，你會發現牠們的男性跟女性不但演化速度不同，方向還相反；男性巧人隨著時光流逝，從比較像猿到比較像人。但是同一時期裡的女性巧人卻剛好相反，牠們愈來愈像猿。

有些專家不相信真會有這樣的事情，所以認為巧人根本就是個牽強附會、無中生有的類目，泰特薩與他的同事施瓦茨（Jeffrey Schwartz）就是如此，認為巧人只是「垃圾桶物種」，由於各種陰錯陽差的巧合使然，讓學者專家在無意之中，把一些並不相干的骨頭標本攪和到了一起。即使那些認為巧人是一個獨立物種的學者，對於牠們是否跟我們同為一屬、或牠們後來是否走入了滅絕的命運，還是沒有共識。

最後，也許也是最重要的一點，人的天性在所有這些過程裡面，扮演了一個關鍵角色。怎麼說呢？俗話說「老王賣瓜，自賣自誇」，其實各行各業都一樣，科學家當然也不例外，在宣布有所發現的時候，難免多少會往自己臉上貼金、趁機自誇一番。

當一位古人類學家在所費不貲的情況下，好不容易挖掘到了一堆埋藏多年的骨頭時，絕不可能逕自宣稱這只是遠古的骨頭垃圾，沒啥值得興奮的！這也就像《失落的環節》（*Missing Links*）一書作者瑞德（John Reader, 1937-，他是一位記者）的細心觀察所得：「你會驚奇的發現，每當有新的證據出土時，發現者首先提出的解釋，往往都是說證實了他自己先前主張的某些觀念跟想法。」

當然，或許當事者對於這種一廂情願的情形毫不自知，但旁人卻看得一清二楚，因此意見分歧、爭吵的狀況自然會發生，而世界上沒有人比古人類學家更喜歡爭吵啦。前不久發行的《爪哇人》(*Java Man*)一書的諸位作者就寫道:「在所有的科學領域中,古人類學家以擁有最臭屁的性格而自豪。」然而讓讀者不解的是,這本書也不自覺的花費了極多篇幅,去攻擊、數落別人的不是,特別是作者的一位往日同事喬漢森(Donald Johanson, 1943-)。茲引一小段文字如下:

> 在我們共事的許多歲月裡,他(喬漢森)建立起扎實但很不好的名聲,那就是他的喜怒無常、以及愛用高分貝做人身攻擊,有時候他的惡言還伴隨著摔過來的書本,或是他手邊抓得到的任何東西。

所以在你繼續看下去之前,最好先記住,所有關於史前人類的細節都只是各家說法中的一種而已,一定有人不同意,而你要是堅持己見,就會有人跟你吵架。

露西拼圖

以下是目前對於我們是誰、從何而來的一些粗淺看法:我們(人類)在生物發展(從單細胞一路演化、最後成人)的長遠歷程裡,前面的 99.99999% 部分,是與黑猩猩共同分享,而在到達黑猩猩跟人類分道揚鑣的那個分岔點之前,究竟經過了哪些或怎樣的一系列物種,我們可是全不知曉。但無論牠們是什麼動物,只要是黑猩猩的祖先,也就是人類的祖先。

然後在大約七百萬年前，發生了一件大事，什麼大事呢？原來在非洲熱帶森林裡生活的黑猩猩跟人類的共同祖先裡，出現了一群異議份子，牠們捨棄了茂密的叢林，開始遷移到開闊的大草原上討生活。

這就是南猿人（australopithecine。它的字頭 austral 來自拉丁文，意思是「南方」，跟「澳洲」扯不上關係）的濫觴，而牠們在後來的五百萬年裡，是世上人科動物的主幹。出土的南猿人中顯然有好些個不同的種類，有的身材比較纖瘦細緻，如前述達特的陶恩小孩，其他的則比較結實壯碩；但是牠們都有一個共同的特徵，就是能夠站立起來走路。

這些不同種的南猿人中，有些繁殖綿延得較久、時間遠遠超過了一百萬年，較短的也有數十萬年。這兒值得我們警惕的是，即使是牠們之中最不濟事的種類，在地球上存活的時間也比我們（現代人）從出現到目前所累積的，多出了數倍時間。

目前世界上最著名的人科動物遺骨，是屬於一名現年三百一十八萬歲的南猿人，牠的骨頭化石是在 1974 年，由剛才提到的古人類學家喬漢森所率領的一個團隊，在非洲衣索匹亞境內、一個叫哈達爾（Hadar）的地方發現的。

以前大家使用在剛發現牠時所給的編號「A.L. 288-1」（A.L. 代表 Afar Locality，意思是指阿法地區）來做稱呼，後來卻漸漸習慣稱牠為露西（Lucy），這個名字的出處是披頭四合唱團的歌名「鑽石天空中的露西」（Lucy in the Sky with Diamonds）。喬漢森從來沒有懷疑過露西的重要性，他曾說：「牠是我們最早的祖先，是猿

這是由葛崔製作的露西模型。露西的身材嬌小，大概只有一公尺高，一般推測牠的腦大約只有柑橘般大，而牠的生活與遷移方式一直是大家爭論的話題。目前可以確定的是，牠屬於南猿人的一支。

跟人類之間失落的那個環節。」

露西的個子很小，只有一公尺高。牠能用兩腿走路，不過走得有多好就很難說，專家各有不同意見。顯然牠也是攀爬高手，但除此之外，我們對牠知道得極少。露西的頭骨幾乎完全不見了，所以我們很難有憑有據的說牠的腦子有多大，雖然從散在一旁的少數幾枚頭骨碎片看來，牠的腦子很小。

大部分提到露西的書本都說，露西的骨骸只剩下 40% 的完整性，也就是缺失的部分高達 60%，少部分的書則說它的完整性近乎一半；只有英國廣播公司的電視節目系列「猿人」（Ape Man）裡面，居然聲稱它是「一具完整骨骸」，雖然畫面上顯然不是那麼回事。

然而事實跟大夥兒所說的，有滿大的差距。我們知道，一個人的身體總共有 206 根骨頭，只是其中有許多是重複的，譬如某件人體標本上，如果包含了左邊的大腿骨或股骨，你就算沒拿到右邊那根也能知道它的尺寸大小。若是把所有重複的骨頭都去掉，總數就減成了 120 根，內行人稱這 120 根不重複的骨頭為「半副骨骸」。雖然它們實際上只能組成半副骨骸再多一點，但所能透露的資訊並不下於全部的 206 根骨頭。不過，即使以此通融的標準來看，並進一步讓一些很小的骨頭碎片權充整塊的骨頭，露西的骨頭數目也只有「半副骨骸」的 28%（或者只有全副骨骸的 20% 而已）。

華克在《骨中智慧》一書中回憶，說他有一次詢問喬漢森，當初他是如何算出 40% 這個數字的，結果喬漢森一臉寒霜的回答，說他沒有把手、腳部分的 106 塊骨頭算在內。這些骨頭雖小，數目卻超過了一副骨骼總數的一半，只是算的人應該想得到，這一半其實相當重要，因為露西主要的關鍵特徵，就在於牠

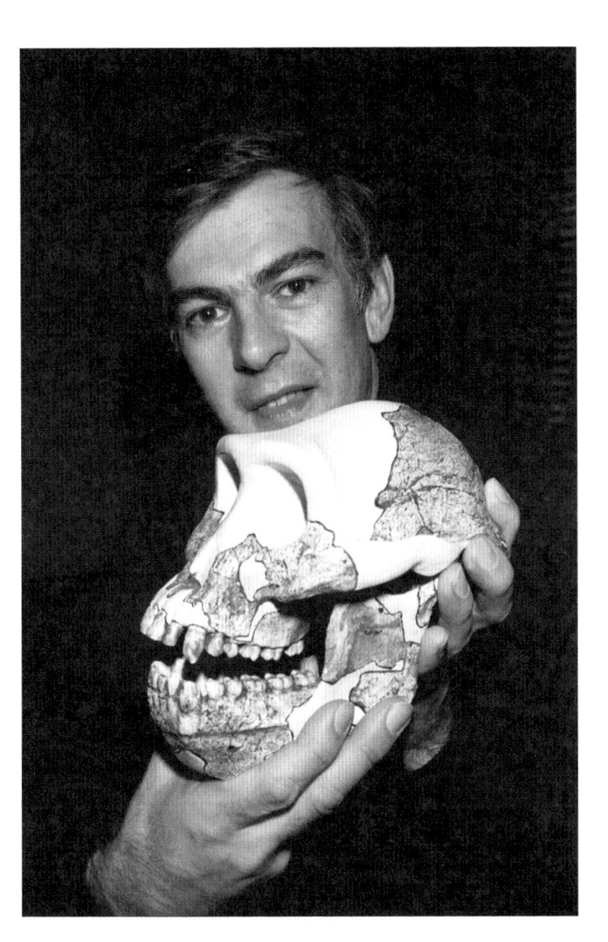

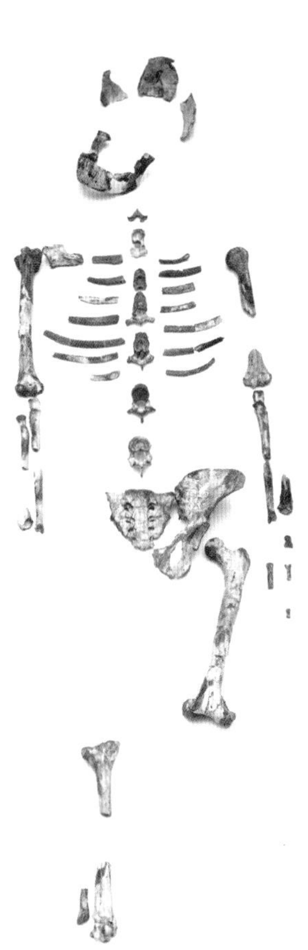

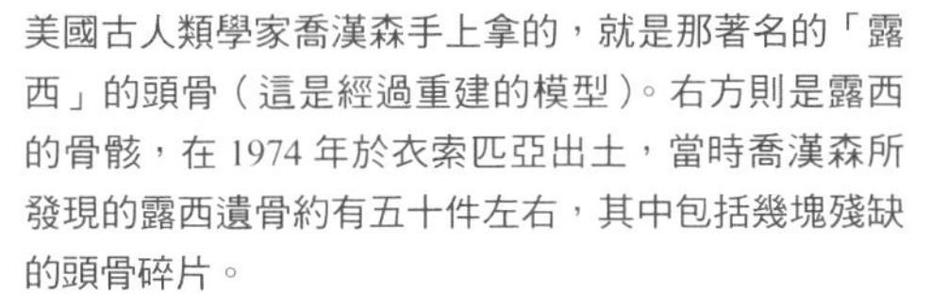

美國古人類學家喬漢森手上拿的，就是那著名的「露西」的頭骨（這是經過重建的模型）。右方則是露西的骨骸，在 1974 年於衣索匹亞出土，當時喬漢森所發現的露西遺骨約有五十件左右，其中包括幾塊殘缺的頭骨碎片。

的手跟腳應付變化中環境的能力。

無論如何，我們對露西的瞭解，實際上比一般人想像中的要少很多，甚至連牠的性別，我們也並不確切知道；之所以把牠權當女生、叫牠露西，純粹只因牠的個頭嬌小而已。

腦補南猿人的模樣

發現了露西之後的第三年，理查· 李基的母親瑪麗· 李基（Mary Leakey, 1913-1996），在非洲坦尚尼亞境內的萊托里（Laetoli）發現了一些腳印，這些腳印一般認為是某種與露西同類的遠古人類遺留下來的；看起來像是兩名南猿人在火山爆發之後不久，走過一片泥濘的火山灰燼，在牠們走過之後，由於灰燼逐漸硬化，因而保留下牠們的腳印，全程超過二十三公尺。

在紐約的美國自然史博物館裡，有一個很吸引人的立體模型，就是以這兩名南猿人走過火山灰燼的景象當作題材。這個模型呈現的是一公一母、兩名栩栩如生的南猿人，並肩走過古老的非洲平原。牠們全身上下都毛茸茸的，身材比例類似黑猩猩，不過舉止與步伐卻透露出似人的特性。而在整個場景中，最扣人心弦的部分是那隻公猿人把牠的左臂，以保護的姿態環繞在母猿人的肩上，表現出無比溫柔、關愛的態度，反映出牠們之間的親密關係。

這個戲劇化的場景製作得如此逼真，叫人很容易忽略掉事實，那就是在腳印之上的一切，完全只是猜想而已。場景中兩位

這就是瑪麗・李基在1977年，於非洲坦尚尼亞境內發現的南猿人足跡。

主角外形上的每一樣細節，包括身上該有多少毛髮、臉上的五官（長的是人的鼻子還是黑猩猩的鼻子）、面部的表情、皮膚顏色、雌性乳房的形狀跟大小等等，都必須去一一假設。我們甚至無法斷言牠們是一對夫婦或戀人，而那個雌性角色，事實上很有可能是一名小孩。我們甚至也無法確定牠們是不是南猿人，之所以如此猜測，是因為我們根本沒有其他已知的候選者。

有人曾經告訴我，兩位主角的姿勢之所以會如此，還有另一層原因，那就是當初在建造這個模型時，那個母猿人塑像大概是做得有點頭重腳輕、不太平衡，若是讓它單獨站著就老是會仆倒下來，所以就讓那隻公猿人伸手去扶它一把。

我問泰特薩是否真有其事，他笑著否認，說那是有人造謠：「當然我們並不知道，當時那隻公的是否真把手搭在母的肩膀上。不過我們觀察兩者腳印之間的距離，認為牠們應該是並肩而行，而且彼此靠得很近，近到身體有可能碰著。另外，那地方的環境相當空曠、缺乏掩護，所以牠們也許會覺得不安全、容易受到攻擊，那也是我們試圖讓牠們面帶一些憂慮神色的原因。」

我問泰特薩當他們試著重現當時場景時，是否很擔心如何拿捏才好的問題？他立刻表示同意的說：「重建場景永遠是件傷腦筋的工作。你絕不會相信，我們為了決定諸如尼安德塔人有沒有眉毛之類的芝麻細節，花了多少時間討論。同樣的情形，也發生在這兩名來自萊托里的角色身上，因為我們根本無從知道牠們究竟長什麼樣子，但是可以從腳印推測出牠們的身材高度、走路姿勢；當然，在把這些如實的呈現出來之外，對於牠們的外貌，我們充其量也只能做些合理的猜測而已。如果現在叫我再去設計同一個模型，我想我會把牠們製作得稍微像猿一些、而少一點人的樣子。因為牠們並不是人類，而只是用兩條腿走路的猿。」

一直到不久前，專家都認為我們是露西跟萊托里動物的後代子孫，但是現在卻有許多權威專家不再那麼確定了。原因是雖然有某些特定的身體特徵（譬如牙齒），暗示牠們有可能是我們的祖先，南猿人身體結構的其他部分，卻出現一些難解的問題。

這個在美國自然史博物館展示的立體模型，呈現的是兩名南猿人並肩走過非洲的古老平原，而在火山灰燼上留下足跡的景象。由於牠們當時處於空曠、易遭攻擊的環境中，因此面露緊張神色。

在《滅絕的人種》（*Extinct Humans*）這本書中，作者泰特薩與施瓦茨就指出，人類股骨的上半截部分，跟猿類的非常相似，但跟南猿人的卻有著相當大的差距。如果露西真的是猿類演化成現代人的直接連線上的一個環節，那意味著我們必須是先採納了南猿人的股骨形式，經過了一百萬年之後，在下一個發展階段裡，又再度回復到原先的猿類股骨形式，而這在邏輯上似乎不太說得通。事實上，該書的兩位作者認為，露西不但不是現代人的祖先，牠甚至也不是一個很會用雙腿走路的高手。

泰特薩很堅持的說：「露西與牠的同類行動起來，應該完全不具有現代人走路的風姿，只有當牠們必須在以叢林為主的棲息地之間跋涉時，才會不自覺的用雙腿走路。這完全是牠們的身體結構使然。」但喬漢森不接受這個說法，他曾寫道：「露西的臀部跟牠骨盆處的肌肉結構，使得牠爬起樹來應該非常困難，而這一點跟現代人不謀而合。」

兩足直立很危險

到了 2001 跟 2002 年，當四個不尋常的新樣本陸續出現，事情反而變得更糊塗了。其中之一是由著名的李基家族一位成員米芙（Meave Leakey, 1942-），在非洲肯亞境內的圖爾卡納湖（Lake Turkana）地區發現的，她把牠稱做肯亞人屬扁臉種（*Kenyanthropus platyops*），牠跟露西的生活年代差不多相同，但在身體結構上卻有很大的差異。於是有人出來主張肯亞扁臉人才是現代人的祖先，露西則是一個後來終於淘汰了的旁支。

2001 年時，米芙 · 李基在肯亞境內的圖爾卡納湖附近，發現了另一種早期人類遺骨，她將牠命名為肯亞人屬扁臉種。有人認為我們（現代人）很有可能就是牠的後代。

同在 2001 年還有兩個新發現，牠們分別是生活在距今大約五百二十萬年到五百八十萬年之間，名稱叫做基盤屬根源種始祖亞種（*Ardipithecus ramidus kadabba*）的人科動物；跟如今高齡已屆六百萬歲的始祖屬土根種（*Orrorin tugenensis*）的動物。

後者發現時，刷新了人科動物的年齡紀錄，但沒有保持很久。次年（2002）夏天，一個在中非查德境內、終年塵土飛揚的德乍臘沙漠（Djurab Desert，這地方以往從未挖掘到人類遺骨）工作的法國考古團隊，發現了一種人科動物遺骨，估計年齡已接近七百萬歲。發現者把牠命名為沙赫人屬查德種〔*Sahelanthropus tchadensis*，有些批評家認為這些骨頭的主人並非是人，而只是一種古老猿類，因此牠的屬名應該是沙赫猿屬（*Sahelpithecus*）才對〕。這四種新發現的古老動物，外形全都相當原始粗陋，但牠們全都是直立走路的，這比起我們以往所認為的人類起始年代，早了太多太多。

兩足直立（bipedalism）是一個吃力且危險的生活策略，它意味著要把骨盆重新訓練成能夠承受上半身全部重量的器具。為了要保持足夠的強度，雌性個體的產道就必須變得比較狹窄，而產道變窄有三個極為嚴重的影響，其中兩個是屬於立竿見影的即刻效應，另一個則是長期的後遺症。

首先，對任何做母親的個體來說，變窄的產道將為生產過程帶來極大痛苦，因而在生產過程中，母子雙方所冒的生命危險也隨之大增。其次，由於嬰兒出生時得穿過狹窄的產道，因此不能待在子宮裡過久，他們必須在腦子還很小時就趕快出生，但此時嬰兒尚無能力照顧自己，直接導致的後果，就是育嬰期的拉長，同時也間接促成了「夫妻之間堅實的聯繫」這個長期效應。

以上所說的一切後果，對目前位居地球上有智慧統治者的我們，已經夠傷腦筋的了，換作是個子矮小、容易受傷、腦子只有

* 腦子的絕對大小並不能告訴你，腦子的主人有多聰明，有時甚至還可能造成相反的印象。大象跟鯨魚的腦子都比我們人類的大，但是如果牠們想要跟人類來一拚高下，事實證明，牠們都遠非我們的對手。其實聰明的真正關鍵，是腦子在整個身體中所占的相對分量，但這點經常都遭人忽略掉了。古爾德指出，非洲南猿人的腦子體積是450立方公分，比大猩猩的腦子小一些，但是一隻典型的雄性非洲南猿人體重不足45公斤，母猿人的體重則還要更輕；成年大猩猩的體重，經常超過了150公斤。

圖中是肯亞人屬扁臉種的顱骨，在二十一世紀初時，包括肯亞人屬扁臉種、始祖屬土根種及基盤屬根源種始祖亞種等人科動物的骨骸陸續出土，牠們全都用雙足直立行走、可能是現代人的祖先，這使得人類的演化歷程更加模糊不清。追溯我們的源頭何在，從來就不是一件容易的事情。

柑橘大小＊的南猿人來說，牠們所冒的危險必然是大得不得了。

至於為什麼露西與牠的同類要從樹上下來、而且搬出森林呢？

也許牠們是迫不得已、沒有選擇。我們在前面提到過，由於巴拿馬的緩緩升起，突然阻擋住進入大西洋的太平洋溫暖洋流。影響所及，使得發自赤道附近、原本直驅北極地區的溫暖洋流，為之改道而避開了北極地區，因而使得整個北半球的高緯度地區，開始了一段特別寒冷的冰河期，而此冰河期影響到非洲的氣候，造成季節性的變乾變冷；漸漸的，原先的熱帶叢林被大草原所取代。科學作家葛瑞賓（John Gribbin）寫道：「並不是露西與牠的同類要離開森林，而是森林離開了牠們。」

但在一腳踩進了開闊的大草原後，這些遠古的人類祖先頓失

這是位於肯亞的馬賽馬拉國家保護區（Masai Mara National Reserve）的景觀。因為氣候變遷造成了熱帶叢林減少、草原面積增加，迫使原先生活在森林中的人類祖先，不得不適應環境或面臨死亡。

掩護，牠們暴露在危險中的機會大增。好的視野對於安全防護有其必要，雖然直立的動物可以有較好的視野，但同時也容易成為掠食動物的目標。

即使到了今天，像我們人類這樣的物種，一旦徒手到了野外，我們容易受到傷害的程度，簡直是荒謬可笑之至，幾乎每一種你能叫得出名字的大型動物，力氣都比我們大、跑得比我們

快、牙齒比我們的多且銳利。

面對這些動物的攻擊，我們只能仰仗兩項優點來化解危機：第一是我們有個好頭腦，可以設計出有效的對付策略。第二是我們有一雙巧手，能夠投擲或揮舞可以讓對方受傷的各種器物；我們可是這個世界上，唯一能隔空傷害對手的動物。由於有這兩樣長處，我們才能彌補體能上的不足。

在露西的那個時代裡，似乎所有該有的因素都已經就緒，準備好接下來快速的腦子發展，但是看起來這件事並未如期發生。在超過三百萬年的漫長歲月裡，跟露西同種的南猿人，體型幾乎完全沒有變化。牠們的腦子沒有長大一些，而且毫無跡象可以證明，牠們曾經使用過工具（即便是任何最簡單的工具）。更叫人覺得奇怪的一件事情，是我們現在知道，在一段約一百萬年的時間裡，牠們曾經跟會使用工具的其他早期人類生存在同一時空，但是南猿人卻不曾從環境中現成的榜樣學習到這項技藝。

累贅的大腦

在距今約三百萬到兩百萬年前的某一時期，似乎曾有多達六種類型的人科動物，同時生活在非洲大陸上。然而其中只有一個類型，命中注定將會存活下來，也就是人屬（*Homo*）。

大約在兩百萬年前，人屬動物似乎突然從迷霧裡出現，沒人知道這些動物跟南猿人之間有著怎樣的關係。我們只知道，牠們跟南猿人共處了超過一百萬年之後，所有的南猿人，不管是強壯型或是纖細型，全都神祕的（也許還突然的）消失了蹤跡。這是發生在一百多萬年前的事情，沒人知道當時究竟是什麼緣故，導致南猿人的消失。科學作家瑞德利（Matt Ridley）的猜想是：「也許是我們把牠們給吃啦！」

依照傳統的說法，人屬這一支開始於巧手種（也就是巧人），那是一種我們全然不瞭解的動物；最後則變成了我們，也就是人屬智慧種（*Homo sapiens*，文意是會思考的人，簡稱智人）。在這首尾兩種人之間，陸續經過了大約半打、我們先前提到過的其他人屬動物：包括了匠人、尼安德塔人、魯道夫人、海德堡人、直立人、及先驅人等等，但究竟有哪些物種，專家的說法並不完全一致。

巧人是 1964 年，由路易 · 李基（Louis Leakey, 1903-1972，理查 · 李基之父）跟同事一起命名的〔發現者是理查之兄，強納生 · 李基（Jonathan Leakey）〕。之所以這麼叫，是因為牠是最早使用工具的人科動物，雖然牠們所用的工具極其簡單。

巧人是相當原始的動物，牠們的體型不太像人，而是跟黑猩猩類似，不過牠們的腦子跟露西的比較起來，大了約 50%；如果將牠們的腦重各除以本身體重之後再做比較，也差不多是這個數字。所以說，巧人簡直就是當時的愛因斯坦。

為什麼在兩百萬年前，人類祖先的腦子會突然開始長大，從

李基家族有好幾位著名的古人類學家。圖中這位出現在 1977 年《時代》雜誌的封面人物理查．李基，與一名巧人的模型合影。巧人是在 1964 年，由理查的父親路易．李基，與同事們一同命名的。

來就沒有人能提出任何讓人信服的原因來。以往有很長一段時期，大家以為較大的腦子跟直立走路之間有直接關係：由於搬離森林後，需要更聰明的新生存策略，迫使腦子必須發育得更好。但讓人很意外的是，後來居然一連發現了這麼多種用兩腿走路的蠢蛋化石人，這至少說明了腦子的發育跟直立走路根本無關。

泰特薩說：「我們目前還找不出任何強而有力的原因，能夠解釋人腦的變大。」事實上，巨大的腦子是個需求浩大的臟器，雖然腦只占全身質量的 2%，但需要消耗掉維持身體運作能量的 20%。

腦不但胃口奇大，對能源或燃料還很挑剔，如果你下定決心這輩子不再吃任何美味的油脂食物，你的腦子絕不會抱怨，因為它向來就不沾油腥，它要的是葡萄糖，而且還極其大量，甚至搶奪其他臟器的配額也在所不惜。生物學家布朗（Guy Brown）指出：「我們的身體經常處於要給貪婪的腦子榨乾的危險中，但我們無論如何絕對不能讓腦子缺乏供養，因為一旦它進入了饑餓狀態，我們很快就會死亡。」

簡單的說，有一個較大的腦子，就得要獵取較多的食物，而獵取較多的食物，則意味著個體得冒更大的風險。

泰特薩認為腦子變大也許只是演化過程中的一項意外，他相信古爾德所揭櫫的假設說法：如果你能夠讓時間倒轉，回到生命發展史中過去的某段時期（只需要退回到開始有人類的出現，那個短短的片刻），然後放手讓它重新發展一遍的話，今天現代人或類似的動物存在的可能性，「實在很低」。

他說：「有個最讓人們難以接受的觀念，就是主張我們並不是這世上生命發展的終極目的。我們之所以有今天，背後沒有一個必然的趨勢，但因為人的虛榮心作祟，使我們傾向於武斷的認為，冥冥之中，整個生物演化過程有個預設目標，就是咱們現代人的出現。在 1970 年代以前，不要說一般大眾都這麼認為，就連人類學家也不例外。」

才剛不久前的 1991 年，有一本暢銷的科學普及書《演化步驟》（*The Stages of Human Evolution*）出版，作者布瑞斯（C. Loring Brace，美國密西根大學體質人類學家）還固執的守著這個以現代人為最終依歸的一脈相承概念，而認為人的演化過程中，只有一種早期人類走進了絕子絕孫的死胡同，因此不在現代人的列祖列宗名單上，那就是粗壯南猿人。而所有其他已知的人科動物，每一種都直截了當的代表著某一方面的進步，也就是說，牠們在產生現代人的這場接力賽跑中，每一種都曾經接過棒子跑了一程，然後再把棒子交給一個比較年輕的新跑者。

但是目前專家的看法已經有了轉變，他們很確定的認為，許多早期人類在分支出去後，紛紛走上了絕路，如今沒有後代留在世界上。

直立人是最早學會製作工具的人科動物，如圖中的兩枚手斧（hand-axe），是在東非坦尚尼亞的奧杜威峽谷（Olduvai Gorge）所發現，在當地找到了數百萬件類似的直立人留下的手斧。

說起來我們的運氣還不錯，有一種遠古人類僥倖沒有走進死胡同，就是前述那群會使用工具的人科動物。直到現在，我們仍然搞不清楚牠們究竟是打從哪兒來的，只知道牠們跟那影像模糊、甚具爭議的巧人有諸多重疊之處。牠們不是別的，正是 1891 年由杜布瓦在爪哇發現的直立人；直立人的生存年代眾說紛紜，從最早的大約距今一百八十萬年前，到最近的兩萬年前不等。

根據《爪哇人》一書作者們的考據，直立人正好是在人跟猿的分界線上：在牠之前的每一種先祖，特徵都與猿類相像，而牠的後代則清一色較像人。直立人是早期人類中，第一個學會了打獵、懂得用火、能夠製作複雜工具、曾留下露營遺跡，以及願意去照顧老弱同伴者。

如果與更早期出現的所有其他人科動物做比較，直立人在外形與行為上都極為人模人樣。牠們的成員四肢長而精瘦，體格非常健壯（遠比現代人強壯），而且充滿智慧與魄力，能夠成功的擴散到廣大的地區。因此，對其他的早期人類而言，直立人看起來必定是令人恐懼的強壯、敏捷、且多才多藝。牠們的大腦在當時可說是世界上最發達的。

依照世界上數一數二的直立人權威專家、在美國賓州州立大學任職的華克的說法，直立人是「當時的迅猛龍」。如果你跟一名直立人面對面狹路相逢，雖然牠看起來外表像人，但是當你看牠的眼睛時，「牠不會與你四目相接，因為你只是牠捕食的對象」。華克認為，成年的直立人個子已跟現代人不相上下，但是腦子只有如今嬰兒一般的大小。

雖然直立人從最初發現到現在，已經超過了一世紀，但是由於早期挖掘到的化石都很零碎、散亂，即使是將所有碎片都加起來，也無法拼湊出一整具骨骸來。因此，牠在人類發展史上所占的重要性（或者，至少是可能有的重要性吧），要等到 1980 年代，在非洲有了一次很不尋常的發現後，人們才真正察覺到。

在肯亞境內、靠近圖爾卡納湖〔1979 年以前叫做魯道夫湖（Lake Rudolf）〕的一處偏遠山谷，現在已成了世界上最多早期人類遺骨出土的地點。但是在 1980 年代以前，從來沒有人會想到往那兒去找。碰巧有一次，理查・李基所搭的飛機偏離了正常航道、飛越該山谷的上空，從空中俯瞰時，理查・李基覺得那兒或許比以往所認為的還有希望。於是他派遣了一個團隊前往調查，但剛開始時一無所獲。

之後的某個下午，李基團隊裡最負盛名的化石獵人吉木（Kamoya Kimeu），在離湖相當遠的一個小山坡上、亂石堆中，看見一小片暴露在外的人類眉骨化石。通常這樣的地點挖不到什麼，但是為了表達對吉木的敬意，大夥兒也就索性動手去挖掘一番，結果竟然大大的出人意表，發現了一具幾乎完整的直立人全副骨骸。

這副遺骨據推測，在死前是一名年約九歲到十二歲的男孩，死時距今已有一百五十四萬年。泰特薩說，這副骨骸有著「全然如現代人的身體結構」，而這是當時已知的人科動物化石中，前所未有的一項發現。換句話說，這名圖爾卡納男孩「簡直就像是我們現代人中的一名成員」。

破天荒的溫情

同樣由吉木在圖爾卡納湖附近發現的，還有後來一個編號為 KNM-ER 1808 的一具骨骸。這是一名女性直立人，年齡至今已有一百七十萬歲，而牠讓科學家首次獲得了線索，得知直立人比我們原先所想像的要有趣、複雜得多。這又怎麼說呢？原來牠的骨頭在死時已經變形，而且上面長滿了很厚重的東西。這表示牠在死前曾經歷了一種稱做維生素 A 過多症的極痛苦狀況，這種病只

照片中的吉木，是李基團隊裡最負盛名的化石獵人，他正在肯亞北部一片乾旱的土地上，仔細的一塊塊檢視那些骨頭碎片。雖然在 1980 年代，大多數人都對那裡不抱任何指望，但吉木卻在那兒發掘了一具幾近完整的直立人男孩的骨骸。

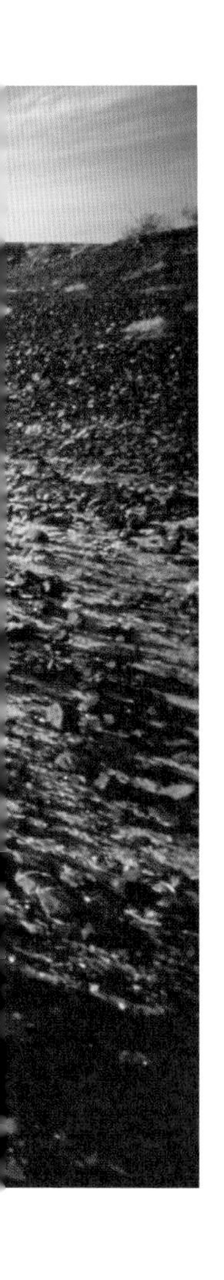

有在吃了太多肉食動物的肝臟後才會得到。

這現象告訴了我們至少兩件事情：首先是直立人吃肉，而比這一點更讓人意外的是，從牠骨頭上所長的東西之多看來，這名女性直立人在死亡前生病的時間，應該長達數週、甚至數月之久。但以牠的狀況要能保持活命，生活上顯然需要有健康的同伴在一旁照顧、代勞，這可是人類演化史上破天荒的第一次顯現出來的溫情。

此外，李基團隊還發現，直立人的腦子裡包含（另有些專家並不是那麼肯定，只說可能包含）一處布洛卡區（Broca's area）。布洛卡區位於大腦的額葉，是一個跟說話能力有關的部分，黑猩猩就缺乏這項特徵。不過華克認為，直立人的脊髓管（spinal canal）結構不夠粗大跟複雜，因此不太可能講話，也許牠們的溝通能力跟目前的黑猩猩不相上下。但其他專家，特別是理查 ‧ 李基，卻相信直立人有說話能力。

所有跡象都顯示，在某段時期內，直立人是地球上僅存的人科動物，而牠們在那時展現了冒險犯難的大無畏精神，似乎以極驚人的速度，大肆擴展到了全球各地。從不同地區的化石紀錄來比較，你會發現直立人中的某些成員，在爪哇開始生活的時期，約略與直立人離開非洲的時期相吻合，甚至還早了一些。

這樣的結果讓一些老大不願意承認自己是非洲人後裔的科學家出來建議，說也許現代人的發生根本不在非洲，而是在亞洲。但這樣的說法實在是太過離譜，難以讓人信服，因為直到今天，還完全沒有（直立人的）可能的祖先遺骸，曾經在非洲以外的地區出土過。以現有的化石證據來看，亞洲地區的早期人類若不是從非洲遷移過來，就是在當地無中生有的突然冒了出來。

直立人在非洲出現後，為什麼能夠這樣快速的也在亞洲現身，有幾個比較合理的不同解釋：第一，早期人類遺骨年代鑑定的結果，在主要數字後面都跟了一個正負若干年，也就是給的都是一個範圍。

雖然正負兩邊的差距相彷，但如果來自非洲的骨骸實際年代是誤差範圍中的稍早時期，或者爪哇人是估計年代範圍中的稍晚時期，又或是上述兩者同時成立，這一前一後，就可能差上十幾萬年，也就有足夠的時間，讓非洲的直立人慢慢的輾轉遷徙到爪哇。另一個可能是，在非洲還有更早期的直立人骨頭尚未發現；還有一個可能，是爪哇人的估計年代根本不正確。

現在可以很確定的是，在大約一百多萬年前，某種更新、更現代化的兩足動物離開了非洲，勇敢的擴展到了全球大部分地區。牠們很可能前進得相當快速，平均每年向外擴張達四十公里，牠們跨越了山脈、河川、沙漠、及其他險阻，適應各地不同的氣候跟食物來源。

在這當中有個很特殊的謎團，是那時牠們究竟如何越過了紅海的西岸。現今的這個地區是出了名的乾旱、幾乎寸草不生，然而以往還要更乾。說起來相當矛盾的是，促使牠們離開非洲的主要原因，應該是非洲地區的生存環境惡化，但惡化得愈嚴重，就愈是非走不可，卻也愈難離開。所幸吉人天相，牠們還是找到辦法克服了所有阻礙，而且在新環境中興盛繁榮。

不過，專家都認同的只怕也只有上面這一段而已，接下來的人類發展史，可是一個長期充滿火藥味、爭論不休的議題，那也是我們下一章所要談的。

但是在我們開始新的一章之前，有件事頗值得我們牢牢記住，那就是在過去五百萬年來，不斷推擠向前的演化過程，把一種很遙遠、很謎樣的南猿人變成了完完全全的現代人。而現代人跟現代的黑猩猩在基因上，仍有 98.4% 的部分完全相同。換句話說，你的遠祖在出發征服世界時，留在非洲老家的那些同宗兄弟的後代，那些如今一身黑毛的傢伙跟你之間的差別，尚不及斑馬跟馬之間，或者海豚跟鼠海豚（porpoise）之間的差別大呢！

第29章
我們是誰的接班人？

在以色列卡夫澤（Qafzeh）發現的早期現代人頭骨，距今約九萬年。在同一個地點也發現了尼安德塔人的遺骸，顯示在此有兩個物種可能共同生活了數千年。

大約距今一百五十萬年前的某個時刻，人科動物世界中有一些不知名的天才，做了一件破天荒的大事情。他（或非常可能是她）拿了一塊石頭小心的去敲打、琢磨另一塊石頭，最後的結果是把後者打磨成了外形頗似淚滴的簡單手斧。

你別小看這個手工做出來的石器，它可是世界上第一件進步的工藝品。發明者跟他的同伴迅即發現，這枚手斧使用起來比其他未經打磨的天然石塊，要鋒利好用且省力得多。於是旁邊的同伴有樣學樣，很快就依照發明者的方法製作自己的手斧。

過沒多久，人科動物社會裡的成員，除了打造手斧，幾乎沒做什麼別的。泰特薩（Ian Tattersall）說：「很快的，成千上萬的手斧就出籠了。非洲現在有許多地方，幾乎滿地都散布著這玩意兒，隨便伸腳踏出去，要不踩到它都難。這事情其實滿不合理的，因為製作手斧並非易事，每一件都必須花上很多工夫。看來這些人科動物之所以打造出這麼多工具，主要的原因是為了好玩！」

泰特薩在他那陽光充足的工作室內，從置物架上取下一個巨大的複製模型交到我手上，這東西約有半公尺長，最寬處達 20 公分。它的外形像是矛頭，但是大小卻像墊腳石。由於我手裡的這件是玻璃纖維材質的複製品，所以只有幾兩重，然而原件是在坦尚尼亞境內發現的石頭製品，重達 11 公斤。泰特薩說：「那個原件根本不可能當作工具使用，因為需要兩個人合力才能把它舉起來，舉起來之後，用它去撞擊任何東西，只要三五下，這兩人便精疲力竭啦！」

「那麼它當初是做來幹嘛的呢？」

泰特薩愉快的聳聳肩，顯然很高興我有此一問，然後才回答說：「沒概念。它必然有某種象徵性的重要意義，這是我們能猜到的唯一可能原因。」

這些手斧後來被稱作「阿舍爾石器」（Acheulean tool），原因是最先注意到它的歐洲人是在十九世紀發現了它，而發現地點是在法國北部亞眠市（Amiens）的市郊小鎮聖阿舍爾（St. Acheul）附近。

阿舍爾石器跟另一類更早期也更簡單的奧杜威（Oldowan）石器有別，後者最初的發現地點是非洲坦尚尼亞境內的奧杜威峽谷（Olduvai Gorge）附近，故有此名。在比較早期的教科書上，奧杜威石器通常給描述為巴掌大小的圓鈍石頭。事實上，現在的古人類學家傾向於相信，奧杜威石器只是人科動物以石敲擊大塊石頭時，碎裂出的片狀小塊，它們常會出現鋒利邊緣，可用於切割。

缺席的石器

說到這兒，有個難解之謎：當早期的現代人（最後變成我們的那一族）在大約十萬年前開始遷移出非洲時，阿舍爾石器是牠們最喜歡的工藝，而這些早期智人也極珍愛阿舍爾石器，會隨身攜帶到遠方，有時候還帶著尚未打磨過的「原石」，以備空閒時製作成石器。

一言以蔽之，牠們摯愛這項工藝。因而牠們足跡所到之處，無不遺留下這種石器。你在非洲、歐洲、西亞與中亞各地，到處都可以發現這些石器的蹤跡，但是非常奇怪的是，遠東地區卻幾乎從未發現過這類石器。

1940 年代，一位名叫莫維斯（Hallum Movius）的哈佛人類學家在地圖上畫了一條所謂的「莫維斯線」，來區分當時有發現阿舍爾石器的地區跟沒有發現的地區。這條線向東南方延伸，跨越了歐洲及中東，一直到達今天的印度境內加爾各答地區及孟加拉。

在這條線之東，包括了整個東南亞跟中國，都只發現過比較古老跟簡單的奧杜威石器。我們現在知道智人的擴展範圍遠遠超過了這條線，那麼為何在進入遠東之前，突然把牠們非常珍惜的先進石頭工藝放棄了呢？

在坎培拉澳洲國家大學任職的索恩（Alan Thorne）回憶說：「很久以來，我一直想不通這個問題。整個現代人類學是建構在一個基本觀念上：過去人類分了兩波從非洲湧出來，第一波是直立人，牠們散布到世界各地成為了爪哇人跟北京人等等；第二波則是比較進步的智人，牠們出去取代了前面的第一批。但是若要接受這個觀念，你必須相信智人攜帶比較現代化的工藝，前進到這麼遠之後，不管是為了什麼原因，居然把它放棄了。這實在是難以想像。」

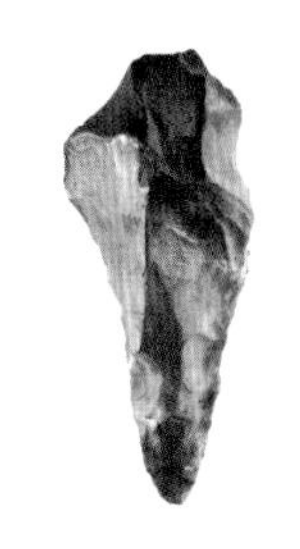

兩種遠古石器：上端的是較尖銳的阿舍爾手斧，下面兩個較鈍的是奧杜威石器。

而這只是開端，接下來還有許多其他啞謎，其中一個最讓人猜不透的發現，是來自索恩的地盤：人煙稀少的澳洲內陸。1968年，地質學家鮑勒（Jim Bowler）跑到澳洲新南威爾斯省西部的蒙哥（Mungo）探勘，這是乾燥、偏僻的角落，也是久已乾涸的湖床舊址。在那兒他無意中看到一些人骨暴露在人稱為「半月」（lunette）的新月形沙丘上。當時學界相信澳洲有人的歷史不超過八千年，但是蒙哥湖乾涸是發生在距今一萬二千年前，鮑勒想不出為何有人會跑到那種對人極不友善的地方去居住？

結果，碳元素定年法提供了答案。這些骨頭的主人活著時，蒙哥湖是條件很好的棲息地，那時湖面廣達20公里，裡面充滿水跟魚，湖邊處處生長著賞心悅目的木麻黃。讓每個學者都非常驚訝的是，這些骨頭的年齡是兩萬三千歲，後來在這附近又陸續發現了另外一些人骨，年齡還有高達六萬歲的。

學者之所以分外驚訝，是因為此事照理是不可能的。從地球上有人科動物開始，澳洲一直是個島嶼，要到澳洲得飄洋過海，而且在完全不知何方有陸地的情況下，橫渡了最短距離至少100公里的開闊大海之後，還必須有夠多的人活著登陸，才可能繁殖成功，繼續存活下來。

甚至在登陸後，牠們還需要長途跋涉3,000公里以上，才能從澳洲北部海岸（牠們最可能登陸的地方）遷移到蒙哥湖。根據登載在《美國國家科學院會報》上的一篇有關報告的猜測，「那些人來到澳洲的時期，很可能比六萬年前還早很多。」

牠們如何到達蒙哥湖、為什麼來到這兒，都是無法回答的問

1974 年在新南威爾斯發現的這具蒙哥人骨骸，後來確定竟有兩萬三千年的歷史。附近發現的遺骸，還有六萬年的。這些遠古的人類，怎麼到達這個島上的，仍是未解之謎。

題。根據大部分的人類學教科書的記載，沒有跡象能證明六萬年前的人能說話。那麼，寄望牠們能組織起來、分工合作，建造出可航海的船隻，並且殖民到四周環海的島上，簡直是天方夜譚。

當我在坎培拉見到索恩時，他對我說：「這只能怪我們對有史之前人類移動的情形，知道得實在太少啦。你可知道，十九世紀的人類學家首度到達巴布亞紐幾內亞時，他們發現住在島內高地的土著，在這個地球上我們最難到達的所在，種植甘薯類作物。甘薯本是南美洲的土產，是在何時、又是如何傳播到了巴布亞紐幾內亞？我們不只意外，連合理的猜測都無從猜起。這些現象告訴了我們，古早人類並非像我們傳統上認為的那麼無知，牠們顯然早就對旅行有著相當的信心，並藉此分享基因以及資訊。」

問題出在化石紀錄的缺乏。索恩這位目光銳利、留著一把白色山羊鬍、熱心且態度友善的學者說：「對長期保存人類遺骸來說，即使只是勉強合適的地點，在整個地球上都如鳳毛麟角，要不是東非有幸出現了少數幾個諸如哈達爾（發現了露西）跟奧杜威（奧杜威石器的名稱來源）等多產地區的話，我們對史前人類的情形，根本無從得知。」

他接續說：「非洲以外的地區就是如此，由於缺乏完整的骨頭化石，我們能推測出來的東西就很有限。譬如整個印度境內只發現過一件遠古人類化石，牠的生活時期距今約三十萬年。而從伊拉克到越南的距離長達 5,000 公里左右，才總共發現了兩件：印度一件，然後烏茲別克斯坦（Uzbekistan）境內有一具尼安德塔人。」

他露齒而笑說：「就憑這點東西哪能研究出什麼？結果你只能把注意力集中在那極少數幾個曾發現較多人類化石的地區，諸如東非大裂谷（Great Rift Valley）跟澳洲的蒙哥，與其間難得的一兩個點而已。難怪古生物學家在連接這幾個點的時候，總出現問題。」

解釋古人類遷移動向的傳統理論主張，古人類曾如兩波潮水一般，從非洲出發、「漫過」歐亞大陸，這個理論如今仍為大多數專家學者接受。第一波的潮水是直立人，牠們出人意料的快速離開非洲，幾乎是這個物種一形成就離開，時間大約是在距今兩百萬年前。隨著牠們到了世界各處住下，牠們繼續演化成不同的

澳洲新南威爾斯的蒙哥湖遺址。1968 年，地質學家鮑勒在此發現了古代人的遺骸，這是人類曾涉足澳洲的證據。在此之前，一般認為四面環海的澳洲是不會有人類遺跡的。

形式：在亞洲的有爪哇人跟北京人，在歐洲的則先有海德堡人，後有尼安德塔人。

大約是在距今十萬年前，另一批比較聰明、靈巧的物種，也就是今天生活在世界上每一個人的祖先，出現在非洲平原上，然後輻射向外擴充，形成了第二波移民潮。依照這個理論，這些新興人類或智人所到之處，「取代」了當地原有的、反應比較遲緩、不很靈敏的居民。

至於牠們如何進行取代，則一直是學者爭議的膠著點，由於從來沒發現過屠殺的跡象，以致於大多數人相信，這些新到的人科動物只是經由競爭而逐步淘汰了對手。當然可能還有其他因素，泰特薩就提議說：「也許我們給牠們帶來了天花也說不定。這些事很難去判定有或沒有，只有一件事我們能確定：我們留了下來而牠們沒有。」

神祕的祖先

有關這些最早現代人的訊息出奇的不明朗，我們對自己祖宗的認識，比對於所有其他人科動物更不清楚，這的確是怪事一樁。泰特薩指出：「在人類演化過程中最後的主要事件，是我們自己這個物種的出現，這事件或許也是我們最不明瞭的部分。」

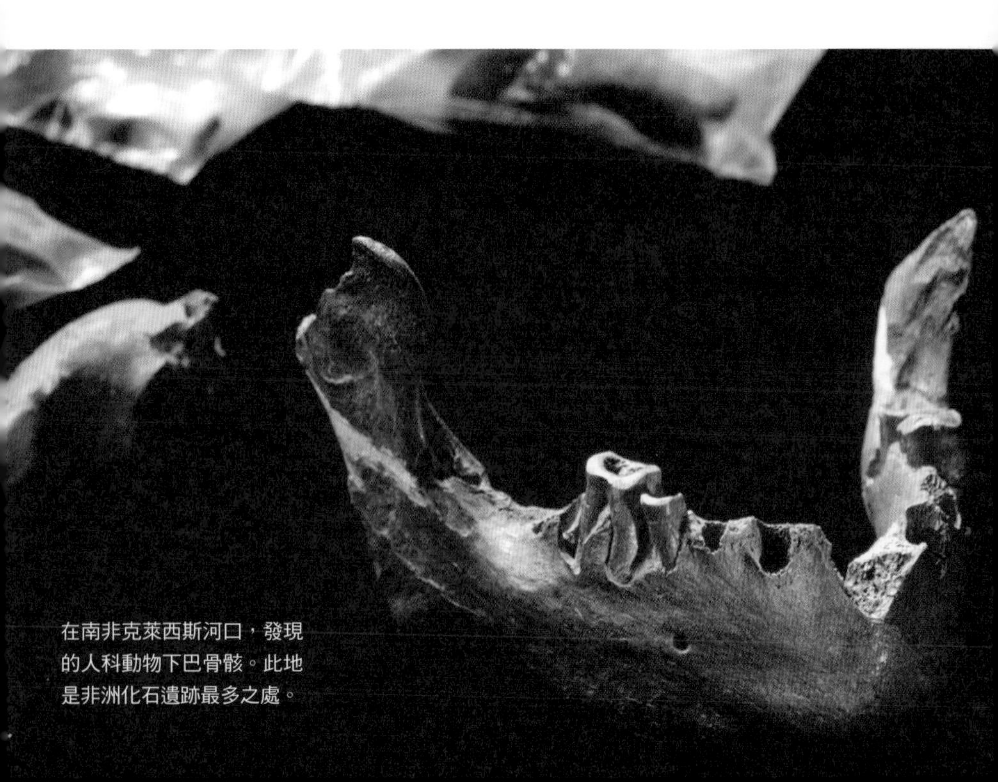

在南非克萊西斯河口，發現的人科動物下巴骨骸。此地是非洲化石遺跡最多之處。

甚至在化石紀錄上，也沒有大家都同意的現代人出現時期，有許多書本把它訂為距今十二萬年前，並且是以在南非境內克萊西斯河口（Klasies River Mouth）發現的遺骸做為標準，但是並非每一位人類學專家都同意那些標本為現代人。諸如泰特薩跟施瓦茨就堅持：「牠們之中是否全部，或者有任何一個，能實際代表我們這個物種，還有待證實。」

尼安德塔人的打火石是莫斯特工具組之一。莫斯特工具組遍布古代世界，連尼安德塔人未曾到過之處也有這些工具出現。

智人最沒有異議的第一個出現點，是在地中海東部，也就是今天的以色列附近，牠們在大約十萬年前就在當地現身了。即使在那兒，人類學家淳考斯（Erik Trinkaus）與許普曼（Pat Shipman）仍形容這些智人「古怪、難以分類、我們所知有限」。

那時候尼安德塔人早在當地安居樂業，並已發展出一種叫做「莫斯特」（Mousterian）的工具組。顯然同時代的早期現代人或智人認為這型工具頗值得借用，何以見得呢？原因是我們從未在北非發現尼安德塔人遺骨，但是這型工具組卻到處都有，必然有人把它們攜帶到北非，而現代人是唯一的人選。

我們還知道，尼安德塔人跟現代人以某種不明確的方式，在中東地區共存了數萬年之久。泰特薩說：「我們不知道牠們在這塊土地上究竟是此來彼往的相互更替呢？或是長時期雜處在一起。」但是在整段時期裡，現代人似乎都很樂意使用尼安德塔人的工具。很難以此證明，現代人比起尼安德塔人更有壓倒性的實質地位。

還有一件同樣叫人不解的事，那就是阿舍爾石器在一百多萬年前就出現在中東地區了，但得等到距今三十萬年前，才流傳到歐洲。跟之前討論過的謎題一樣，為什麼擁有這些工藝的人遷移時，沒有攜帶著工具呢？

飛機事故的啟發

有很長的一段時期，人們相信克羅馬儂人（歐洲出現的早期現代人），當年向前推進奪取歐洲時，把原住民尼安德塔人往歐洲大陸的西緣趕，尼安德塔人最後只得跳海或走上滅絕之途。然而事實上我們如今知道，大約在克羅馬儂人朝西前進的同時，歐洲西端已有克羅馬儂人生活了。泰特薩說：「那時候歐洲仍是人煙稀少且相當空曠的地方，牠們來去之間，並不見得會經常照面。」

克羅馬儂人來到歐洲的時間，也透露著古怪，當時適值古氣候學上所謂的鮑特利爾期（Boutellier interval），歐洲正從比較溫暖的氣候形態轉變成天寒地凍。我們不知道是啥原因把現代人吸引到歐洲落戶，但絕對不會是歐洲的「好」天氣。

無論如何，若說尼安德塔人的不振，是因為面對克羅馬儂人的競爭，至少證據上不很站得住腳。尼安德塔人非常能吃苦耐勞，在之前存活的數十萬年時間裡，牠們經歷過的壞天氣，現代人中除了極少數極地科學家跟探險家之外，沒有人領教過。

在過去最糟糕的冰河期裡，冰雪夾雜著颶風乃是司空見慣之事，氣溫經常降到攝氏零下 45 度，北極熊在英國南部堆滿積雪的山谷中踱著方步。當然尼安德塔人不會僵在那兒等著凍死，牠們在氣候變壞時，會撤退到較暖的地區。即便如此，牠們仍然經歷過像目前西伯利亞冬天的嚴寒。不用說，牠們的遭遇都非常艱苦，尼安德塔人能活過三十歲就算非常幸運啦。但是做為一個物種，牠們真是具有了不起的彈性與幾乎不可毀滅的堅韌。牠們在西起直布羅陀、東到烏茲別克之間的這一大片歐亞土地上，前後至少存活了十多萬年，也許有二十多萬年。這樣的成就對任何物種說來，都極其難得。

牠們究竟是誰？長得什麼模樣？當年學界人士各說各話、爭論不休，並沒有確切的定論。直到二十世紀中葉，大家較接受的看法是：尼安德塔人看起來笨頭笨腦，體型彎腰駝背，走路拖拖拉拉，一副猿類形象，活脫脫是大家心目中的山洞居民。不過一場痛苦的意外刺激了科學家，重新考慮這種想法。

1947 年，一位名叫阿郎伯格（Camille Arambourg）的法裔阿爾及利亞古生物學家，跑到非洲撒哈拉沙漠去進行田野調查，為了躲避中午酷熱的太陽，他待在一架輕型飛機的機翼下歇息。哪曉得正當他坐在陰影裡乘涼時，飛機的一個輪子突然因為太熱而爆胎，飛機頓時傾斜，重重的撞了他一記。

後來阿郎伯格到巴黎照 X 光檢查受傷的頸子，發現他自己的脊椎骨居然恰好跟化石標本中，彎腰駝背又笨拙的尼安德塔人一個樣。那麼究竟是他的生理結構跟尼安德塔人一樣原始呢？還是尼安德塔人的身體姿態遭咱們誤會了？事實上後者屬實。尼安德塔人的脊椎骨跟猿類的完全不同。如此一來，我們對尼安德塔人的印象大幅改觀，不過看來也只是有時候改觀而已。

我們還是普遍認為，尼安德塔人缺乏智慧或性格，無法跟新來歐洲大陸的那些身材比較苗條、頭腦比較敏捷的智人公平競爭。我從一本最近出版的書中引一段文字如下：「現代人類用較好的穿著、較有技巧的用火、較佳的庇護所，抵銷了尼安德塔人的這項優點（此指後者體格強勁有力且耐寒）。然而尼安德塔人

傳統認為，尼安德塔人身材壯碩，骨骼強壯。而且，牠們的腦袋比現代人大得多。

卻擺脫不了龐大的身軀，因此時時需要大量食物才能活命。」易言之，讓尼安德塔人能夠成功生存了十萬年的長才，突然間變成了無法克服的不利條件。

最重要的是，有個問題幾乎沒人認真探討過，那就是尼安德塔人的腦子比現代人的要大了許多。根據一份計算資料，前者的腦子體積達 1.8 公升，後者只有 1.4 公升——比智人的腦袋跟直立人的腦袋之間的差別還要大。在討論直立人時，人們很高興以此做為口實，數落直立人說：牠們的腦子太小難怪只能勉強算人。那麼這回智人的腦子較小，又該如何解釋呢？的確有人一語帶過，說我們的腦子雖小，但是比較有效率。這可是我翻遍了有關人類演化的文獻中，唯一硬拗小腦子較好的例子呢！

尼安德塔人怎麼消失的？

所以你可能要問，尼安德塔人既然體格如此強壯結實，適應能力極佳，加上大腦發達，為何今天卻不存在了呢？有一個可能（但備受爭議）的答案是，牠們依然存在於你我之間！

索恩在內的一群專家提出了另一個叫做「多區域假說」（multiregional hypothesis）的理論，強調人類的演化一直是繼續不斷的過程，正如南猿人演化成了巧人、海德堡人，日子久了之後變成了尼安德塔人，所以現代的智人只是從比較古老的其他數個類型演化產生的。

從這個觀點出發，直立人並非是一個可分開的獨立物種，而只是一個過渡形式，因而現代的中國人是最早移民到中國的古老直立人的後代子孫，而現代的歐洲人則是古老的歐洲直立人後裔。索恩說：「除此之外對我來說，直立人只是我們早期的部分形式而已。我相信當初離開非洲的只有一個物種，那就是智人。」

一開始，這個多區域假說遭到許多專家反對，理由是整個舊世界各地區的人科動物必須發生平行演化（在任何牠們出現的地方，包括非洲、中國、歐洲、以及遙遠的印尼島嶼，都不例外）——但這種現象其實不太可能出現。有些反對者也認為，多區域假說有鼓勵種族主義之嫌，使得長久以來，人類學自外於種族主義色彩的努力，遭到不必要的侵蝕。

1960 年代初期，美國賓州大學著名的人類學家康恩（Carleton Coon, 1904-1981）建議，某些現代的種族有不同的來源，這暗示我們現代人中，有些人的祖先比其他人優秀。這喚起了令人不安的回憶：以往的一些信念認為，現代生存在世上的一些種族，諸如非洲的布須曼族〔Bushmen，意思是樹叢野人，比較正確的名稱應該是喀拉哈里沙漠中的閃族人（Kalahari San）〕，比起其他種族要原始些。

姑且不論康恩內心的感覺如何，他這個建議使許多人自以為，某些種族先天就比其他種族有水準，而且有些人類根本跟我們是不同的物種。這樣的看法，人們如今雖已普遍覺得冒犯了大不諱，但直到不久以前，仍有許多頗負眾望的書報居然還大力鼓吹。

譬如現在我面前就有一本 1961 年由時代生活出版社印行的《人類史詩》（*The Epic of Man*），是之前在《生活》雜誌上登載過的文章合輯。在其中你可以發現這樣的評論：「羅德西亞人……

無論尼安德塔人長得像人還是猿，
牠們的體格壯碩是無庸置疑的。

生活在大約兩萬五千年前，而且可能是非洲各類黑種人的祖先。牠們的腦子在尺寸上跟智人的很接近。」言下之意無非是：非洲黑人僅僅是某些跟智人「很接近」的其他動物的後代子孫。

索恩強調（而我由衷相信）他的理論裡面，沒有暗藏任何種族偏見意識。而各地演化的程度會這麼均勻，他建議的理由是：各個文化跟地域之間，一向並不故步自封，經常有大量的來往互動。他說：「我們沒道理認為，人們只朝固定的一個方向遷移，人們一向是朝所有方向移動的，當他們相遇時，幾乎可以確定他們會經由族群之間的交配而共享雙方的遺傳基因。新來的族群不會去取代原住民，而是加入了後者，變成了後者的一部分。」

他用庫克跟麥哲倫（F. Magellan）等探險家在航行到遙遠的國度，首次遇到陌生族群的實例，來說明真正的情況：「他們遇到的不是跟我們不同的物種，只是體格上跟我們有些差異的同種人類罷了。」

索恩堅信我們從化石紀錄上看見的，實際上是繼續不斷的平順轉變，他指出：「在希臘佩特拉羅納（Petralona）地方出土了一個著名的顱骨化石，約生活在距今三十萬年前。這個顱骨之所以著名，是因為它的身分在傳統學者之間引起了很多爭議：它的某些特徵顯示它屬於直立人，但另一些方面卻很像是智人。其實這個顱骨是非常好的證據，證明了直立人跟智人本就是同一個物種，牠們分別代表一段演化過程的首尾兩端，而不是取代者跟被取代者兩個不同的物種。」

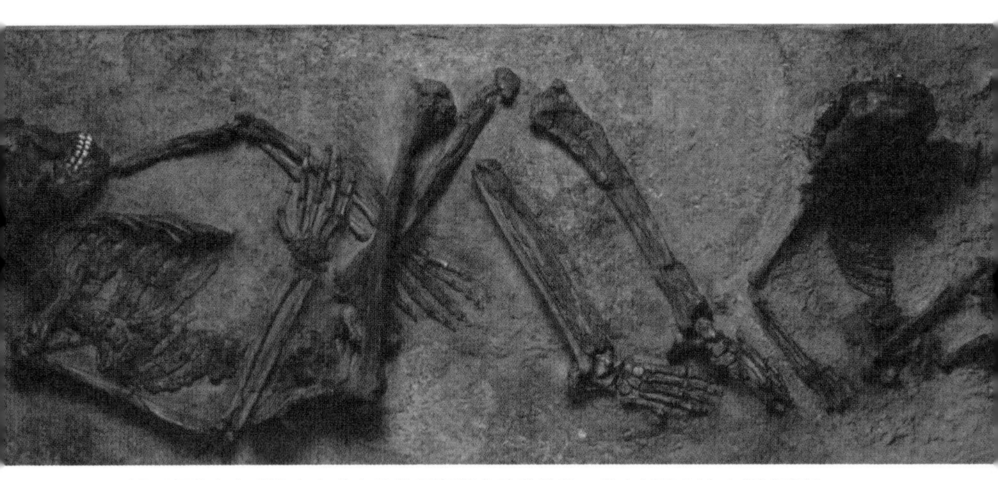

這兩具生存年代約在九萬年前的母親與小孩的骨骸，是在以色列卡夫澤發現的。牠們屬於非常早期的現代人。

現代人的起源

有個方法對釐清物種身分極有幫助，那就是去看兩個問題族群之間是否有雜交繁殖（interbreeding）的跡象。不過化石紀錄數量有限，很難找到證據來支持或反對，但幸好化石紀錄也並不是完全闕如。

1999 年，一隊考古學家在葡萄牙發現了一具小孩骨骸，這名孩童死時僅約四歲，而年代距今已有兩萬四千五百年。這具骨骸整體看來是現代人沒錯，但是卻有幾處特徵似乎「過了期」，是屬於尼安德塔人的：譬如不尋常的結實腿骨，牙齒長得顯著外翻、帶有「鑪東西」的態勢，以及（雖然不是每個專家都同意這

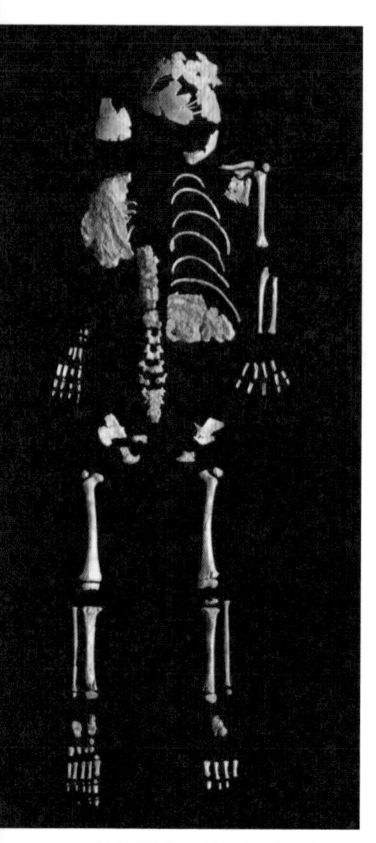
某些權威人士認為，這具在 1999 年於葡萄牙發現的四歲孩童骨骸，顯示尼安德塔人和現代人之間有血緣關係，這兩種人科動物曾經雜交。

點）在後腦杓上有個叫做「枕骨尖上窩」（suprainiac fossa）的凹陷，這是尼安德塔人才有的特徵。

美國密蘇里州聖路易市華盛頓大學的淳考斯是尼安德塔人的首席權威，他根據以上三點理由宣布這個小孩是一個雜種，是尼安德塔人跟現代人雜交的證據。然而其他專家卻對此結論仍有疑慮，他們認為雜種的混合程度應該更上一層樓。譬如一位挑剔者說：「如果你仔細看看騾子，牠絕不會是前半截長得像驢、後半截長得像馬呀！」

泰特薩的意見就跟淳考斯的不同，他認為這個小孩只是特別粗壯的現代人而已。他承認，在尼安德塔人跟現代人有機會共處的時代，難免彼此之間會有些不正常的性行為發生，但是他不相信會因此成功的繁衍後代＊。他說：「在生物界的任何領域裡，我找不到在有了那麼大的差別

＊ 有一個可能是尼安德塔人跟克羅馬儂人的染色體數目不同，這種情形常在兩個很接近卻又不完全相同的物種之間發生。譬如在馬屬動物世界裡，馬有64根染色體，而驢子卻只有62根，牠們雜交的結果，子女有無法進行繁殖的單數63根染色體。簡單的說，你得到的是無生殖能力的騾子。

後，卻還屬於同一物種的例子。」

既然化石紀錄幫不上什麼忙，近來愈來愈多的科學家改變研究跑道，訴諸於基因學的方法，特別是其中叫做粒線體 DNA 的部分。粒線體 DNA 一直到 1964 年才首度被發現，不過在 1980 年代之前，一些在美國加州大學柏克萊分校任職、非常有開創天才的學者已經發現它有兩個特點，特別方便充當分子時鐘。

這兩個特點，第一是粒線體 DNA 的繼代傳承僅走母系單線，也就是每當世代交替時，父親方面的粒線體 DNA 不會進來攪局，因而經由粒線體 DNA 比較容易偵測跟追蹤出長時期的遺傳模式。其二是它們具有頗為穩定的突變率，因此族群間粒線體 DNA 的差異程度，可以相當準確的反映出彼此分道揚鑣了多久，進而追溯出所有族群的遺傳根源以及相互關係的親疏。

1987 年，這個柏克萊團隊在威爾遜（Allan Wilson, 1934-1991）教授的領導下，對 147 個人的粒線體 DNA 做了分析研究後，宣布解剖學上的現代人，是稍晚於距今十四萬年前發軔於非洲，而「所有目前生活在世間的族群，都是當初那批人的後裔。」

訊息一出，對倡導多地區假說的人無疑是沉重的打擊。但是稍後人們開始比較仔細的去查看柏克萊團隊的數據，發現了一些值得商榷之處，其中有一個最離譜的點子，幾乎離譜到不像話的地步，也就是研究中選用的「非洲人」居然是以美國黑人充任，他們的基因在過去數百年內，無疑曾遭其他族群的大幅干擾。除此之外，他們所用的突變率也受到了外界的質疑。

還沒到 1992 年，這個研究的結論已經幾乎沒人相信。但是這

利用粒線體 DNA 這種先進技術進行的研究結果，建議人類的祖先可追溯到非洲的一小群早期人類。這個研究還上了《新聞週刊》的封面。

套基因分析方法卻繼續受學界看好，且不斷加以改良。到了 1997 年，德國慕尼黑大學的科學家從最初發現的尼安德塔人手臂骨裡，想辦法萃取到了少許 DNA，並且加以分析。這回證據確鑿，發現尼安德塔人的 DNA 跟如今活在地球上所有人的 DNA 都不相似，強力顯示出尼安德塔人與現代人之間，沒有基因上的瓜葛，這樣一來多地區假說真的是捱了一記悶棍。

然後在 2000 年末，《自然》期刊跟一些其他刊物報導了一件瑞典人做的研究，他們分析了五十三個人的粒線體 DNA，得到的結論是：所有現代人的祖先都是發源於非洲，時間上不超過距今十萬年前，而且全部來自一個人口不到一萬的族群。之後不久，懷海德研究所跟麻省理工學院合辦的基因組研究中心的主任藍德（Eric Lander）宣布，現代的歐洲人，或許也包括住在離歐洲有段距離的人，都是「最遲僅兩萬五千年前才離開非洲老家，且人數不超過數百的非洲人」之後裔。

我們提到過，世界各地的現代人之間，基因變化的幅度出奇的小。有一位這方面的權威學者曾如此比方：「住在同一地區且相互有來往的五十五隻黑猩猩之間，顯示出的多樣性超過了全部人類彼此之間的總和。」藍德等人的研究結果，可以解釋為何人類之間的基因變化不大。

原因是我們都是新近才從一個人口很少的族群繁衍而來，這些祖宗的人數不多，差異本來有限，而且我們跟他們之間的時間間隔不長，因此多樣性無法靠突變慢慢累積。這下子使多地區假說看起來極為不樂觀啦。一位在賓州州立大學任職的學者告訴《華盛頓郵報》說：「這個結論出爐以來，人們顯然不再關心多地區假說了，因為證據不站在它那邊！」

早期人類為何遷徙？

但是所有這些年來的發展，可沒有人預料到會有澳洲新南威爾斯西部古老蒙哥人的無比意外發現。2001 年初，索恩跟他在澳洲國家大學的同事向外界報告，說他們已從最古老的蒙哥人（年代測定結果為六萬二千年）的骨骸標本上找到了 DNA，而且進一步證明了這個 DNA「在基因學上非常獨特」。

根據他們的發現，這些蒙哥人在解剖學上屬於不折不扣的現代人，牠們跟你我毫無差異，但是卻攜帶著一種已經滅絕了的遺傳譜系（genetic lineage），牠們的粒線體 DNA 在現在活著的人身上已經絕跡。這表示蒙哥人的確有別於在「最近的過去」才從非洲跑出來的現代人。

索恩一臉興奮的說：「這下子似乎剛有頭緒的人類起源又突然給打亂啦。」

接著讓人更意外的異常現象開始陸續出現。在牛津生物人類學研究所任職的族群遺傳學家哈定（Rosalind Harding），在研究現代人身上的 β 血球蛋白（betaglobin）基因時，發現了兩個在亞洲人跟澳洲土著中很普遍的變種，但在非洲卻極其罕見。

哈定很確定，這兩個變種基因的發生，距今已經超過了二十萬年，而且發生的地點顯然不在非洲，而是在東亞，遠在現代智人應該到達該地區之前。唯一能把此事釐清的是，如今亞洲居民的祖先包含了更早的人科動物，如爪哇人等等。但是更勁爆的是，其中一個變種基因（咱們就稱它做爪哇人基因好啦），居然就在該研究所的所在地——牛津郡的現代居民身上出現了。

這一切把我給搞糊塗了，於是我到哈定的研究所去拜訪她。這個研究所坐落在牛津的班柏瑞路（Banbury Road）上一棟古老的磚造別墅內，差不多就是美國前總統柯林頓當年來牛津留學時所住宿舍的附近。

哈定是小巧活潑的澳洲人，老家在布里斯本，她有著一種少見的才能，那就是做事熱心認真的同時，還能夠樂在其中。當我問她，牛津郡居民究竟如何得到本不該在這兒出現的 β 血球蛋白變種核酸序列？她先對我露齒而笑，回了我一個「不知道耶」，然後才比較正經的說：「整體說來，基因紀錄支持人類來自非洲（out-of-Africa）的假說。但是接著你又在人群中發現了這些似乎不很正常的小聚落。大部分遺傳學家都寧願不談論此事，其實我們有大量的相關資訊，只是還不瞭解其中的意義，我們正開始想辦法要有所突破。」

她對亞洲人的基因出現在牛津郡這件事實的反應，除了表示情況顯然很複雜外，拒絕做任何進一步的推測。她說：「目前我

圖片顯示，一個南猿人家族在二百五十萬年前至三百五十萬年前之間，穿過了非洲的大裂谷。早期人類為什麼會遷移，我們到現在還搞不清楚真正原因。

們能說的只是它還是混亂一團，而且我們也實在不知道為什麼。」

就在我們會面的同時，2002 年初另一位牛津科學家西克斯（Bryan Sykes）剛出版了一本新書《夏娃的七個女兒》（*The Seven Daughters of Eve*）。他宣稱根據一些粒線體 DNA 的研究結果，就能替幾乎目前生活在世上的全部歐洲人追溯到他們最早的一群共同始祖，一共只有七名婦人（也就是書名所說的「夏娃的七個女兒」）。

這群婦人生活在距今約四萬五千年到一萬年之間，恰好跟科學上所謂的舊石器時代相吻合。西克斯不但給了這七個女人名字（取名為烏蘇拉、嬋妮雅、茉莉等），而且每人還有一段詳細的個人歷史（諸如「烏蘇拉是她母親的第二胎，第一胎是個男孩，不過在兩歲大時被豹叼走了……」）。

當我詢問哈定對這本書的看法時，她臉上頓時洋溢起笑意，卻又笑得滿拘謹的，使我覺得她似乎有點不知從何說起的尷尬。不過她還是回答說：「這個嘛……我認為你必須替他在功勞簿上多少記上一筆，至少得謝謝他透過這本書通俗化了一個艱澀的議題。」她停下來想想之後接著說：「雖然機率極小，他還真有可能是對的咧！」

她笑出聲來，然後又比較嚴肅的說：「從任何單個基因得到的實驗數據，原則上不可能告訴你這樣確切的結果。不錯，如果你鎖定粒線體 DNA 的某一段或某個基因追溯回去，它會把你帶到一個特定來源，也許是一個名叫烏蘇拉或塔拉的女人那兒。但是如果你又去追蹤下一段或另一個基因，它很可能把你領到另一個完全不同的結果。」

據我的瞭解，這有點像我們在無數的倫敦聯外道路中，隨便選一條去追蹤，結果發現終於來到瓊阿格羅茲（John O'Groats，在蘇格蘭北端），於是據此下結論說，所有目前住在倫敦的人都是過去從蘇格蘭北部遷過來的。

當然啦！既然有路可通，他們是有可能從那兒搬了過來，但是他們也同樣可能是從數以百計的其他地點中的任一地移來的。根據哈定的看法，每個基因都像是一條不同的公路，而我們才剛開始著手測量工作，想要把道路地圖畫出來。

她說：「光看單個基因絕對不能告訴你整個真相。」

所以基因研究並不可靠囉？

「不是這麼說，一般說來，基因研究數據本身有很高的可信度。你不能信賴的是，人們把這些數據任意擴充放大後所做的推論。」她認為人類起源於非洲的這個假說「大約 95% 正確」，但是她又說：「我想正反雙方堅持這個假說非對即錯這一點，對科學多少是一種傷害。各種相關證據出現時，似乎都不像正反任一方所希望見到，或是之後轉述給你聽，希望能說服你的，那樣輪廓清楚、黑白分明。這樣的證據其實開始很清楚的顯示出，過去在世界各個不同地區，族群朝不同方向遷移跟擴散了許多次，以致於把人類的不同基因全給混合到一塊去了。要把它們理出任何頭緒來，絕非易事。」

也就在這個時候，有人寫了一些報導，質問那些古老 DNA 回收研究的結果，究竟可信度有多少？譬如一位學者就在《自然》

期刊上指出了一件怪事。他說有位古生物學家，在同事問他是否認為某一顆古老頭骨曾塗過洋乾漆時，當場拿起那顆頭骨，在頭頂上舔了一下，然後告訴同事說沒錯，上面果然有洋乾漆。《自然》的這篇文章寫道：「就這麼一舔，大量的現代人 DNA 就順勢轉移到這顆頭骨上啦！」因而它以後在 DNA 研究上不再有用武之地。

我問哈定此說是否正確？她的答案是：「其實這一舔倒不是關鍵，關鍵是這顆頭骨在被舔之前，幾乎可以斷言早已遭受汙染了。用手去拿骨頭就會讓骨頭受到汙染，對它吹氣也會讓它受到汙染，即使是實驗室裡用的水，也多半會把它汙染。在我們周遭環境裡面，到處都充滿了跟我們毫無瓜葛的 DNA，而我們就像是在外來的 DNA 裡游泳似的，想不遭汙染比登天還難。若想得到可信賴的乾淨標本，你得在無菌狀況下挖掘這個標本，而且挖出來之後當場就做 DNA 測試，免得夜長夢多。因為防止標本遭汙染可是天下最難搞定的事。」

東非大裂谷

若是你希望即刻瞭解為何我們對人類起源知道得這麼少，你可以去看一個地方。這地方在非洲，位於肯亞首都奈洛比的西南，稍稍越過恩岡丘陵（Ngong Hills）的邊緣之處。你開車出城後順著前往烏干達的公路走，不久前方的地面突然塌陷了，出現一個驚人的景觀：杳無邊際的淡綠色非洲平原，景致就像是從滑翔翼上看下來那樣。

這就是所謂的大裂谷，它是一個長達四千八百公里的弧形特殊地貌，橫亙在東非洲，標示出大陸板塊撕裂、非洲漸漸漂離亞洲的痕跡。就在這兒，大約離奈洛比 65 公里、沿著如烤箱般的山谷底部，有一個非常古老的地點叫做歐羅結撒依立耶（Olorgesailie），它曾經一度位在一個宜人的大湖岸邊。

1919 年時大湖早已不見蹤影，有一位名叫格列高利（J. W. Gregory）的地質學家來到這個地區進行探測，想知道是否有值

肯亞大裂谷今日風貌。大裂谷中的歐羅結撒依立耶，
是阿舍爾石器工廠的所在地之一。

得開採的礦物資源。就在這兒附近當他走過一大片空地，發現了地面上到處都是一種色澤很暗的石塊，而且這些石塊顯然給琢磨過。原來他發現了一個偉大的阿舍爾石器製造場所，有關這類石器的種種還是泰特薩告訴我的。

2002 年的秋天，我不期而然的去拜訪了這個地方，當時我為了一個全不相干的目的到了肯亞，去探視由國際關懷組織主辦的一些慈善活動。但是在當地負責接待我的主人，得知我為了寫這本書而對人類學極有興趣，很貼心的把拜訪歐羅結撒依立耶加到我的行程裡。

在格列高利發現歐羅結撒依立耶的二十多年後，才有人開始在這一帶挖掘，他們是著名的夫妻檔古人類學家李基伉儷（路易士及瑪麗．李基），挖掘工作一直持續到現在。

李基團隊發現的是面積約十英畝大的現場，裡面散布著數不清的石器，製作年份前後長達一百萬年，從距今一百二十萬年前到大約二十萬年前。如今在這整個石器堆積場上，搭建了大面積的洋鐵皮斜屋頂，用以遮蔽日曬雨淋，四周也用鐵絲網藩籬圍了起來，以免訪客順手牽羊。然而除此保護措施之外，大部分石器仍然保留在當初製作者拋棄它們、李基團員發現它們時的位置。

安哥里（Jillani Ngalli）是很聰敏的年輕男子，肯亞國家博物館特地派遣他充當導遊。他告訴我：那些用來製作手斧的石英石跟黑曜石，從未在這個山谷中發現過，「顯然當年必須跑到那兒去採集，然後攜帶過來。」他邊說邊用點頭作勢，指了指在山谷

1960 年代，夫妻檔古人類學家李基伉儷，跟他們的兒子還有狗，
在非洲坦尚尼亞境內的奧杜威峽谷，尋找人類祖先的化石遺跡。

兩邊相互對峙，依稀可見的兩座遠山：歐羅結撒依立耶山跟額里沙寇特山（Ol Esakut）。這兩座遠山對我們來說是一左一右，而跟我們的距離都是差不多十公里。手裡捧著石塊走十公里的路，實在不算近。

沒有人確知為何早期歐羅結撒依立耶人不嫌麻煩，老遠去找石塊來製作手斧。叫我們不解的不只是牠們把很重的石塊背負到湖邊來，也許更讓人驚訝的是牠們的場地組織安排。李基的考古團隊發現，整個場地劃分為一些區塊，有的部分看似專門從事原石打磨、製作新手斧，另一區堆積著用鈍了的舊工具，似乎是回收來做重新磨利的服務。簡單的說，歐羅結撒依立耶顯然是某種形式的手斧工廠，而這座工廠從開張到關閉，居然連續營運了一百萬年！

從各種形狀並不完全相同的成品看來，這些手斧的製作相當複雜，非常費工，即使經過長年練習的熟練工人也得花上數小時，才能琢磨出一枚手斧的樣子來。但是奇怪的是，凡是我們能想像得到各種可能的使用方式，諸如切割、斬碎、刮落等等，用這些手斧操作起來可說都不很靈光。

我們對此的印象是：在過去一段長達一百萬年的時光裡（比起我們現代人從出現到目前的歷史，整整長出了數倍甚或數十倍之多，更用不著拿出任何現代人從事任何事業的經歷與之比較啦），生活在當時的早期人類不知是哪根筋出了毛病，以致於會在漫長的歲月裡，不斷有相當數目的人跑到這個特殊地點來，重複製造出總數多得驚人、卻似乎根本沒啥實用價值的石頭工具！你說這事奇不奇怪？

這些早期的人類是誰呢？事實上我們可是一點譜都沒有，只能猜測牠們可能是直立人，因為除了直立人之外，我們並沒有其他的已知候選者。這意思是說在牠們的全盛時期，歐羅結撒依立耶的工人頭腦跟現代的嬰兒差不多，但是沒有任何實際證據可以用來做進一步判斷。

在過去超過了六十年的努力發掘歲月裡，在歐羅結撒依立耶當地及其周遭，完全沒有挖出人的骨頭。看起來在其一生之中，無論牠們花費了多少時間待在該地琢磨石塊，一朝到了生命的盡頭，就一定要跑到別的地方去死亡。

安哥里眉開眼笑高興的對我說：「這真是難以猜透的謎啊。」

大約距今二十萬年前，當地湖水乾涸見底，大裂谷開始轉變成今天這樣熱得叫人難受的地方，歐羅結撒依立耶人便消聲匿跡了。然而即使當時的自然環境沒有改變，歐羅結撒依立耶人做為一個人科物種的命運也已經進入倒數了。

原因無他，這個世界即將出現第一個真正有潛力主宰一切的「智人」，而世間一切事物都將因此而不復以往矣。

古人類學家波茨（Rick Potts）在歐羅結撒依立耶，手上握著一個可能是一百二十萬年前的手斧。

第30章 一路走來

畫中是命運多舛的度度鳥，這種鳥行動緩慢、不會飛行、加上輕信人類的致命習性，使得牠們在被歐洲水手發現後，只再存活了七十年，就此從度度鳥的家鄉模里西斯島消失。

早在 1680 年代初，哈雷跟他的兩位朋友蘭恩與虎克在倫敦一家餐館碰面，開始吹牛、打賭，最後卻陰錯陽差的讓牛頓寫出了《原理》一書；一個世紀後（1797 年）卡文迪西應用牛頓力學測量出地球的重量（見第 4 章）。

在這套《萬物簡史》之前的數百頁篇幅中，種種直接或間接受到激勵而延伸出來的科學逸事與可圈可點的冒險犯難故事……如今想來，那次哈雷跟朋友們無意間的打賭，可真是西洋科學史上一個重要的里程碑。

然而同時，遠在馬達加斯加島東方一千三百公里遠的印度洋中，有個叫做模里西斯（Mauritius）的小島上，卻也經歷了一個人們比較不希望見到的里程碑。

在那兒，有個姓名已被人遺忘的水手，或是他所養的寵物吧，把世界上最後一隻度度鳥（dodo）虐待至死。這種鳥當時以不能飛著名，牠那毫不機警、不猜疑的天性，加上跑得不夠快的缺點，使得當時停靠模里西斯島的船隻上的年輕水手們，在上岸休假期間，忍不住把度度鳥當成追逐、玩弄的對象。在此之前的數百萬年內，度度鳥長期棲息在這個平靜的小島上，完全沒有機會接觸到現代人類乖戾殘暴的一面，因此對人類毫無防範。

這最後一隻度度鳥究竟是在怎樣的情況下被整死的，甚至發生在哪一年，我們都不曉得，所以我們不確切知道，這件事跟哈雷打賭一事究竟孰先孰後。

換句話說，是這個世界先有《原理》一書呢？還是度度鳥先從這世界裡消失？

我們只知道它們大約同時期發生。為什麼我要把這兩件似乎毫不相干的事情相提並論？原因是我找不到另外更好的兩個對比例子，來說明人類同時具備了崇高跟蠻橫的天性。我們人類這個物種有著揭開天體最深奧祕密的能耐，同時卻也無緣無故的把一種對我們無害的動物趕盡殺絕。而這些可憐的動物到死都不瞭解，為何我們要這麼做。

據說度度鳥出奇的缺乏洞察力，如果你想知道附近有多少隻度度鳥，只需要逮住一隻，讓牠聒聒大叫，附近所有聽見叫聲的度度鳥，就會搖搖擺擺、大大方方的走過來，看看究竟發生了什麼事情。

人類對可憐的度度鳥的輕蔑，並未隨著最後那隻度度鳥的嚥氣而結束。大約在牠消失了七十年後的 1755 年，位於牛津的阿什莫爾博物館（Ashmolean Museum）裡陳列的一個度度鳥的剝製標本，由於老舊而發出了難聞的霉味，館長遂命令工人把標本丟進火堆裡燒掉。

這可是非常驚人的決定，因為即使是隻死鳥，那也是當時世界上唯一保存下來的度度鳥。幸好有一位較有見識的雇員恰巧經過，見狀大吃一驚，趕緊將這個標本從火中搶救，但也只救回了標本的頭部與一條腿的一部分。

由於這次事件跟另一些匪夷所思的類似意外，我們現在已經不全然確知活的度度鳥究竟長得什麼樣子。如今我們所有關於度度鳥形態的訊息，比大多數人想像的要少得多，總共只有少數幾份粗劣的描述而已。

我們可從十九世紀自然學者斯特里克蘭（H. E. Strickland, 1811-1853）無可奈何的說辭裡略見一斑，這些描述「包括了幾小段由科學素養不足的航海人員所寫下的記載、三四幅油畫、以及一些零散的骨頭碎塊。」依照斯特里克蘭的憂慮看法，我們手上剩下來有關度度鳥形象的實物證據，還比不上一些古老海怪跟笨重蜥腳龍來得多。這種好不容易存活到了近代的度度鳥，卻因為我們毫不必要的打攪而絕種。

我在這裡把我們對度度鳥的所知，大概敘述如下：這種動物居住在模里西斯島上，肉多但味道不佳，是鴿科鳥類中最大隻的成員，但是我們並不知道牠究竟比普通鴿子大了多少，因為從沒有人把牠的體重正確記錄下來。我們若是試圖從斯特里克蘭所提到的「骨頭碎塊」、及阿什莫爾博物館裡劫後剩下的那點殘缺部分，加以延伸推敲得知，度度鳥的高度大概是剛好超過了 0.75 公尺，而從牠的嘴尖到尾端也是同樣的長度。

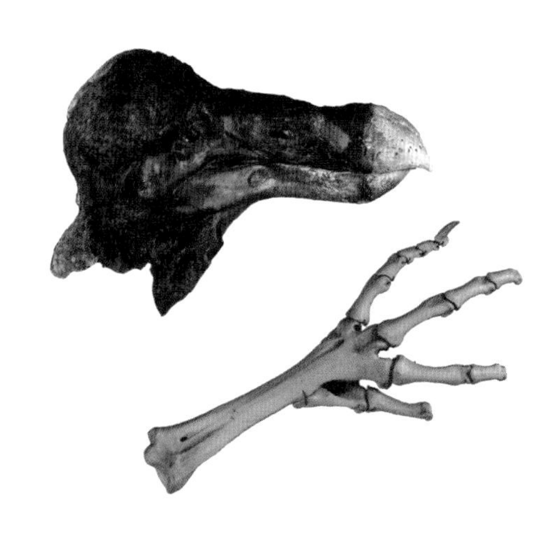

最後一隻度度鳥，也是僅存的度度鳥標本，只剩下焦黑的頭部與一條腿的局部，其餘部分已在火中化為灰燼。

由於度度鳥不會飛，牠只得在地面上築窩，自從十七世紀初西方人航海來到模里西斯島，並帶來了豬、狗、猴子等動物，這些人跟動物都很容易去傷害到度度鳥窩裡的鳥蛋跟幼鳥。牠們有可能早在1683年以前就已經滅絕，而幾乎可以斷定最遲是1693年，那年之後牠們就徹底消失。

我們不清楚的還多著咧，包括牠們的繁殖習性、吃什麼維生、通常在何處盤桓棲息、平時跟遇到緊急情況時發出怎樣的叫聲。再者，我們連一顆度度鳥的蛋都沒保存過。

從開始到結束，我們跟活著的度度鳥結識不過七十年光景，大約等於一個現代人的平均壽命。這幾十年的時間真是有如電光石火一般。不過說到這兒，我必須指出，由人類造成的這類無可挽回的滅種事件，度度鳥不是唯一的受害者。

在這之前，人類幹這類缺德事已有數千年的經驗。沒有人知道人類的破壞程度究竟有多糟糕，但是證據顯示，在過去約莫五萬年裡，凡是我們所到之處，該地的動物就會傾向於消失不見，而且經常是數量極大的變化。

失落的大自然

在美洲，有三十個「屬」的大型動物，有些個頭還真是非常巨大，在距今兩萬年到一萬年之間，現代人遷移到美洲大陸之後，幾乎沒多久就全部消失不見了。

北美洲跟南美洲加在一起，當地古代大型動物中的四分之三，都是在擅長打獵的現代人到來之後，被人類用堅硬的長矛，加上敏捷的組織能力，把牠們趕盡殺絕。歐洲跟亞洲由於現代人到來得較早，動物有較長的時間演化出對人類戒慎恐懼的習慣，因而損失比較輕微，只去掉了原有大型動物總數的三分之一到一半之間。澳洲則由於現代人到達得更晚，動物的消失率高達 95% 以上。

由於古代打獵的人數相對來說不多，而動物數量則多得嚇人，僅僅在西伯利亞北方凍原地區內，估計就有一千萬具猛獁的

已木乃伊化的猛獁幼象的屍骸，1977 年在西伯利亞凍原為人掘出。這隻猛獁取名為帝瑪（Dima），約生活於四萬年前，死因可能是由於陷入泥淖中，力氣耗盡而亡。

屍體冰藏在那兒，所以一些權威專家認為，把這些帳全算在人類頭上似乎不太合理。事實既然如此，除了人為之外，應該還有一些其他原因，諸如氣候急遽變化、或是發生了某種全球性的流行病之類。

美國自然史博物館的羅斯．米克菲說得好：「去獵殺危險的大型動物，除了肚子餓而有必要之外，沒有其他實質上的利益，你吃得下的猛獁肉排量，畢竟還是很有限。」其他專家則相信，也許是捕捉或用棍子敲昏動物，對人類來說太過容易。澳洲演化生物學家弗蘭納瑞則說：「在澳洲跟美洲，也許這些動物面對人時，壓根兒不知道應該跑開。」

有些消失了的動物，外形看起來的確非常古怪不尋常，如果牠們現在仍活在世上，還真讓我們看不習慣。試想高大的地懶站在地面上，可以從樓上的窗戶望進來，大海龜跟一部小型汽車一般大小，而六公尺長的巨蜥在澳洲西部沙漠公路旁曬太陽。這些都成為過去了。

我們現在居住的世界，一切都變得袖珍了許多。今天整個地球上仍然存活的陸生動物中，很重的動物（體重超過一公噸）只剩下了四種：牠們是象、犀牛、河馬、跟長頸鹿。地球上的動物長得都像目前的這樣小巧跟馴服，才只是數千萬年以前的事。

說到這兒，有個問題浮現了出來，那就是石器時代的動物消失，以及比較晚近的消失是否屬於同一滅絕事件；直截了當的說，這些是否都是人類造成的生物滅絕？不錯，從一切跡象看來，人類極可能就是元凶。

根據芝加哥大學古生物學家勞浦（David Raup）的計算，從地球上的整個生物發展史來看，在人類出現之前，物種的背景滅絕率一直維持在平均每四年會有一個物種從地球上永遠消失，而理查．李基與魯文（*Roger Lewin*）在《第六次滅絕》書中提到，如今人類造成的滅絕率，高達背景滅絕率的 12 萬倍！

1990 年代中期，澳洲演化學家弗蘭納瑞驚奇的發現我們似乎對大多數的滅絕事件都不知情，包括相當晚近發生的在內。大約 2002 年初，我在墨爾本遇到如今已是南澳博物館館長的弗蘭納瑞時，他告訴我：「無論你到哪兒去查資料，紀錄裡都會出現很多不連續的地方，就類似度度鳥的滅絕事件，要嘛語焉不詳，要嘛根本從缺。」

弗蘭諾瑞為此邀請一位澳洲同鄉兼畫家的朋友蕭頓（Peter Schouten）合作，開始一項有點忘我的搜尋，去清點世界上各主要生物標本收藏的內容，看看哪些項目已經絕跡、哪些仍然存活、以及哪些我們從來就不認得。

他們花了四年的時間跟精力，沉潛在古老皮毛、發霉標本、早期畫作以及紙堆等等他們能參考得到的東西。蕭頓負責把他們能夠合理重建的各種動物，繪成跟生前尺寸相同的畫，而弗蘭納瑞則負責文字敘述的部分。兩人的心血最後集結成了一本不同凡響的書，叫做《失落的自然》（*A Gap in Nature*），是對過去三百年內的動物滅絕歷史事件蒐集得最完備的目錄，我必須說也是最讓人感動的目錄。

對於某些已滅絕的動物而言，有紀錄固然不錯，但更讓人遺憾的是，沒有人發心去做任何補救工作，設法挽救瀕臨絕種的動物。有些時候人們就聽任某種動物不幸成了絕響。

譬如，大海牛（Steller's sea cow）是跟海象長得很像、也跟儒艮（dugong，一種水棲草食哺乳動物）有親源關係的動物，牠是最近的絕種動物中體型超大者，成年大海牛的身長可達九公尺，重達十噸。

我們之所以確知曾經有過這麼一號動物，只是因為在 1741 年，有個俄國探險隊在海上遇到了船難，而出事地點恰好就在當時大海牛生活的主要地點，也就是白令海中的司令群島（Commander Islands），不過在那裡的海牛數目不詳。

不幸中的大幸是，探險隊中有一位自然學者斯特勒（Georg Steller），他看到這種動物非常興奮。弗蘭納瑞說：「他寫下了一篇最詳盡的報導，甚至測量了牠鬍鬚的直徑。他唯一沒有描述的是

1741 年，德國自然學者斯特勒在白令海中的司令群島發現了一小群大海牛，因此大海牛也稱為斯特勒氏海牛。由於人類無情的濫殺，在斯特勒發現後的三十年內，大海牛已經絕跡。

公海牛的生殖器部分，但不知是為了啥原因，他倒是詳述了母海牛的生殖器。他甚至保存一塊海牛皮下來，所以我們對海牛皮的質地有很好的認識。這真是可遇不可求的好運氣。」

有一件斯特勒無能為力的事，就是拯救大海牛，在斯特勒發現牠們時，大海牛已經在當地人的濫捕下瀕臨絕種，再過二十七年，不管是本地人或外地人，再也看不到活海牛的英姿了。

弗蘭納瑞與蕭頓的這本書，還是遺漏了許多已滅絕的動物，因為我們對牠們所知實在太少，諸如達令草地（Darling Downs，澳洲昆士蘭省東南部的一處農牧區）的一種澳洲小跳鼠、紐西蘭查坦群島（Chatham Islands）的天鵝、亞森欣島（Ascension Island，位於南大西洋的英國海外領地）上不會飛的秧雞（crake）、至少五種大型海龜，以及其他各種只剩下名稱、形象卻永遠消失了的動物。

矛盾的人類

弗蘭納瑞與蕭頓發現，很多動物滅絕倒不是因為肇事人類的蓄意殘害或胡作非為，而只能歸諸於超級愚蠢的行為。例如 1894 年，在紐西蘭北島跟南島之間那個經常發生暴風雨的海峽中，有一個叫做史蒂芬斯島（Stephens Island）的無人岩石島上，人們建了一座燈塔。

這燈塔的看守員養了一隻貓咪，這隻貓在這個小島上大展身手，不斷啣回來一些奇怪的小鳥。看守員盡職的把這些死鳥送到威靈頓（Wellington，紐西蘭的首府，位於南島上）的博物館。那兒的一位主管見到之後非常興奮，原來他認出這些死鳥正是當時被認為已經絕種的鷦鷯，全世界雀形目鳥類中唯一不會飛的一種。

於是那位主管即刻啟程前往史蒂芬斯島，但是在他到達現場時，為時已晚，那隻貓咪已經把島上的鷦鷯全數肅清啦。如今陳列在該博物館裡，一共有十二隻史蒂芬斯島上不會飛的鷦鷯的剝製標本，不只是全世界獨一無二、也是這次慘痛意外的見證。

鷦鷯的例子還算差強人意，至少還留下十二隻標本。我們還發現，人們對已滅絕物種的標本維護，並不見得比在牠們絕種之前好到哪兒去。

就拿可愛的北美卡羅萊納長尾鸚鵡（Carolina parakeet）來說，有人認為這種身體羽毛顏色為翡翠綠、頭部為金黃色的小鳥，是在北美洲存活過的鳥兒中最漂亮的一種，而且在牠的全盛時期，數量之眾，僅輸給旅鴿（passenger pigeon）。

你大概已經注意到，鸚鵡通常都待在中南美洲，不會冒險飛到如此北方來。但

一對史蒂芬斯島鷦鷯，只見於紐西蘭的科克海峽中一座與世隔絕的小島，也就是史蒂芬斯島。這種鳥類被島上燈塔看守員的貓咪撲殺殆盡。

是農民認為卡羅萊納長尾鸚鵡是害鳥，皆欲除之而後快，而消滅牠們相當容易，因為牠們喜歡密集的群聚在一起，而且還有個奇怪的習性，那就是聽到槍響大夥兒會一飛沖天（這很正常），奇怪的是，牠們飛起來後不會散去，而是即刻又飛回來，看看被打中的同伴。

在十九世紀的經典《美洲鳥類學》（*American Ornithology*）一書裡，作者皮爾（Charles Willson Peale, 1741-1827）描述有一次他拿了散彈槍，對著卡羅萊納長尾鸚鵡棲息的一棵樹，連續打了幾發的經歷：

> 每次槍聲過後，雖然被散彈打到的鳥兒紛紛摔落了一地，但是僥倖沒被打中的，似乎都捨不得離去。牠們繞著樹飛了幾圈之後，又降落到原處，排列在我的附近，往下方望著被屠殺的同伴，清楚的表現出同情與關懷之情，讓我非常感動。

在二十世紀的第二個十年來到之前，野外的卡羅萊納長尾鸚鵡已經被獵殺一空，只剩下少數幾隻關在籠子裡。最後的一隻取名印加（Inca），1918 年在辛辛那提動物園裡死亡（比在同一所動物園中嚥氣的最後一隻旅鴿，晚了不到四年）。這隻鳥兒死後被虔敬的製成了展示標本。那麼現在你到哪兒可以瞻仰這隻可憐的印加呢？答案是不知道，動物園已經把它給弄丟啦！

上面這個故事中，最有趣跟最難以理解的部分是，作者皮爾

性情古怪的羅思柴爾德，熱中於蒐集稀有生物的標本，因而導致數種生物的滅絕。

是一名愛鳥人士，卻僅僅為了「我喜歡」這個爛理由，大批屠殺牠們，毫不手軟。驚人的殘酷事實是，長久以來，對世界上各種生物最有興趣的人類，卻也是它們最可能的殺手。

世界上最能代表這個矛盾立場的人，莫過於羅思柴爾德（Lionel Walter Rothschild, 1868-1937）。身為羅思柴爾德銀行世家的後裔，這傢伙是個性情非常奇怪跟隱遁的人，一輩子都住在他位於英國白金漢郡的特陵（Tring）老家裡的育兒室內，即使成年之後，還繼續使用童年時期所用的家具，雖然他體重後來到達了 135 公斤，卻仍然睡在從小習慣的兒童床上。

羅思柴爾德的愛好是自然史，後來變成了狂熱的收藏家。他派遣一群群受過訓練的人，有時候一次就送出四百人，到世界各地區，攀山越嶺、披荊斬棘、穿越叢林，目的就是為他尋找新奇的標本，特別是會飛的動物。

這些標本妥善的裝在板條箱或硬盒內，送回羅思柴爾德在特陵的大莊園，在那兒他與一大群助理把送回來的每件東西都極詳實的記錄下來，並仔細予以分析討論，成果就是一系列的書籍、論文、及專文，共有一千兩百種之多。總共加起來，羅思柴爾德的自然史工廠經手處理了兩百萬件標本，替科學的檔案紀錄增加了五千個生物物種。

你以為羅思柴爾德蒐集之大手筆，足夠讓我們嘆為觀止了嗎？其實在十九世紀的同類收藏家裡面，以蒐集範圍之廣闊跟動用資金之慷慨兩個方面，他都還不是第一名，那個頭銜幾乎可以確定屬於一位比羅思柴爾德稍早、而同樣也是非常富有的英國人，名叫康明（Hugh Cuming, 1791-1865）。

康明極端熱中於蒐集，為此特地請人建造了一艘大海船，並招募了一群航海工作人員，整年全職的駕著這艘船到世界各地跑透透，蒐集任何他們能夠發現的新奇東西，舉凡鳥類、植物、各式各樣的動物，特別是貝類。他那舉世無雙的藤壺收藏後來移交給了達爾文，就是這些收藏激發了達爾文的思潮，而建立了不世出的偉大研究的根基。

然而，羅思柴爾德無疑是同時代人中，最懂科學的一位收藏家，但很遺憾的，也是最致命的一位。怎麼說呢？在 1890 年代裡，他對夏威夷發生了興趣。當時夏威夷大概是地球上最吸引人、卻也是最容易受到傷害的自然環境。

在此之前，由於與世隔絕了數百萬年，而容許當地演化出 8,800 種獨特的動物跟植物。羅思柴爾德對夏威夷最感興趣的是那兒色彩繽紛、身形不同於一般的鳥兒。由於夏威夷幅員有限，這些鳥兒每種數目都不多，而且都只棲息在極其特殊的環境裡。

許多夏威夷鳥兒的悲劇都是種因於牠們的與眾不同、人見人愛、加上數量極少。在大多數情況下，這三個特性集於一身就已經形成了最危險的組合，況且牠們非常容易被逮，真叫人跺腳嘆息。

例如大管鴰（Greater Koa finch）是屬於蜜旋木雀（honeycreeper）的一種無害成員。大管鴰通常都很害羞的躲在當地相思樹的茂密枝葉中，但是如果有人在附近模仿牠們的叫聲，牠們會立刻從藏身的枝葉中飛出來，表示歡迎之意。

這是大食蠅霸鶲（great kiskadee）的公鳥標本，這種鳥的學名是 *Pitangus sulphuratus*。這個標本是羅思柴爾德的兩百萬件收藏品之一，1918 年採集於阿根廷的布宜諾斯艾利斯。

最後一隻大管鴰在 1896 年從這個世界上消失，死於羅思柴爾德手下的王牌蒐集員帕爾莫（Harry Palmer）的手上，比牠的堂兄弟小管鴰（Lesser Koa finch）的滅絕晚了五年。小管鴰比大管鴰更加罕見，被人類看到過的僅僅只有一隻，而那一隻就是為了羅思柴爾德的收藏而遭射殺的。在羅思柴爾德大肆蒐集的前後大約十年期間，一共至少有九種夏威夷鳥兒消失了蹤影，事實上或許更多。

羅思柴爾德絕對不是唯一一位不計代價去抓鳥的人士，事實上其他捉鳥人的行為更是無情。1907 年，一個名叫拜倫（Alanson Bryan）的著名收藏家，當他發現自己射殺了最後三隻的黑監督吸蜜鳥（black mamo）時，居然告訴

富有的英國人康明，蒐集生物之大手筆，令人嘆為觀止，他特地請人建造了一艘大海船，只為增加自己的收藏。

別人說，這個消息使他渾身充滿了「喜悅」。黑監督吸蜜鳥是一種森林鳥類，牠的消失發生在被人類發現之後不過十年左右而已。

簡而言之，那是一個難以深究的時代，當時人們的想法是，幾乎任何動物只要被認為是對人類有一丁點兒干擾，就該對牠們窮追猛打。1890 年，紐約州政府付出了超過一百筆獎金，給殺掉東部山獅的人，即使牠們的數目銳減，已瀕臨絕種。

一直到 1940 年代，美國的許多州政府繼續懸賞，以殺掉幾乎所有獵食其他動物的野獸。西維吉尼亞州還每年提供一筆大學獎學金，給當年獵獲最多「有害野獸」的人，這裡所謂的「有害野獸」，幾乎是指不生長在農場裡或飼養當作寵物的任何動物。

也許可愛的小巴克曼鶯（Bachman's warbler）的命運，最能夠清楚說明那個時代的荒謬之處。巴克曼鶯生長在美國南部，以牠獨樹一格的美好叫聲著名，但是牠的族群數目從未繁盛過，反而是每下愈況。

在接近 1930 年代之前，牠們就似乎全部消失，一連數年之間，沒有人再見過牠們的芳蹤。然後到了 1939 年突然傳出了兩件好消息，時間上僅相隔兩天，卻發生在相距遙遠的兩地：兩位熱中獵鳥的人士，各自看到了這種鳥兒。但這兩個人居然都開槍把鳥打死，成為世界上最後看到巴克曼鶯的人！

這種消滅生物的衝動，絕不是美國人的專利。在澳洲，政府也曾經懸賞獎金追殺當地特有的「塔斯馬尼亞虎」（Tasmanian Tiger），這種動物正確的名稱應該是袋狼（thylacine），其實牠們的體型很像狗，稱之為虎，是因為背上有著類似老虎的條紋。

最後一隻袋狼在 1936 年死亡，牠嚥氣之前，孤獨淒涼的關在塔斯馬尼亞州首府荷巴特（Hobart）的一家私人動物園內，連個名字都沒有。你今天去到塔斯馬尼亞博物館及藝術館，想瞧瞧袋狼這種唯一能存活到近代的大型肉食有袋動物，看到的只是照片，以及 61 秒長的影片。原來那最後一隻袋狼死亡之後，屍體竟然被動物園丟進了垃圾箱。

人類，是「成就」也是「夢魘」

我之所以報導了這許多不堪回首的事實，目的是要告訴親愛的讀者，如果你被委以重任去設計一種生物，來照顧我們這個生機罕見的宇宙裡的生命，監測生命的未來去向，並記錄過去的軌跡，你不會也不該選擇人類來做這件差事。

然而極其明顯的是：我們硬是被命運也好、上帝也罷、或是

袋狼（塔斯馬尼亞虎）與射殺牠的獵人，這張照片攝於 1869 年。最後一隻袋狼，在 1936 年死於澳洲荷巴特的動物園。

你願意相信或叫得出名堂的任何無上權威，指派來照顧生命。而且就我們所知，還是沒有候補的不二人選。也許我們就是那個隱藏起來的無上權威的分身，這讓人產生了極可怕的念頭，那就是，「我們」是現存這個宇宙中最了不起的成就，卻同時也是它最糟糕的夢魘。

由於我們對活的跟死的東西，照顧的水準都是一級不小心，說真的，目前已有多少生物永遠滅絕、或是瀕臨絕種、或是一時之間尚無問題，我們根本毫無概念。至於人類在這些變化過程中所扮演的角色，我們也是渾然不知。

1979 年出版的《下沉的方舟》（*The Sinking Ark*）一書中，作者邁爾斯（Norman Myers）提出他當時的看法，認為各種人為活動造成地球上大約每星期發生兩起動物滅絕事件。不過到了 1990 年代初期，他把數字大幅向上調整為每星期六百起（只是範圍也增大為一切形式的生命，除了動物之外，還包括了植物、昆蟲等等），有些專家的估計還更高，甚至有每星期遠超過一千起的。

但比較保守的一邊看法是，聯合國在 1995 年發布了一篇報告，把我們所知道的在過去四百年內滅絕的物種總數，設定在將近 500 種的動物，以及略多於 650 種的植物，然後加注聲明說：「幾乎可以確定這兩個數字是低估了，」尤其是對熱帶地區的物種來說。然而有些人即使面對這些低估的數據，卻證諸其居住環境周遭變化不大的假象，而不相信這些報導的真實性，認為是有心人在大肆加油添醋。

事實又如何呢？說真的，我們的確什麼都不知道。我們過去做過的許多事情，在開始進行時，我們壓根兒不曉得自己是在幹嘛。我們甚至也搞不清楚自己現在正在做些啥事情，或是我們今天的所作所為對將來會產生怎樣的影響。

我們確知的唯一事實是，無論做什麼，只有一個地球可以承受，而這個地球上，也僅有一個物種，亦即人類，有能力製造出相當不同的結果來。《繽紛的生命》（*The Diversity of Life*）一書中，作者威爾森（Edward O. Wilson）把這個觀念用簡潔的一句話給點明了出來：「一個行星只容許做一回試驗。」

如果這本書給我們上了一課的話，那就是我們非常非常好運，才能活在這兒，這裡的「我們」泛指一切生物。因為我們所在的宇宙裡要出現任何一種生命形式，看起來都是一項非常難得的成就。當然哪！能生而為人，我們更是加倍幸運：我們不但享受生存的特權，而且還具有欣賞生命的奇特能力，甚至還可以循著不一而足的管道，使得生存跟生命變得更美好。最後這項天賦，我們才剛開始去掌握。

我們在一段叫人吃驚的極短時間內，發展到目前這樣的地位。現代人類，直到目前的存活時間，僅僅占了地球歷史的 0.0001% 而已，幾乎只是一瞬間。但是即使才生存那樣短暫的時間，都需要幾乎無盡的一連串好運。

我們真的是剛起步而已，接下去的問題當然是如何繼續經營，才能保證永遠不會到達終結的地步。而我們確知，要能不負這個期望，我們所需做的事情很多，絕非只是在節骨眼上碰到好運氣而已。

1972 年阿波羅十六號太空船從外太空所望見的地球。
宇宙中唯一已知有生命的地方，
或許真的是唯一有生命的地方，
就在那雲霧裊繞下的地球。

致謝

2003 年初的某一天，我坐在書桌前，展讀由美國自然史博物館的泰特薩（Ian Tattersall）博士寫來，長達好幾頁的信件。

信中除了處處洋溢鼓舞激勵之辭，也極盡委婉的指出了我在涉及古人類學，這項他的學術專長的兩章書稿中所犯的錯誤：諸如「佩里格」（Périgueux，法國西南一城市）並非產酒地區；且我誤把生物分類（界、門、綱、目、科、屬、種等七個等級）的屬跟種以上的學名寫成了斜體，他說此舉雖然甚具創意，卻是有點不太能為「科學正統」所認同。還有他發現我一直把最近剛拜訪過的城市「歐羅結撒依立耶」（見第 29 章）的地名不小心拼錯等等。

要不是以下列舉的這些與泰特薩博士同樣熱心的人士不吝指教，許多類似的錯誤必然仍舊潛伏在本書的字裡行間，想來怎不叫人心驚膽戰且汗顏？因此我由衷的感激他們，在我撰寫這本書的過程中給了我寶貴的意見。其實他們最令我心折的，倒不是他們各自擁有的獨到學識，而是他們所共有的，那種願與人分享的慷慨與愛心，以及回答我那重複過無數次的簡單問句：「哎呀對不起！您能為我再解釋一遍嗎？」時，所表現的無與倫比的忍耐工夫！

這些人之中，住在美國的有：先前提過在紐約的美國自然史博物館工作的泰特薩；在新罕布夏州漢諾威市的達特茅斯學院任職的托斯騰森（John Thorstensen）、哈德森（Mary K. Hudson）、布蘭奇洛爾（David Blanchflower）；在新罕布夏州，達特茅斯－希契科克醫療中心服務的阿布杜（William Abdu）與馬詡醫生（Bryan Marsh）；在愛荷華市，愛荷華州自然資源部門上班的安德森（Ray Anderson）與魏之奇（Brian Witzke）；在內布拉斯州立大學跟奧查德附近的「落燼化石床州立歷史公園」兩邊兼職的伍爾西斯（Mike Voorhies）；在愛荷華州史東湖城（Storm Lake）的布納威斯塔（Buena Vista）大學任職的奧芬伯格（Chuck Offenburger）；在新罕布夏州的華盛頓山天文台的研究室主任蘭柯特（Ken Rancourt）。同在黃石國家公園任職的賢伉儷，地質學家保羅．達斯（Paul Doss）跟海蒂．達斯（Heidi Doss）；柏克萊大學加州分校的阿薩羅（Frank Asaro）；國家地理學會（National Geographic Society）的潘恩（Oliver Payne）與安迪森（Lynn Addison）；印第安納普度大學（Purdue University）的法羅（James O. Farlow）；羅德島大學的海洋地球物理學教授拉森（Roger L. Larson）；《沃斯堡明星電訊報》（*The Fort Worth Star-Telegram*）的吉恩（Jeff Guinn）；家住德州達拉斯市的凱斯特（Jerry Kasten）；以及在愛荷華州首府德蒙（Des Moines），該州歷史學會上班的全體職員。

住在英國的有：倫敦帝國學院（Imperial College, London）的凱普林（David Caplin）；自然史博物館的福提（Richard Fortey）、

艾利斯（Len Ellis）與維（Kathy Way）；倫敦大學學院（University College, London）的雷夫（Martin Raff）；牛津生物人類學研究所的哈定（Rosalind Harding）；前屬英國維爾康醫史研究所（Wellcome Institute for the History of Medicine）的斯梅奇博士（Dr. Laurence Smaje）；以及在倫敦《泰晤士報》任職的布萊克摩爾（Keith Blackmore）。

住在澳洲的有：新南威爾斯州榛溪的伊凡斯（Robert Evans）牧師；任職澳洲氣象局的卡恩尼博士（Dr. Jill Cainey）；任職坎培拉澳洲國家大學的索恩（Alan Thorne）與班奈特（Victoria Bennett）；家住坎培拉的博克（Louise Burke）與豪利（John Hawley）；任職《雪梨晨鋒報》（*The Sydney Morning Herald*）的米恩（Anne Milne）；曾屬西澳地理學會（Geological Society of Western Australia）的諾瓦克（Ian Nowak）；維多利亞博物館的瑞奇（Thomas H. Rich）；南澳阿得雷德博物館的館長弗蘭納瑞（Tim Flannery）；西澳荷巴特的塔斯馬尼亞皇家植物園（Royal Tasmanian Botanical Garden）的帕普沃斯（Natalie Papworth）與麥克費登（Alan MacFadyen）；以及在雪梨的新南威爾斯州州立圖書館任職，一群非常樂於助人的工作人員。

住在其他地區的則有：在紐西蘭首都威靈頓，紐西蘭博物館擔任資訊中心經理的蘇派維麗（Sue Superville）；以及在非洲肯亞首府奈洛比的肯亞國家博物館工作的穆布瓦（Dr. Emma Mbua）、梅斯（Koen Maes）、及安哥里（Jullani Ngalla）。

此外為寫此書，我還或多或少欠下了許多人情，包括 Patrick Janson Smith、Gerald Howard、Marianne Velmans、Alison Tulett、Gillian Somerscales、Larry Finlay、Steve Rubin、Jed Mattes、Carol Heaton、Charles Elliott、David Bryson、Felicity Bryson、Dan McLean、Nick Southern、Gerald Engelbretsen、Patrick Gallagher、Larry Ashmead、以及新罕布夏州漢諾威市，在那間無與倫比跟永遠活躍的郝宜圖書館（Howe Library）服務的全體職員。

最後，就像往常一樣，我得特別向我那位親愛的、有耐性的、沒人可與之相比的太座 Cynthia，致上最大的謝忱。

——2003 年

另外，我還要感謝 Katrina Whone、Sheila Lee、Jo Micklem、Phil Lord、Alex Smith、Emma Smith、Alison Martin、Cordelia Molloy 以及 Ruth McKernan 的協助，因為他們的協助，才有這一套彩圖版《萬物簡史》的誕生。

最後，我要特別向 Miariam Hyman 致上我的感謝與追思，就在她完成這本書的圖片搜尋工作不久後，不幸於 2005 年 7 月 7 日在倫敦的恐怖攻擊事件中喪生。

——2005 年

《萬物簡史》（下）圖片來源

BAL = Bridgeman Art Library/www.bridgeman.co.uk
NPG = National Portrait Gallery, London
NHMPL = Natural History Museum Picture Library, London
SPL = Science Picture Library, London

扉頁：evolution chart by Neil Gower. © Neil Gower
Page 41, 114, 142, 235, 246, 413 © Kipper Williams 2005

第五部：生命的崛起

4-5. Science Source/SPL

第16章
9. EPA/Empics
10. © National Maritime Museum, London
12. Mary Evans Picture Library
17.（左）Hulton Archive/Getty Images（右）Hans Wild/Time Life Pictures/Getty Images
22. NASA/SPL
30. © Bettmann/CORBIS
32. The Art Archive/Bardo Museum/Dagli Orti

第17章
34. © 1996 CORBIS; original image courtesy of NASA/CORBIS
36. © National Oceanic and Atmospheric Administration
38. NASA/SPL
42. © Reuters/CORBIS
44. Keith Kent/SPL
46. © 1996 CORBIS; original image courtesy of NASA/CORBIS
49. Académie des Sciences, Paris/BA
51. Science Museum, London
52.Science Museum Pictorial
53.The National Meteorological Library, Exeter.
55. Science Museum Pictorial
59. Dee Berger/SPL
62-63. Kevin Schafer/CORBIS

第18章
64. Alfred Pasieka/SPL
69. Dr John Brackenbury/SPL
72. Royal Geographical Society
76. © Ralph White/CORBIS
78. National Geographic Image Collection
80. Photo Scoop
84. Photo Woods Hole Oceanographic Institution
86.（左）Murton/Southampton Oceanography Centre/SPL（右）© Ralph White/CORBIS
88. © Roger Ressmeyer/CORBIS
90. © Phillip Colla/www.oceanlight.com
91. Conrad Maufe/Nature Picture Library
93. © NHMPL
95. © Alex Smith
96. © NHMPL
97. Jurgen Freund/Nature Picture Library
100. © Jeffrey L. Rotman/CORBIS
102-103. © Bryan & Cherry Alexander

第19章
104. Georgette Douwma/SPL
106. © Bettmann/CORBIS
110. Dr. Tim Evans/SPL.
112. Kenneth Libbrecht/SPL
116. © NHMPL
117. © The National Gallery, London
118. Jonathan Burnett/SPL
126. Chris Butler/SPL
128. Michael Abby/SPL
129. John Reader/SPL
131. Michael Abby/SPL
135. British Library

第20章
136. Eye of Science/SPL
139. Steve Gschmeissner/SPL
141. CNRI/SPL
148. Hulton-Deutsch Collection/CORBIS
150. WL
153. Photo by Bill Wiegand
155. Wolfgang Baumeister/SPL
157. © Rick Friedman/CORBIS
159. © Carolina Biological Supply Company
161. WL
163. WL
167. John Durham/SPL
171. SPL
173. © Hulton-Deutsch Collection/CORBIS
175. © Ed Kashi/CORBIS
177. London School of Hygiene & Tropical Medicine/SPL

第21章
178. © John Sibbick/NHMPL
182. © NHMPL
185. Photo Smithsonian Institution, Washington
188. Photo Smithsonian Institution, Washington
190. National Museum of Natural History, Smithsonian Institution
193. Courtesy Marg Sprigg
195. © NHMPL
197. © Wally McNamee/CORBIS
201. © JunYuan Chen
203. © NHMPL

第22章
206. D. van Ravenswaay/SPL
210. © Tom Bean/CORBIS
215. © Seapics.com
217. © John Sibbick
219. © De Agostini/NHMPL

224-225. The Field Museum neg. no GEO808ZOc/Ron Tester
227. © Royalty-Free/CORBIS
230. © Stephen Frink/CORBIS
232-233. D. van Ravenswaay/SPL
238. © Louie Psihoyos/CORBIS

第 23 章
240. © NHMPL
248. © NHMPL
249. © NHMPL
250.（上）© NHMPL（下）Agnew & Sons, London/BAL
251. © NHMPL
255. WL
256. Private Collection/BAL
257. © NHMPL
259. © NHMPL
268-269. © NHMPL
270. Mark Moffett /Minden/FLPA
273. Andrew Syred/SPL
278. John Walsh/SPL
281. © Bruce Coleman Inc.
284. © NHMPL

第 24 章
286. Albert Bonniers Vorlag AB.
290.（上）Christian Darkin/SPL（下）Hybrid Medical Animation/SPL
292. WL
293.（上）Lauros/Giraudon/BAL（下）Science Museum Pictorial
295. Essay de dioptrique, 1694.
297. WL
300. Francis Leroy/SPL
302. Steve Gschmeissner/SPL
305. Steve Gschmeissner/SPL
307. Science Pictures Ltd/SPL

第 25 章
308. NPG
311. © NHMPL
312. SPL
313.（上）English Heritage（下）© NHMPL
317. Mary Evans Picture Library
318. Mary Evans Picture Library
321. WL
322.（左）NPG（右）NPG
329. James King-Holmes/SPL
330. Sheila Terry/SPL
331. © NHMPL
334. 'Monkeyana' from Punch, 18 May 1861.
335. NPG
337. NPG
338. WL
341. Mary Evans Picture Library

第 26 章
342. Photonica
345. WL
347. Leonard Lessin/FBPA/SPL
349. WL
352. Dr. Elena Kiseleva/SPL
354. Photo by A. F. Huettner/courtesy Caltech Archives
355. Pascal Goetgheluck/SPL
357. © The Rockefeller University Archives
362. © Museum of London
363. SPL
365. A. Barrington Brown/SPL
367. © Bettmann/CORBIS
374. James H. Robinson/SPL
376. WL
380. Alfred Pasieka/SPL

第六部：生命的旅程

382-383. © ART on FILE/CORBIS

第 27 章
386. © Yale Center for British Art, Paul Mellon Collection/BAL
388. Tony Craddock/SPL
390. © Bettmann/CORBIS
393. © Alpine Club
395. SPL
396. © Vasko Milankovitch
402. © Abbie Enock; Travel Ink/CORBIS
405. © CORBIS
406. © Neil Rabinowitz/CORBIS
408. © Roger Ressmeyer/CORBIS
410. Library of Congress/SPL
414-415. © arcticphoto.co.uk

第 28 章
416. © John Gurche
420. Kenneth Garrett/National Geographic Image Collection
422. © NMNH, Leiden, The Netherlands
424. John Reader/SPL
426. SPL
428. WL
434-435. Pascal Goetgheluck/SPL
439. © John Gurche
441.（左）© Bettmann/CORBIS（右）John Reader/SPL
443. John Reader/SPL
445. © American Museum of Natural History
447. © Leakey Foundation
449. F. Spoor/National Museums of Kenya
450. © Galen Rowell/CORBIS
453. Photo by Time & Life Pictures/Getty Images
455. John Reader/SPL
458. © Kenneth Garrett/National Geographic Society Image Collection

第 29 章
462. Kenneth Garrett/National Geographic Image Collection
465.（上圖）The Art Archive/Musée Boucher de Perthes, Abbeville/Dagli Orti（下兩圖）The Ancient Art & Architecture Collection
467. Jim Bowler/published with permission of traditional elders

469. © Dave G. Houser/CORBIS
470. Kenneth Garrett/National Geographic Image Collection
471. The Ancient Art and Architecture Collection
474. © Chris Hellier/CORBIS
477. Photo by Express/Express/ Getty Images
479. Pascal Goetgheluck/SPL
480. © Instituto Português de Arqueologia/José Paulo Ruas
482. © Newsweek International
485. © John Sibbick/NHMPL
489. © Sue Cunningham Photographic/Alamy
491. Robert Sisson/National Geographic Image Collection
493. Kenneth Garrett/National Geographic Image Collection

第30章

494. Oxford University Museum of Natural History/BAL
497. Oxford Museum of Natural History
499. Novosti
502-503. © Peter Schouten, 2004, published by the Text Publishing Company Pty Ltd, Melbourne2004
505. © Peter Schouten, 2004, published by the Text Publishing Company Pty Ltd, Melbourne 2004
507. © NHMPL
509. © NHMPL
510. NPG
512. Tasmanian Museum and Art Gallery
515. NASA/SPL

科學天地 179

萬物簡史（下）

生命擂台（全新改版）

A Short History of Nearly Everything

作者 — 比爾．布萊森（Bill Bryson）
譯者 — 師明睿
科學叢書顧問群 — 林和、牟中原、李國偉、周成功

總編輯 — 吳佩穎
編輯顧問 — 林榮崧
責任編輯 — 林文珠、黃雅蕾、徐仕美、畢馨云；吳育燐、林韋萱
美術編輯暨封面設計 — 江儀玲
校對 — 呂佳真

出版者 — 遠見天下文化出版股份有限公司
創辦人 — 高希均、王力行
遠見．天下文化．事業群 董事長 — 高希均
事業群發行人／CEO — 王力行
天下文化社長 — 林天來
天下文化總經理 — 林芳燕
國際事務開發部兼版權中文總監 — 潘欣
法律顧問 — 理律法律事務所陳長文律師
著作權顧問 — 魏啟翔律師
社 址 — 台北市 104 松江路 93 巷 1 號 2 樓
讀者服務專線 — 02-2662-0012　傳真 — 02-2662-0007；02-2662-0009
電子信箱 — cwpc@cwgv.com.tw
直接郵撥帳號 — 1326703-6 號 遠見天下文化出版股份有限公司

製版廠 — 東豪印刷事業有限公司
印刷廠 — 立龍藝術印刷股份有限公司
裝訂廠 — 精益裝訂股份有限公司
登記證 — 局版台業字第 2517 號
總經銷 — 大和書報圖書股份有限公司 電話／（02）8990-2588
出版日期 — 2021 年 7 月 30 日第二版第 1 次印行

定價 — NT 800 元
書號 — BWS179
ISBN — 978-986-525-224-3
天下文化官網 — bookzone.cwgv.com.tw

國家圖書館出版品預行編目(CIP)資料

萬物簡史. 下, 生命擂台 / 比爾.布萊森(Bill Bryson)著 ; 師明睿譯. -- 第二版. -- 臺北市 : 遠見天下文化出版股份有限公司, 2021.07
面； 公分. -- (科學天地 ; 179)
譯自 : A short history of nearly everything.
ISBN 978-986-525-224-3(精裝)

1.科學　2.通俗作品

307　110010189

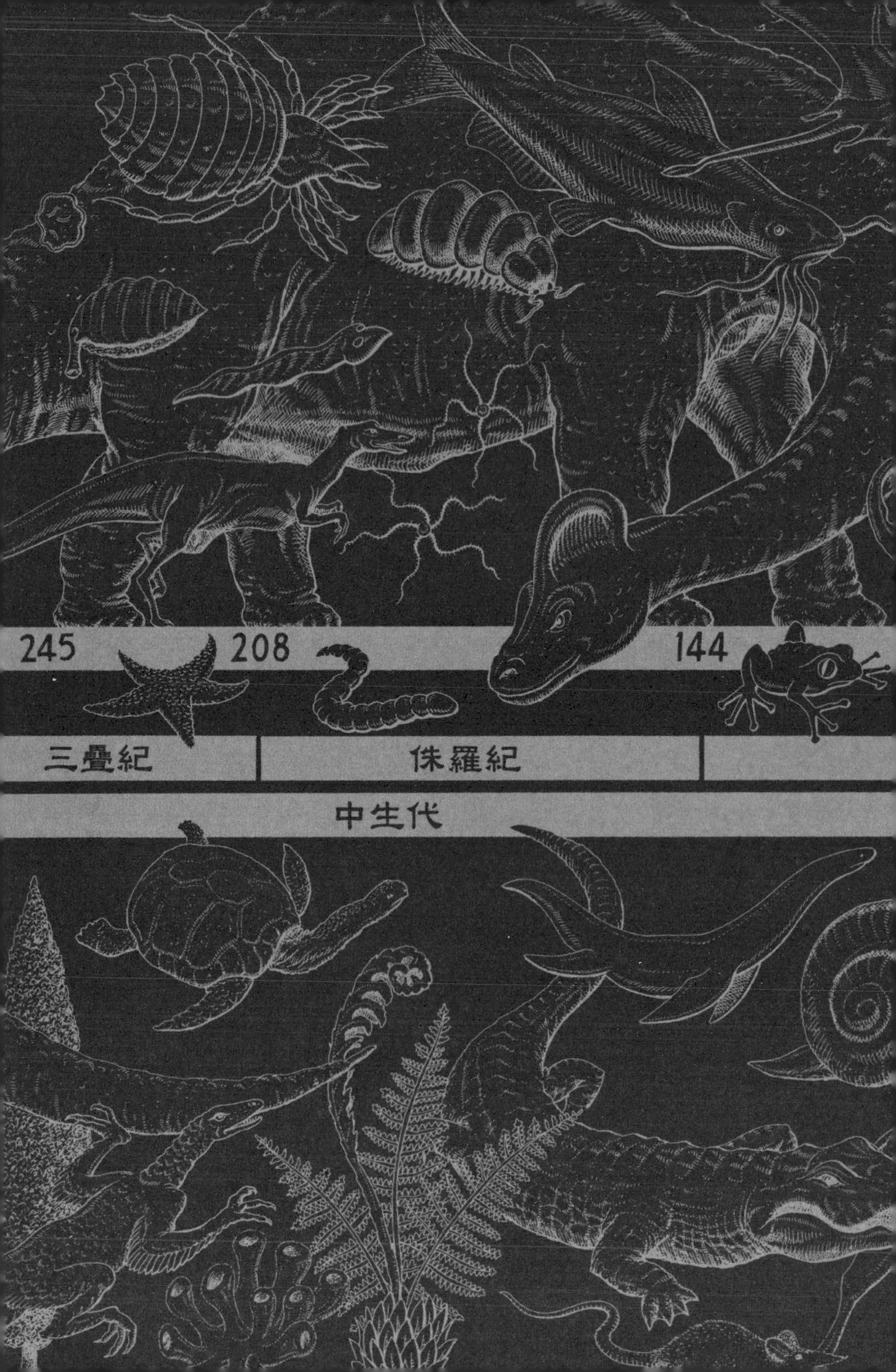
245
208
144
三疊紀
侏羅紀
中生代